家·文画

成自选集

上

方成 著

文化艺术出版社
Culture and Art Publishing House

目 录

序

我是画漫画的，也写杂文。因为漫画和杂文，这两者性相近，习也不相远，都是时事评议性的文艺作品，也都讲究用幽默笔法的。几十年来，有一部分文章已辑之成集出版，印数很少，大都是20世纪出版的。还有一部分是后来写的。文中所评的时事，事过境迁，便成史实，可供回顾。现在把这些文章选出收集起来，作为自选集出版。

这是我出版的第一部自选集。文章写的时间最早是20世纪80年代，但所写的事情，很多是五六十年代发生的。因为在1957年之后，作讽刺性的漫画和杂文都有被划成“右派”的危险，所以我作讽刺性的漫画和杂文，都是在改革开放后的80年代。我的漫画选集已经出版多本。其中的漫画和这本杂文自选集里的作品，创作上都想使用幽默笔法。其中一些还是谈有关幽默的论文。我也是想借此机会讲我对幽默理论的认识，就教于读者。欢迎批评教正。

方成

2006. 9. 17

生活一向很平常
騎車画畫寫文章
養生就靠一個字
忙

零零年夏
方成自画自
於金台西路
多劝能聽

话说幽默

现在的报纸刊物，经常可见幽默对话和幽默画发表，电视不时播放相声表演，喜剧也多起来。书店里还不断摆出新出版的笑话集，古今中外，一应俱全。人们心里高兴，就想笑，笑的文艺自然应运而生，这是不言而喻的。

人们笑是笑了，议论也随之而起。有人说，外国的幽默对话和幽默画比中国的好，是不是外国人（一般指欧美人）比我们幽默感强些呢？从报刊上发表的作品看，是的。可是我看过许多外国幽默画，看过一本很厚的外国幽默对话集子，其中好的也不甚多，我国报刊没介绍，读者没全见。西方习惯是，凡逗笑者统称“幽默”，正如我国古时统称“滑稽”那样；其实多属可笑，算得上幽默的少。但说实在话，西方幽默文艺作品确实比我们多，好的也多。西方不止一国，倘和体育运动竞赛那样，一国对一国比，我们和西方几个国家比起来，也不是对手。原因很简单，鲁迅早就讲过：“而且也容不得笑。私塾的先生，一向就不许孩子愤怒，悲哀，也不许高兴。皇帝不肯笑，奴隶是不准笑的。他们会笑，就怕他们也会哭，会怒，会闹起来。”（《论语一年》）西方的封建皇帝几百年前就进了历史博物馆，中国的皇帝退位不到百年，何况遗老遗少还有活着的呢。我们笑得迟，反映到文艺作品中就少，也没那么老练，这也是不言而喻的。

其实，中国人的幽默感并不在西方人之下，不过只是表现在皇帝老爷们见不到和不注意的地方，比如在笑话和相声里。像《珍珠翡翠白玉汤》、《连升三级》、《空城计》这些传统相声中，就有十分精巧的幽默和讽刺，在国际比赛中——如果有这种比赛的话，能拿金牌奖。解放后也有不少极为出色的新作品，这是大家知道的。喜剧和漫画比解放前在数量和质量上都有很大进展。

然而人们还是在议论，特别对相声，说已经多年没见很满意的表演了。是啊！经验丰富的老演员，凡健在的，年龄都在古稀上下，所剩不多；中年的经受十年不准笑的停滞，虚度了华年；青年中很多人还摸不清幽默的性质。漫画界的情况也与此相类。

“可笑”也就是平常说的滑稽。滑稽和幽默都逗笑，但有区别。在日常生活中，滑稽可笑的事多得很。我的一个孩子刚周岁，见大人就叫“妈”，见男人叫声“妈”，就可笑，可说是滑稽，但没人说：“这孩子真幽默。”另一个孩子，四五岁了，我抱他看篮球赛，他见那么多人抢一个球，就问我：“干吗不人人一个?”一听就可笑。早先我听人讲过韩复榘的笑话，传说这位省主席到一个学校看篮球比赛时，向校长作指示：“唉！一个球大家伙抢！给他们一人发一个！”两者同出一辙。前者只是可笑，后者出于幽默，因为一听就明白这是人编造出来嘲弄这位不学无术又自以为是的人的，是有所含蓄的逗笑。幽默是风趣地表达思想、抒发情感的方式。讽刺可说是带刺的幽默，是以幽默方式来进行批评和指责——大体如此。

幽默用语言文字表达，也采用绘画和表演等方式，幽默的文学艺术形式是多样的。

在日常生活中，人们习惯于运用幽默的语言，例如给人起外号，把崇尚外国装扮的人称为“业余华侨”；把某些电影演员称为“奶油小生”；不务实际而满口教条的妇女被称为“马列主义老太太”，计算偏于自己一方称为“胳膊肘往里拐”；干部能否安心于现职者，分别被称为“飞鸽牌”和“永久牌”——这原是自行车的商标；靠私人关系办事叫“走后门”；假日里带孩子们游玩叫“出来放羊”；现在称妻子为“内掌柜的”……文化很低的人也会是有幽默感的。

将幽默运用于文学艺术创作，使之成为具有幽默讽刺性的作品，就需要创造性的艺术构思，这种构思方法不同于一般所见的文艺创作。侯宝林的相声《醉酒》中，最逗人的“包袱”（笑料）是醉汉让另一醉汉顺着电筒的光柱往上爬那一情节。这原来是欧洲的一个笑话，30 年前钟灵同志从匈牙利访问回来时，我听他讲过。而且很简单，谈的是疯人院里的一个疯人让别人顺着电筒的光柱往上爬，仅此而已。《醉酒》只借用这一点，编成一个完整的艺术结构，倘无高度幽默感和幽默艺术构思才能，是办不到的。

幽默是一种艺术——说得准确些，是经过艺术处理的语言（包括艺术语言）表达方式。艺术自有它的法则，或说规律性。幽默有什么法则或规律呢？法国哲学家柏格森在《笑——论滑稽的意义》一书中，分析喜剧表演，理出逗笑的一些规律；薛宝琨的《笑的艺术》和王力叶的《相声艺术与笑》分析相声表演，也理出逗笑的法则，都涉及幽默。中外很多学者都写过不少论笑和幽默的论文，各有灼见。但要按照法则实际运用起来，却很不易。因为幽默不仅仅有方法问题，还涉及人的思想、学识、联想和想象力、生活经历以至性格等各方面，形成深度不同的幽默感。人多能理解，不协调是造成滑稽的原因，但须比一般人对滑稽更敏感，发掘较深，兴趣较大，才会比较善于运用滑稽方式来发言——这就是幽默。

知道一些逗笑的方法而并不大了解幽默，也能逗笑，但感人不深，无可回味。因为单纯的逗笑，若非以奇巧的创造性动人，一般只博一笑而已，也就是小滑稽。以滑稽方式发言，有言外之意，有内在的含蓄，才能引人思索。内涵越深，余味越浓，这就不是普通逗人一笑的小滑稽可比了。幽默之所以有美感，就在回味上。试想一下听过的相声、看过的漫画和幽默对话，总有一些难忘的情节、话语或形象，如相声《买佛龛》里的对话：

甲："年轻人说话没规矩，这是佛龛，能说买吗？这得说请。"

乙："啾，大娘，我不懂，您这佛龛多少钱请的？""嗐，就他妈这么个玩意儿要八毛！"

又如德国漫画家卜劳恩的《父与子》里，儿子踢球把玻璃打了个洞，父亲气得把他赶出门。久等不回家，急得父亲团团转，忽然又踢来一个球，玻璃窗又打了个洞，父亲反而高兴得抱起闯祸的儿子亲起来。这位父亲前后两次态度的对比，真逗人笑，这逗笑的情节里，有多少深厚的内涵啊！

孩子闯祸，打破一块玻璃，父亲生气；继续闯祸打破两块玻璃，按理说，父亲应该更加生气。然而却不，反而高兴之极。这不是矛盾吗？可是观众理解其中有理，既矛盾又有理，和前面所举相声的例子同属一格，是幽默家惯用的手法。这类手法许多文章里都讲过，但是只有幽默家才善于运用，这就不仅是方法问题了。而且从题材看，都是日常生活中普通的事情。幽默家很多，但发现这题材，采用这技法的，只有侯宝林和卜劳恩，其他幽默家则发现

逃子归来

他们两人没发现的其他题材，采用其他表现技法。可见文艺创作的复杂性。

目前相声、幽默对话和漫画创作引起读者的议论，问题在哪里呢？从许多作品来看，主要是对幽默的认识不足，经常把可笑都当幽默。许多可笑的话都列为“小幽默”，可笑的画称为“幽默画”，这是按西方习惯标类，并非都属幽默。有些相声和漫画虽也逗笑，因为无幽默，或幽默感不足，就很难引起人的美感。

（1986）

从滑稽到幽默

从议论相声扯起了这么个话题：

“什么叫滑稽？和幽默有什么关系?”

轮到我发言，我说：“依我看，滑稽嘛，哪儿都会有，看得见，听得着。幽默，那是想出来的，平时见不着，然而，两者之间却很有关系。”

小时候，我住在北京——那时候叫北平，常到西四牌楼左近的西安市场玩耍。时常看见那里的人群中，留平头的，分头的，背头的和光头的男士之间，有一两个老人后脑勺垂着一条毫无美感的辫子，便觉得滑稽可乐。再看那耍猴儿的，齐天大圣的一位不争气的后代，被人用绳子系着脖子，骑在羊背上转圈儿，很新奇有趣。接着，它跳下坐骑，从箱子里摸出一顶乌纱帽往头上一戴，配上身穿的红袍，贼眉鼠眼地四下张望，这才觉得滑稽，逗得人哈哈大笑。这滑稽，小学生也感觉得出来，可算是“初级”滑稽了。

级别高些的滑稽，小学生是未必看得出的。比如在旅途中可见到河边的小饭馆，三两张晃悠悠的方桌，几把条凳，小小的门脸上横着一块红底雕花边大招牌，上面凸出金光闪闪四个大字：“滨江饭店”。在大城市见过北京饭店、锦江饭店的人，对这种滑稽尤其敏感。大城市里这类滑稽也是随处可见的，如货架上陈列着两台录音机，一台电视机，加上几个扩音器和一些虚实不明、印有外国字的方盒子之类，柜台里还摆放着若干录音带、电池、电子手表等等的商店，门脸也挂着气派不小的招牌：“环球电器中心”。这可算得是“中级”滑稽了。

比这略为高级些的，从报纸上可以看到，例如在试行干部评职称时，有的地方县长或县委书记忽然多了个“工程师”的头衔。如果大学里再出现个“总务教授”，那就更有水平了。

还有一种滑稽，就涉及幽默了。这种滑稽不一般，虽然明摆着，人人能见，但缺乏幽默感的人是察觉不出的。举个例子吧：出门常乘电车。北京有的电车站拦出三个上车口，口上各竖一块牌子。前面牌子标明“立席”，后面两个牌子标明“座席”。“立”而有“席”，颇感新鲜，姑且不论。从“立席”口上车的，未必立着；从“座席”口上车的，也未必有座，这是人人得见的。然而春去冬来，再春去冬来，那牌子还照旧竖在那里。这要想一下，才觉其滑稽。再看车里面，前排座位旁边，可见标有“老弱孕妇席”的牌子。老弱、孕妇或抱着孩子的乘客上车，会有人让座。是让到那“老弱孕妇席”去就座吗？不是的，而经常见到在“老弱孕妇席”上就座的，都是既不老，又不孕的男士女士们，甚至是彪形大汉。那么，摆那块牌子是干什么的呢？而且历经数十寒暑而岿然不动，想一想，滑稽便油然而生，不想则不觉，故谓之“高级”滑稽。

还有更高级的呢。这种滑稽，不仅须有幽默感，还须有一定涵养才能感觉出。有一次乘火车，软席卧铺一位乘客清晨起床，发现新买的高级提包被老鼠啃了两个大洞，便招来乘务员说：“这车上有老鼠！你看!”这位乘务员态度很好，微笑着说：“我们知道，早就打过报告了。”

如果这不是实实在在的真事，而是虚构的，那就属于幽默了。

（1984）

新 潮 小 贩

因有感而思正名

平时不爱看“有感”的文章，最近看了三位农民把六任厂长经营亏本而关闭了的国营新绛水泥厂承包下来，只半年多，就获纯利两万元的消息（见3月23日《人民日报》），不由得也“有感”起来了。

此“感”不由一处来。前些日子到北京一家规模宏大的书店去买一本杂志，叫《曲艺艺术论丛》。到柜台一问，售货员回答很干脆：“没有。”我转身要走，旁边一位顾客拉着我往这位售货员身边的柜里一指说：“有的，你看看。”我就指着放着这本杂志的地方，向这位售货员说：“我买这本。”他顺手拿了出来，面不改色。

过了几天，我又到这家大书店另一个柜台，向售货员说：“买一部《匹克威克外传》。”他回答也很干脆：“没有。”这回我有经验了，自己向书架上找，那部书赫然在目，排列整齐。于是指着那部书向这位售货员说：“我买这本书。”他一转身顺手取出，也面不改色。

骑车回家，看街上卖大白菜，便停下来，从一大堆菜里挑了三棵。顺便问售货员：“这是青口的还是白口的？”回答也很干脆：“全有。”看她那脸色我不敢再问。旁边一位好心的顾客告诉我“都是青口的”，我才明白。

现在轮到“有感”了。可以盈利的企业能连年亏损，有货可以

不知道

说没有；只有一种货，可以说“全有”。事情都是神经正常的人干的，这叫什么毛病？有人说：老百姓是“吃大锅饭”闹的，当官的是“官僚主义”闹的。报纸也是这么说。可我总觉得还没说到点子上。毛病都一样，怎么有两种说法呢？

报纸是学习的好材料，看着看着，颇有所得。报上有这样的标题：“有钱不收，有货不领，损失百万不在乎”（见3月20日《羊城晚报》），另一则消息：“一船粳米，霉烂变质1．3万斤，其余百万余斤也发热变色，该县粮食局领导对此毫不痛心”（见2月14日《人民日报》）。最近又看到一条消息：福州车站职工在文明礼貌月里清理出300多批长期积压的“无主货”，好容易才找到其中的120位货主。这也应属天下奇闻。倘无“文明礼貌月”，这些货还得积压下去无人过问，而货主自然毫不在乎，货损坏了也毫不痛心的。

可见毛病出在“不在乎”和“不痛心”这两个“不”字上。一个病症还要用两个“不”字相称，虽不远矣而尚未言中。

于是继续学习，还是看报。有了！报上早已有不少报道和评论：农村实行各种联产责任制，不但农业增产，林副牧渔样样丰收；企业实行经济责任制，立即转亏为盈；陕西县级以上单位实行处理群众信访责任制，使久拖未决的“老大难”问题很快得到解决。许多评论也说，实行责任制不但打破“大锅饭”，也克服“官僚主义”。

可见新绛三位农民之所以赛过六位厂长，其窍门无非是负责任而已。因为倘不负责，亏了本，他们自己要“上吊”的。

实行责任制，毛病就治好了。那么，在未实行责任制之前，叫什么制呢？只好叫“不负责任制”了。这个不见经传的名称听来刺耳，但事实证明，“整改”恰恰是对此症下药，灵得很哩！

（1984）

为人民服务

虎年说吃

天津有个“狗不理”，是个颇有名气的包子铺，我曾去品尝，排了好长的队。现在北京鼓楼附近也有个“狗不理”，我又去品尝，照样排了很长的队。前些时，特区深圳也有了一个“狗不理”，但没多久，包子照卖，铺名却改成了“喜相逢”。因为，广东人不知“狗不理”的来历和声誉，嫌那名字不好听又不沾财气。“喜相逢”听着顺耳，看着提神，人们自然乐于光顾。和许多外国字不同，我们汉字均属单音，各具含义。所以，人取名字，大都叫富、禄、寿、喜、美、芳之类，而不叫贫、诈、丧、哭什么的。什么东西名称不利不吉，一改就变好。比如广东话把竹杠叫做“竹升”，因为在广东，“杠”和“降”同音，听着别扭，“降”改为“升”，大吉。类似的例子很多，又如舌与“蚀本”的“蚀”字同音，便改为“利”，“肝”字与蚀干了的“干”字同音，于是猪肝便称“猪润”。通书（北方称“皇历”，即历书）叫“通胜”，“输”家一下成了“赢”家。在北方，“舌”与赊同音，便将猪舌改称“口条”。酒席上菜，明明是鸡爪，偏叫“凤爪”，立时高贵起来。鸦片烟不是毒品吗？你听那名字吧——“福寿膏”，化害为利，转祸为福。这里的学问可大了。既然有这么大的好处，所以从古至今，这门学问流传下来了，而且不断翻新。近几年不是常听见人冠冕堂皇地说着一些新名词吗？最时兴的是“好处费”、“操心费”、“辛苦费”……还有许多名称虽旧，却赋予了新意的，如“手续费”、“管理费”之类。真是五花八门，其实都是一个意思，但不能说穿，说穿了不好听，还犯忌讳，不便出手；出手了人家也不便伸手接纳。人家不接纳，事情就不好办。这些费是从哪里来的呢？不说人也知道，反正不全是出自私人荷包。明白了吧？亲爱的同志。

值得深思的是，为什么冒出了这么多的费呢？被钱招惹得红了眼的坑蒙诈骗，自然不在话下。想到今年是虎年，也会得到启示。报纸上不时见到“电老虎”、“水老虎”的消息，是不是还有大大小小、形形色色的“钢老虎”、“板老虎”、“盖章老虎”、“拦路虎”、“坐地虎”呢？四条腿的老虎吃人，两条腿的老虎吃什么呢？明白了吧？亲爱的同志！

（1986）

从臭虫扯出的话题

四年前，我在南方县城一个招待所里住了一宿，宿费每床8元，那时已算很贵的了。房里设备是不坏的，但睡在床上，终夜不成眠——一宿捉了四个臭虫。清早起来我向服务员说："你们这地方东西真贵。"服务员说："不贵呀。""怎么不贵？昨天晚上，我花8元钱，捉了四个臭虫，合两元一个呢！"他一听乐了，连忙道歉说，一定改进，把卫生工作做好。

如果住宿不收租金，或收得极少，就让臭虫咬几口也不会计较的，我是心疼花这么贵的房租啊！

最近看到报纸一条消息，报道批评某地区副处级以上干部多占住房以后，事情已大体解决，清退出几万平方米的住宅面积来云云。由此想起住房问题来了。从这条消息看出，住房不是买来的，也不是租来的，而是"占"来的。虽说也付房租，那只不过是几包香烟钱，差不多等于白住，谁不想多占几间呀？于是，能量大的就多占，能量小的只好少占。所以，多占房子的主儿，大抵是报上所说"副处级以上干部"了。副处级以下的，如果与头头脑脑或房产科没啥关系，那就甭想多占了。

再看，报纸上报道兰州布鞋厂和兰州厨房设备厂的厂长都被错误地免了职，后来收回成命。一篇评论说，都"官复原职"了。厂长是“官儿”？是的，在中国，他就是官员。又一篇报道，标题是“钟运华辞官记”，钟运华何许人也？原来是萍乡市气象台的副台长。副台长也是“官儿”？是的，在中国，是气象官员。去年，《羊城晚报》一篇文章，讲的是1957年时，一些报纸编辑被错划为右派，离开职位，称为“远离官场”。在新闻单位，当个头儿也是“官儿”？一个修鞋服务社的支书经理也是“官儿”？是的！都是官儿。报纸不是还常批评“官商”吗？呜呼——商也有“官儿”……

什么是官呢？

《聊斋志异》里“夜叉国”的故事写道：“‘何以为官？’曰：‘出则舆马，入则高堂；上一呼而下百诺；见者侧目视，侧足立，此名为官。’”作者蒲松龄是清朝人，讲的是清朝的官，这与我们现在的官，性质完全不同，不可同日而语。但官总是和权有联系，而权和势则属于一种能量，连卖肉的都有点权给他二婶多切点精瘦的呢。今日之官虽并不都住高堂，而有些人公然违反规定，多占几间房子，那还是手到擒来的。那么，如果工有工官，商有商官，学有学官，医有医官……住房紧张，再加上越来越多的官，房子按官按权分配，问题不就越来越多了吗？

我的一位老友，为了安装一台电话，找到部长，得到批准一年才装上。为什么？因为他没有实权，还不能算是“官儿”。最近北京大学有四十多位副教授以上的学者安装了电话，邮电局居然当成一桩喜讯加以报道，为什么？因为他们不是“官儿”；如果他们是什么级的官员安装了电话，那就不成其为新闻了。

改革，改革！不把重高官轻寒士的封建残余等级观念从体制上改革掉，尊重知识，尊重人才就是一句空话。

（1985）

我也造字

看《羊城晚报》1 月 12 日《书报摊》转载《语言美》一篇文章，说鲁迅曾创造两个新字，一个是“猹”，一个是“奴”。“猹”字已得到承认，收入词典，“奴”字却名落孙山，未得入选，词典上没有。我想那是不会有的——至少目前不会有。“猹”字源于群众口语。从口语创新字是古已有之的，例如相声中逗哏、捧哏中的“哏”字，显然是源于地方口语而创造的，词典上有。又如广东的“咁”、“啋”、“嚿”、“嘅”、“嘞”、“咗”等等，至今未见于词典，但在广东是被承认了的，报纸上就有，今后不是没有可能登上词典的大雅之堂。但“奴”字不同，这类字的创造，属于幽默讽刺艺术之一种手法，鲁迅创造出来，别人再用，便有因袭之嫌，我想其他作家是不愿意使用的。鲁迅在《“碰壁”之余》中有一句道：“据我所记得的，是先有‘一个女读者’的一封信，无名小婞，不在话下。”其中的“婞”字，同属这一类。读者一看就明白是什么意思，也会理解鲁迅为什么创造这个字，所以词典没有。两个月前，我的一位 30 年前的女同学写信，称我为“学兄”，我回信称她为，“学妃”，纯属开玩笑，并无意于冒充摩登仓颉，这个字当然也不会收入词典的。

（1984）

由想起而想起

夜里，看《羊城晚报》一篇《夜谈》，《从女排“三连冠”想起》，说我国目前正处在干部新老交替的时期，有经验的老干部正在“引退”，倘下决心带好、交好班，让“小字辈”的新干部早出来锻炼，后续问题就好解决，这是女排夺魁给我们的一个启示。

这话我是同意的。但还“想起”一个问题：“小字辈”从哪里来？经过锻炼，万一不行，怎么办？

国家体委的办法很简单：“小字辈”是教练从运动员里选拔的；经过锻炼，成绩不佳，实在不行的，就换一个，两个不行就换两个……总之，选最合格的。

于是引起个假想：倘若某领导人的一个表亲把他的外甥女推荐到女排，经过一再锻炼，上阵仅有屡败屡战之勇，而无克敌制胜之功，依然列名队员，照样出场，女排尚有夺魁之望乎？

又倘若这位姑娘适于当演员，某京剧团要调她，她也愿去，可女排不肯放，怎么办？后来女排肯放，而某市户口进不去，又怎么办？

当然，这都属于假想，是有了启示才“想起”来的，供参考。

（1984）

门外汉（供人才学家参考）

生活的乐趣

大清早，特别是节假日的大清早，你在街上准能看见一些身背宽檐大草帽的人，骑着自行车，背着一大捆钓鱼竿，向城外驶去。他们一出城就是十几里，几十里，然后找个熟悉的河边或池塘边，一蹲就是一天。什么累呀，饿呀，苦呀，全都不在乎。诸如此类的事，我想就是“嗜好”，或者叫“生活的乐趣”吧。

每个人都会有自己的嗜好，都会有自己的生活乐趣。我上学的时候，就喜欢唱歌、打球、演戏、画画、听评书、斗蛐蛐，哪样都有瘾，都是我的生活乐趣。有一阵子我很喜欢去故宫、颐和园，花点钱进去看看、逛逛。那里边金碧辉煌，陈列着珍奇的摆设，全是皇家的用品；房子高大，院子也宽敞，皇帝的日子过得可真阔！可是后来我细一想，皇帝的日子未必那么有乐趣吧！你想想，那时候皇帝是至尊，谁见了他都得趴下，不敢抬头。当皇帝的光看人的后脑勺，有什么意思呢？找人说说话儿吧，听到的无非都是些“是啊，陛下”，“皇上圣明”，“喳!”没有一句真话；找人下下棋吧，他瞎走也能赢，看不到对手的真功夫。没人敢赢他呀！想逛逛吧，又只能在皇宫院子里转，后边还跟着一大帮人；偶尔出了皇宫到了外边，又连一个老百姓也看不见，挺热闹的地方他一去就完了，人都给撵跑了，让他一个人玩。这生活过得有什么意思呀！有什么乐趣呀！听说历代君王的平均寿命只有三十多岁，孔夫子说人“三十而立”，可当皇帝的刚过“而立”之年就死了，大概和要饭花子的寿命差不了多少。我想，他们早死的原因和他们没有真正的生活乐趣，整天“孤家”“寡人”的很有关系。他们整天没事可干，心情郁闷，光吃好穿好也活不长。当然，长寿的君王也有，那都是些开国君主和深谋大略的帝王。他们有事业干，也觉得生活有趣，所以身体好，寿命也长。

一个人的嗜好最好能是他的正业。爱唱歌的以唱为业，爱打球的以打球为正业，爱画画的当职业画家，爱写文章的当职业作家，该有多么顺心呀！当然，这样有时也会发生矛盾的。比如爱唱歌的当了演员，那么，你不想唱的时候也得唱，得完成任务呀！这样一来，又没有了乐趣，反倒不如当个业余演员好。这种矛盾到了人退休以后，可就解决了。你那嗜好不再是职业，完全变成了业余兴趣了。所以，我有时就想，退休以后的生活乐趣大，退休后的日子得好好过。

比如我爱画漫画，也爱写写文章。现在，你不想画，不想写的时候，有人催你，做起来就很费劲儿，也往往做不好。倘非被人逼着做，而是自己高兴做的时候来做，心情可就不一样。天一亮就醒，爬起来就干，干完了一点也不觉得累，不感觉苦，质量也好。

爱钓鱼的呢，也可以有工夫把自己的经验、体会写成书嘛，那该多舒心呀！

相声大师侯宝林退出舞台以后，还在繁忙的社会活动之余写了不少书。虽然他只念过三个月的书，可是，他勤学，写出了不少有学术价值的著作。他的日子过得够甜的了。

说到这儿，又想起了朱光潜教授。我上学的时候，他是老师。现虽高龄，却仍在孜孜不倦地学习、写作。论说，也够辛苦的了。但我想，他也不会觉得苦和累的，因为研究美学是他的嗜好，把研究的心得写出来，必是乐趣无穷的。生活中处处有乐趣，长寿之道，寓在其中，根本不必孜孜外求于他物。

（1983）

在深圳转转

一位记者写了不少关于深圳的报道。我对他说："你写的文章我不看。""为什么?""不用看，那里的变化，几十年前我在好些地方早见过了，不新鲜。"这当然是玩笑话，但也真实。深圳之所以发展速度快，最大的窍门也就是不吃大锅饭。不吃大锅饭的地方我是早见过的。

今年老天爷安排我两次去广州，也两次去深圳。走马观花，在大街上转转，看到的果然和记者写的盛况一样。几十年来，我每次上班下班走一条线，接触外界，最多的是这条线两旁的商店，可我不大爱去买东西，怕生气。在深圳这几天去买点东西，随便挑，售货员不恼。因为记者报道深圳的文章里写过，在意料中，觉得不新鲜。有一天，我们几个人要去与九龙交界处的沙头角。由市里到沙头角有专线公共汽车，一满座，车就开。我们一行十来个，八个上了车，座位很快就满了，可还有几个迈方步的同路人还没到。售票员是位男青年，他知道了，便像个老朋友似的给我们出主意说，不如下车，坐后面那辆，等你们的人来齐了，一块儿走多好。还告诉说，早晨乘客多，车会很快开的。这主意不错，我们接受了，上了后面那辆车。售票员是个女青年，手里捧着一包肉包子在吃。见我们上车，寒暄两句后，便习惯地把手里的纸包递向我们，说："请吃点。"也像老朋友那样。我说："谢谢，我们人多，吃光了怕你哭。"她脸一红大笑起来，整个车厢充满和暖气氛，也使我觉得有点新鲜感。

在记者朋友家吃饭，客人多，光是企业公司经理就有六位。看他们都年轻，引起我的注意，便一个个问他们的年龄。最年长的一位，46岁。最年轻的一位，26岁。其余都是36岁上下，可都一样活泼，言谈使人感到有那么一股大业初创者的气势，觉得新鲜。这和在街道上看见的一样，处处有正在兴建中的高楼和向市面四周不断延伸的、宽而又长的柏油马路；公共汽车路线还没有跟上，只有"11路"——安步当车可通，都处于初创阶段。我回广州时，只好搭一位上任不到一个月的公司经理的便车去火车站。路过市政府门前，经理说，她有点事要找市长，我也随了进去。进门，上楼，找副市长的办公室，敲敲门，出来一位三十来岁的小伙子，是秘书，说明来意，我们就进去了。经理自我介绍后，请求副市长帮帮忙，在一份请求文件上签个字。副市长问明情况，就同意了。时间用了二十多分钟。这位副市长身材高大健壮，军人气质，五十来岁，看着也显年轻，也像创业中的企业家。上了车我问："你们市长这么好见啊?"新鲜劲儿久久还在。人口增长也快，也是年轻的多，看到那些衣色斑斓的男女青年，于是我想，如果市长有远见的话，赶紧抢地皮多盖几所学校和体育场，特别是小学和中学。这里工资比内地高，再把中小学的教师工资提到合理的水平，从内地招聘师范毕业生来当教师毫不费劲。若干年后，深圳不仅是科学技术占先，市民也会成为全国文明礼貌的模范，用不着贴标语、开大会，自然更显出社会主义新气派来的。不信试试看。

再看广州，也在深圳后面甩开大步前进了。市场活跃，出租汽车招手就停——本来应该如此，但在其他城市并不如此，于是就新鲜了；高级宾馆不像衙门，没有把门的，人人可以进出无阻。我们四个人就是溜达进东方宾馆去的。一位初识的朋友请吃饭，掂量着荷包，按菜牌上的价码，点了三十几元的菜，计划是 40 元。吃完一看送来的账单，吓我一跳，总数 80 元！细看一下，原来每个菜都是双份的，再加这个费，那个费，总共 80 元，算法没错。朋友请客，不便追问，幸而荷包尚满，不至于脱衣服抵押付账。这里的菜做得好，吃来痛快，吃完了揪心。不知道这生意经从哪里学来的，以前没遇过，自然又感到新鲜。但这种新鲜感还是没有的好，因为闻不到社会主义的气味。要改也不难，服务员事先打个招呼，讲明一下，或是菜牌上醒目地标明也就行了，对吧。

（1984）

爬坡的速度

地方不大，楼不少；大街上看到的是熙熙攘攘东张西望的人流，听到的是全国四面八方的方言，这就是深圳。几年来“深圳速度”（也叫“深圳效率”）的赞扬声，每天把成千上万的各方人士吸引到这里来了。我是这些人中的一个，一年来两次，两年来三次。真个是“耳闻不如眼见”。前次来时，住所前后还是一片荒地，这次来时，已盖满了一幢幢粉衣黄帽的，藕荷衣紫帽的，还有谈不上什么式的高楼，快得和搭积木似的。听人说过，在这里盖五十多层的大楼，三天一层，你没法不信。我更是口服心服，因为在北京，我们机关宿舍大门口曾加盖一所房子，历时百日，墙虽砌成，尚待加顶。它宽约一丈，长丈五，高一丈二，是作传达室用的。

但去年，从报上看到，深圳挨了一顿又酸又辣的批评，批的是它的邮电局。因为从深圳寄封信到广州，150公里的路程，竟然走了九天，而这还不算是最慢的。“耳闻不如眼见”，那时我恰好也在深圳，也收过类似速度的邮件。于是我向人夸道：“深圳速度真了不起，发一封信去广州，信刚到，深圳就已盖上了三层大楼。”

这回又来到深圳，听说又挨了什么批评。人非圣贤，孰能无过？楼上张家二顺子都6岁了，夜里还尿床。深圳也是属猴儿的，比二顺子还小几个月呢，焉能无过？毛泽东同志说过："改了就好。"深圳就是在改，他们叫做"爬坡"。爬得怎么样，一时看不清，但我看到一点了。我在这里的通讯处是"国商"楼上的一家公司转。一位年近古稀的同志从北京寄来一封贴8分邮票的平信，把"国商"误写为"圆高"。但深圳哪里有什么"圆高"呢？却照收无误。信封上北京邮戳是2月14日17时，深圳邮戳是2月19日。19减14等于5，实算只有4天。又听说由香港寄到"深圳市深南中路××社长收"的一封信，没有单位名称，也照收不误。邮局的同志这种认真负责的服务态度和改革精神，真算得爬上高顶。我向他们鞠躬致敬！

在改革中，这样爬坡的"深圳速度"是值得夸耀的。

（1986）

邮政

一件往事

我曾见过周恩来总理好几次，他在台上，我在台下，相隔很远，但看得清清楚楚。他讲话谁都爱听。

有几次大家都在台下看电影。他坐得靠前些，我在后面，看到他的背影，离得更近了。

还有一次在酒会上。总理在前面，我们漫画界几个人和美协干部坐一桌。总理握着酒杯在会场里走来走去，见到熟人互祝一番。忽然，他一眼看见我们同桌的张悟真大姐，便走过来向她举起酒杯说："听说你是'三八'红旗手，祝贺你。"我不觉一怔。悟真大姐是从延安来的一般干部，不是什么名家，当个美协副秘书长，级别不算高，总理竟能记得她的名字；我是美术界的，还不知道她刚被评为"三八"红旗手，总理却已知道。

我真说不出当时的感受，只觉得自己和总理近得不能再近了。

十几年梦一般地过去了。那天我到美协宿舍看望钟灵和马利，悟真大姐拄着手杖进门收水电费。我问她还记得酒会上的事不？她激动地说："那还能不记得？一辈子也忘不了！"

是的，我一直不忘，她怎么会忘记呢？——我们的周总理！

（1984）

闲谈职业习惯

听说，从前的刽子手有一种职业习惯：不论在什么地方，总爱看别人的脖颈。我想，这是不奇怪的。著名画家刘继卣善画动物，他在出版社工作。20 年前下乡劳动的时候，他去挑水，路过猪圈，一下被活蹦乱跳的猪崽吸引住了，于是放下水桶，呆呆地站在那里观察起来，把挑水的事忘得一干二净。美术界许多人有这种情况，眼睛看到什么，或心里想着什么，身外其他就仿佛都不存在了，因此常闹笑话。画漫画的人都是到处寻找笑话的，这也是职业习惯了。我就知道好些人的笑话，可惜未曾一一详记下来。这些年听到的笑话，足够编成厚厚的一本书了。

相声演员之爱笑话，就更不必说了。侯宝林以前家藏的笑话书，据说比国内哪一个大图书馆所藏的都要多。一般人说笑话很难把他逗笑的，因为他大都早已知道，但他听了也笑，这多半是礼貌性的表情。

他讲起笑话来，一开始便把听者吸住，立时鸦雀无声；到关键处，骤然哄堂，而他自己泰然自若，其技巧可谓高超。这也不奇怪，懂幽默的人是懂得如何运用幽默技法的。

幽默和讽刺密切相连。懂幽默才理解讽刺，才善于运用讽刺的技法。一次，在侯家提起一位名人的儿子，他批评说："这孩子，60元的工资，160元的脾气。"话说得含蓄、幽默，讽刺也尖刻。画家黄永玉善于说笑话，他懂幽默。记得20年前，诗人考诚的妻子在学校里被选为学习小组长时，黄永玉说："她进步了，从前管一个人，现在管七个。"逗得一屋子人都笑起来。不久前，漫画家华君武接王朝闻打来的电话，拿起话筒对王说："你又吸烟了，一嘴烟味儿！"这个谐趣的玩笑若非幽默家是想不出来的。

和幽默的人相处会令人感到精神舒畅，也会使人焕然振作。我是喜欢和朋友们在一起谈天说笑的。这里自然有所选择，有的人会说笑，但未必真懂幽默。长住北京的人会发现，北京人很有幽默感，但同时也能发现，另有形似幽默但并不讨人欢喜的"耍贫嘴"。"耍贫嘴"虽也逗笑，但无厚味，听多了难免使人感觉俗不可耐。相声是逗笑的，它讲究俗不伤雅，要雅俗共赏。幽默是机智聪慧的产物，予人以美感，它是艺术。

从事幽默和讽刺的艺术工作者，正由于他们的职业习惯，对笑话格外敏感。前些时宣传戒烟，广播电台播出教唱《戒烟歌》的节目，我就觉得可笑。你教唱，谁来学呢？吸烟的人不会学唱《戒烟歌》，不吸烟的更不想学。没有人学，你对着空气教唱，岂不滑稽？

我国人口过多，提倡计划生育，机关里每人发一本宣传计划生育的小册子。干事分发到一位女同胞时，她看了一怔，脸臊得绯红，触电似的把这本小册子又送回干事的手里——原来她是个没结婚的，当时也没有任何将要结婚迹象的大姑娘。当时我没好意思笑出来。我的职业习惯使我联想，这本小册子在什么学习会上，捧在一位白发老婆婆手里，不也是笑话吗？

俗话说，习惯成自然，爱说笑也往往不免于耍贫嘴和轻浮，招

戒烟歌

人厌烦。但总的说来，幽默使人头脑活跃，见识开朗，作画、写文章容易防止呆滞枯燥，论战则能运用讽刺战法，词锋犀利。事实早已证明，政治家的幽默有助于排难解纷，教育家的幽默有利于诱导，文艺家的幽默使彩笔生花。说笑未必是幽默的，但幽默乃从笑中生发出来。我们这一职业习惯我看还是值得欣赏的，至少总比看人脖颈的习惯有趣得多。

（1982）

幽默学

有人问我，滑稽和幽默有什么区别？我说，举个例子就明白了：在文化大革命那年头，滑稽很多，幽默没有——说得准确些，滑稽是普遍的，幽默是罕见的。

本来，滑稽和幽默是一回事，凡可笑、逗乐的，中国人都叫“滑稽”，欧美人都叫“幽默”。“幽默”是从外国引进的名词。后来，才将这两个名词赋以特定的涵义，滑稽和幽默就有了区别。在文化大革命年头里，发生的尽是令人终身难忘的痛心事，而滑稽也层出不穷。有的当时不感觉，或不敢觉；有的滑稽使得你没法不笑——当然，只能偷偷地笑。我既画漫画，又写杂文、相声，于是被造反派看中，揪送“牛棚”。虽然身陷“棚牢”，亲眼见到的滑稽却也不少。处在远离城市的农村，得见乡下人出殡，吹鼓手引路。旧曲调均被横扫，吹鼓手们只好拣他们熟悉的当时流行的曲调应事，唢呐大吹起《真是乐死人》来，听了能不乐吗？——当然，也只能偷偷地乐。那时语录满天飞，一家医院布告牌上打头的是粗体大字“红绿告示”；一位老农为表示革命真情，脖子上挂起一尺见方内镶语录的大镜框，四处周游；一字不识的老太太随身怀揣“红宝书”，拍照也手不释卷……耳闻的滑稽洋相更是多得不可胜数。“四人帮”

一倒台，文化大革命宣告破产，种种滑稽便成了幽默的材料。倒台消息一传来，菜市场卖螃蟹的吆喝“三公一母”成串地卖，就是幽默。相声和漫画大显身手。

侯宝林、郭全宝的相声《姓名学》里：

甲：首先我这岁数她（指江青）就找上碴儿啦！她问：“你多大年纪啦?”

乙：60 岁。

甲：“60 岁了，怎么还没揪出来哪?”

乙：啊？60 岁就得揪出来呀？

甲：只要不是他们帮里的人，沾上老字就得揪啦。

姜昆、李文华的相声《如此照相》里：

乙：“‘灭资兴元’，我照张相。”

甲：“‘破私立公’，照几寸?”

乙：“‘革命无罪’，三寸的。”

甲：“‘造反有理’，您拿钱。”

乙：“‘突出政治’，多少钱?”

甲：“‘立竿见影’，一块三。”

……

这不都是幽默家创造的幽默吗？这叫做带刺的幽默。

在“文革”期间，幽默也有那么一点点。一位干部被“解放”时，在会上表态：“感谢革命小将们对我的帮助，包括文的帮助和武的帮助。”这已近于西方流行的所谓“黑色幽默”了。

在解放前，相声是登不上大雅之堂的，因为多属滑稽，而且常是低级的。现在不仅一般市民，连高级知识分子、高级官员也无不议论相声了，不就因为相声有艺术欣赏价值吗？近几年来，常听人

来买吧，
仨公一母

批评他所不满意的相声新作，说法大多是：“不大幽默”或“不幽默”。这幽默的多少和高低，成了评议相声的艺术标准，也是评议漫画的一个艺术标准。

以相声而论，它的特色是逗笑，滑稽逗笑，幽默也逗笑，各有其欣赏价值。可为什么人们倾心于幽默，并以此作为评价的高标准呢？这就向文艺作家和评论家提出问题来了。现在有些相声不能满足观众的要求，在艺术上，可看出是创作和表演中存在着滑稽和幽默没分清（或者说，止于滑稽，缺幽默感）的现象。滑稽亦有高下之分，但常可模仿。有的相声不能逗笑，并非连滑稽也无，而是因落俗套，人家看得多，即便滑稽也笑不起来了。而幽默则出于睿智，不落套，无论是褒是贬或其他，都能给人以美感、雅趣和启迪。幽默之所以不易把握，就在于它出奇的创造性。有的相声从其他作品中硬搬些现成的“包袱”（笑料）来，效果自然大打折扣了。

许多作家、艺术家、学者、政治家很善于运用幽默；也有不少人不会，甚至缺乏幽默感，不能领悟，可见幽默中带有颇为微妙的因素。幽默在文学艺术中不可少，又是在人民生活中起着活跃与调剂作用的激素。谈论幽默的文章经常可见，各国都有。许多国家还建立“幽默俱乐部”之类以幽默相结合的群众组织。但我还没见过，也没听说过有“幽默学”的著作，大学里当然不会有这样的课程。是不是比高等数学、核子物理学更深奥，以至摸不出门路去研究呢？我看未必。今年 6 月间，陕西省喜剧美学研究会的同志和北京一些幽默艺术工作者开了个联席会，准备成立幽默的组织。侯宝林也正在筹备笑的艺术研究会。如果能因此而孕育出“幽默学”这个娃娃来，那可得恭贺新喜了。

（1986）

故事新编

平时画漫画，画得多，不免写几篇创作经验谈的文章。讲到漫画，总是要提到幽默的，而幽默正是当前很时兴的话题。于是有的报刊编辑就找上门来，要我论一论“幽默”，我就遵命论了。接着另一位编辑也要我论一论，如此论了几回，把我想的都论了出来。论得多，人家就以为我是论幽默的专业户，自然又找上门来。我所知道的也就这么多，对不对还摸不准，还有什么可写的呢？不写吧，显得自己没学问；写吧，学问实在也没有了。怎么办呢？想来想去，终于想出个小故事来了。给它取个题目叫做《故事新编》：

一场大雨把有巢氏的房顶吹翻了个儿。修补是不行了，到山脚下的小石洞里避避再说。跑去一看，早有三个人坐在那里，那是神农氏和燧人氏，还有一个身量不高，细瘦的小伙子，他不认识。神农氏是来尝百草的，燧人氏来拾柴火，都被大雨赶到洞里来了。

有巢氏坐下，问那小伙子：

“你叫什么名字？”

“我妈喊我‘吃吧’，我姨喊我‘来呀’，我姐喊我‘没用’，您怎么喊都行。”

“……”

“雨真大。”

“是的，不小。”

每人一句，就闷声不响了。各想各的心事，只盼着雨快停下来，好去干自己的活儿。小伙子年轻，坐不住，一会儿爬起来探头望望天，一会儿站站，伸伸胳臂跺跺脚。他试着走出洞口，刚一迈腿，脚底一滑，啪嗒，坐下了。三位老人忍不住大笑起来。小伙子爬起来，擦擦屁股上粘的泥，走回来坐在原处。

雨不停地下，四个人像泥菩萨似的，都懒得说话，也没什么可说——每天打猎，捕鱼，就那么几样事，想说的早就说过七八遍了。

小伙子终于忍不住，又站起往外走。这回他知道小心了，可刚走到洞口，脚一滑，差点又摔倒，引起老人们又一阵大笑。他走回来，可不像刚才那样沮丧，而也笑起来，又坐下了。天上依然乌云笼罩，不见有放晴的兆头。肚子渐渐有点咕噜噜的响声，大家的脸色随着更显得阴沉了。雨柱像栏杆似的将洞口封得严严实实，哗啦啦的雨声反而透着一片死静。

小伙子仿佛想起什么，又站起来往外走。走到洞口，忽地身子一歪，又滑了一跤。老人们哄的又笑了。他爬起用手擦擦屁股，一瘸一拐地往回走。走两步，啪嗒一声又滑倒，引得三位老人放声大笑不止。洞里一片喧哗，沉闷空气一时驱散。小伙子高兴得很，从地上爬起来，走两步又滑倒，——显然，这是故意的。

“滑，再滑一个！”有巢氏快活得孩子似的大喊。

“滑，再滑呀！”神农氏也喊。

“滑，滑——”燧人氏挥舞着木棒子大叫。

小伙子滑得更起劲了，他忘记了疲劳，老人们忘记了饥饿和烦闷。从此小伙子被称为“滑氏”，不叫“吃吧”，也不再叫“来呀”

和“没用”了。

滑氏聪明灵巧。但体质不佳，和猛兽拼搏是不行的，打猎派不上用场。他自尊心很强，不愿老和妇女儿童们在一起干轻活，等人们打猎归来休息时，就作滑倒表演使他们开心解乏。缝补氏特为他找一块鹿皮裁整齐绑在树枝上，请仓颉用炭在上面写“滑记”二字当幌子，走到哪里表演，就把幌子竖在一边。每逢猎归，孩子们就吵嚷着：

“看滑记去喽！”

时间一长，人都顺口喊他“滑记”，也叫“滑稽”，不喊那不大响亮的名字“滑氏”了。

滑稽无形中成了专业演员。那时不叫“演员”，而称“优”，所以滑稽也称为“优滑”。他开始只是滑跟头，后来渐渐学猪叫，学鸟飞，扮鬼脸，说些逗笑的话……技艺也越来越精炼，男女老少没有不爱看的。他妈妈的妹妹的儿子——那时不知道叫什么亲戚，现在知道了，叫“表弟”，这位表弟学他，号称“小优滑”。可惜他的技艺实在差，就会说些像“我爸爸比我大”，“吃饱就不饿啦”之类的话来逗人笑，别人摔伤了脚，拄着双拐走路，他说：“这倒不错，两只脚变成三只啦，哈哈！”他的表演越来越不受欢迎，看他滑头滑脑不像优滑，人就喊他“油滑”了。

不知过了多少年，人们吃的有烧炒炖炸，穿的有毛棉丝麻，有人能写会画，说话也都文雅。滑稽后代的表演，观众就觉得不够味了，掌声不像早先那么热烈了。这时出现了一位聪明的优人。人们看了他的表演，不但发笑，笑过之后还能让人想一想，越想越有意思。这个人平时不多说话，沉默寡言，可话说出来挺有意思。他爱看书，人就笑他，问：“看书管啥用啊！”他说：“看了长见识，省得去问别人看书管啥用啦。”教书先生在河边捕到一条鱼，把它夹在书册里带回家去，一不小心，鱼溜了出来，跳进河里了。先生正在懊恼，他说，“把鱼夹在书册里，它以为你要它念书，还不吓跑啦！”逗得人哈哈大笑，教书先生也笑了。人们看他的表演和优滑不同，平时又沉默，就不叫他优滑，改叫“优默”——写出来渐渐写成“幽默”了。

幽默有个同胞兄弟，说话也和哥哥那样有趣。他比哥哥脾气大些，看到什么他认为不好的人和事，就要批评，要指责。他的话是绕弯子说的，用的是从哥哥那里学来的说法，叫人听了哭笑不得。有个财主很看不起穷人，对他们说话很不客气，有时还连骂带损的。他和几个穷朋友走过财主家门口，那家的狗冲他们吠叫，他说：“这狗没出息，以为自己也是财主，对穷人不客气！”有一次演戏，他扮演一个放高利贷的人。扮演他老婆的角色跑来说：“该给儿子买双鞋了。”他说：“不用买！把我那双旧鞋借给人穿两天，还鞋的时候，要他带一双小鞋当利息就行啦。”

因为他说的话里常带刺，像马蜂似的，不惹它还好，惹了就刺你，所以人都叫他“蜂刺”，后来写成“讽刺”了。

滑稽、幽默和讽刺，就是这么传下来的。

（1985）

忙人·杂家·乐神
——钟灵外传

从前，在学校里做化学实验是两个人成一小组，我那伙伴名叫钟灵，但不姓钟。后来，画漫画和我合作的伙伴，也叫钟灵，他姓钟。广西电影制片厂新出一部评价颇高的影片《黄土地》里，给新婚夫妇唱礼，头戴瓜皮帽的那个演员，就是他。

他是画家，是《黄土地》的美术顾问，怎么还当起演员来呢?

这不奇怪。他不仅仅是全国美协的会员，早先他表演过杂技，至今仍是杂协会员；围棋协会开会有他，他也是会员；电影美术协会开会更不消说，他是会员。还有别的什么协会里，也能见到他的。我记不清他是多少个协会的会员了。他忙着哩。

可不是瞎忙。设计邮票他得过奖；写歌词他也得过奖——影片《甜蜜的事业》歌词是他的获奖作品之一；画海报好像也得过奖；在延安城墙上写字还得过大“奖”；上了《毛泽东选集》——见“反对党八股”一文中“第三条罪状”。

有人评他的作品，说他画得不错，但不如他的诗。四言、五言、七言、古风、律诗他都来得，能即席唱和。词也填得，白话新诗写过不少，讽刺诗词更是拿手长技。作画不论花鸟、人物、漫画、装饰画、广告、商标、舞台美术，样样来得，还写得一笔好字。书法虽不如羲之王老，可向他求墨宝的，我见过不少。唱歌比不上楼乾贵、蒋大为，可唱起陕北信天游还真够味儿。我见过他唱自编的歌的唱片，虽然是唯一的一片；虽然在艺术上有欣赏价值，经济上却尚未见交换价值。

他再当个演员，有何稀奇？

在延安，他被称为“四大忙人”之一，大概因为他是杂家，什么都来得的缘故。他不仅从文，还从武。早年他打过仗，在革命战争中几度临危，却似福神保佑，奇迹般地幸存下来。他说：“马克思还要我留下，阎王爷不敢收！”

写文章他是快手，写个报告、总结、颂词、祭文什么的，倚马可待。当然，表现他才思的，是发表在报章杂志上那些文风活泼的文章。

举办游艺晚会，人们就想到他。从会场布置、节目安排、宾客接待直到当场表演，他无一不能；特别是做灯谜，他有见景生情临时现编的急才。在“四人帮”横行期间，差点惹出大祸。他在家养伤时，编了不少对“四人帮”大不敬的谜语，同志好友相聚，便悄悄拿出来，作为排遣积郁的笑料。我记得有这么个谜语：“骨头卑贱一身轻，直上青云靠顺风；一朝线断无着落，飘零掉进臭茅坑。”人猜是风筝，他说“不是”，然后悄声说：“江青。”他胸怀坦荡，以己度人，失之天真。一位有心人偷偷记下来，写成小报告往“帮”里递上去，结果使他锒铛入狱。大审会场已布置，但这时“四人帮”也都入了狱。他只被关了八天，就迎着春光，提着一瓶酒兴冲冲地跑回家，我正在他家里等着呢。一见我他就说：“老方，我可没出卖你。”等他的人不止我一个，他一边打招呼，一边找围裙。夫人马利没拦住，他一下子溜进厨房，边走边喊：“有话回头咱们就着酒说！”那天乐了个半宿。

他是急性子，做起事来，不干完不肯罢休，练出了熬夜的本事。走路像赶火车，骑车也和小伙子比，好像他不算六十多岁的老人。一天，应邀来我家吃晚饭，天黑路不熟，没看清马路新挖丈来深的横沟，连车带人翻了下去。被过路蹬三轮车的青年送到我家时，他忍着痛说：“没关系，喝点酒，一会儿就好。”还要上楼。送医院检查，手腕粉碎性骨折，大腿骨撞裂移位。医生为他捏合，痛得他满头大汗，还问医生：“骨头碎成多少块？”

俗话说：“伤筋动骨一百天”，可他两个月就愈合出院了。没过多久，他在承德写剧本，又被送进医院——又摔了一跤，断了四根肋条。还是不到百天，就拄着拐杖出院了，还告诉我：“这拐杖真顶用，上了车，人家一看就让座。”

他住院的时候，我去看他。他一见我来，就从床头柜深处摸出一瓶“五粮液”，还有一瓶炒花生米：“来来，好酒，咱喝！”我说：“你近来血压高，大夫不让喝。”“没事！降啦，不高。”邻床一位小伙子笑了：“前几天还高压二百多呢！”他涨红脸争辩：“就那么一回！”谁也没拦住，他喝了一大口。

为劝他戒酒，夫人操了不少心，他终于受了感动，发誓不喝白酒了。果然有一两个月没见他喝。但好景不长，慢慢地先喝几滴，再喝半杯，不久就又恢复了原状。他是这样向夫人要求的：“平时绝对不喝。可有些例外：高兴时候，喝点助兴；烦闷时候，喝点解愁；阴天下雨，喝酒祛湿气；节日里大家都喝；假日喝了好休息；亲友来喝酒，主人得奉陪……”夫人听了点点头，还不放心地问：“你能办到吗？”

我和他是画友，也是酒友。我们合作，一向是完工后就摆出酒来。我酒量有限，他是不醉不休，每回都得从他手里把酒瓶抢下来。他还有诗友、文友、影友、棋友、老战友。家里不断来客人，他总是来者不拒的，而且越忙越高兴，亲自下厨，笑起来声震屋瓦——如果有瓦的话。再高兴就给人测字，说得个个直眉傻眼，信以为真。

夫人是爱猫协会主任，养过一头多产的白雪公主，从此他画猫。他画的猫千姿百态，有的怒目挺胸，有的懒睡，有的张嘴打哈欠，有的醉得四脚朝天……他说，不管怎么画，都能镇宅，往墙上一挂，屋里没耗子。

有人对他说："你戒了酒，准能活 120 岁。"他笑了，说："活太长没意思，有我老师那个岁数就够啦。"他老师是齐白石，磕过头，可没上过几课。

（1985）

忆九华径

喜欢荔枝角的九华径村

香港，我去过两次，总共度过了——用文学语言说是“寒暑三易”，用科学语言应叫“四夏二冬”。我并不喜欢香港，却喜欢九龙，不是整个九龙，仅是九龙的荔枝角；也不是整个荔枝角，而是现在恐已不复存在的九华径村。这村子里面，至今我未思起有多少招人喜欢之处，使我念念不忘的是住在那里的外来户，也是和我一样流落而来的，大半是内地的文化人；此外，还有村旁的海。

我第二次到香港，是1948年的暑天，那里我有近亲，一去就住在他家里，直到我能拿到稿费，才以半月所得租了一间大约十平方米的住所。房间是不错的，又邻近版画家黄新波的居处，不时约上王琦几个人到附近一家咖啡馆里喝一杯牛奶，坐两个小时，谈谈天，听听音乐，这里留声机放的是西洋古典乐曲。

黄永玉也溜进来了，接着他夫人张梅溪跟踪而至，就住在九华径。一天，他兴高采烈地对我说，那地方好极了，空气清新，房租便宜，又在海边，有游泳场，同住的还有几个熟人，鼓动我搬过去。我就把房子、“顶费”、家具一股脑儿出让；买一张帆布床，再提着仅有的一个皮箱搬进村里去了，从此享受了一段蜜月似的生活。

开始我住在画家陆志庠租的一间小阁楼里。旁边住的一面是黄永玉、楼适夷和巴波三家，一面住的是蒋天佐和陈敬容。臧克家夫妇住在村口的一间小房子里。老住户、多产作家兼多产父亲唐人住处也不远。过不多久，陆续又搬来好几家：画家阳太阳，诗人考诚，京剧作家李岳南，最后张天翼也来了，和楼适夷住在一座楼里。端木蕻良、单复来了，约我三人合租一间大些的楼上房间，我们的新生活就是在这里开始的。非文化界的也飘来几家，住在附近的是两位上海姑娘和我二哥工程师孙顺理——去年他还担任长春市副市长呢。外来户都是没有固定职业的，不需上班，天天见面。

同端木、单复组成三口之家

九华径是个和广东普通农村一样的村子，烧水煮饭用的是灶上的大铁锅，燃料也是稻草。村外田地不多，看来村里人显然不全靠种田吃饭。海很近，不远就有个游泳场，有公共汽车通往市内。我们不大出门，大家忙着写的写，画的画，靠稿费糊口。我们三个单身汉，一人吃饱，全家不饿，就好办些；那拖家带口的，有时要连啃几天素炒豆芽。海边石头底下能捉到螃蟹，那真是解馋的佳肴，可惜没那么多闲暇。

我们这三口之家，生活很有规律。上午端木和单复写文章看书，我是作画看报，各干各样。午饭后，收拾停当，各就各位往床上一躺。一觉醒来，迎来了一天里的黄金时间。那正是盛夏天气，三人换上游泳衣，赤着脚直奔海滩，不必花钱进游泳场，到处都能下海。更妙的是有小艇出租，大概是村民的副业。租金不贵，记得每次是一两元钱。单复是浪里黑条，水性极好；我是很久没下水的游泳爱好者；端木乃“旱鸭子”，却喜欢划船，三个凑一起，可谓天然盟友。于是每天都来租船下海，两人在水里，一个划着船紧跟护卫，一出去就是一两个小时。直到夕阳西下，回来交还小艇，便奔后山。我们知道那里有一股清泉，泉水从一人多高的岩石上流下来，落到一个浴盆那么大的沙底水坑里。我差点信奉上帝了，亏他老人家为我们做了这么周到的安排。下得山来，回家略事休息，开始准备晚饭。用的是置家时买的煤油炉，锅碗瓢盆都是齐备的。单复有厨下功夫，会做福建菜。我会炒鸡蛋，煮饭也还可以。端木洗碗刷锅也称职。这顿饭照单复的话说，那是“美美的”。端木有个特殊癖好，爱露天蹲坑，老在我们面前宣传那是如何卫生，有益健康，并富有诗意。我们两个半信半疑的，在一个月光明媚的夜晚随他上了后山，按照他的指点实习一回，果然别有风趣。我从来没做过诗，居然能诌上两句：寒风吹屁股，冷月照膀胱。

可惜野地蚊虫太多，咬得我不敢再来，所以至今没有学会做诗。

当年九华径像世外桃源

生活自然是清苦的，但很愉快。晚上几家人凑在一起就热闹了。其中最活跃的是黄永玉，他最年轻，爱说爱笑，还有编笑话的天才。黄永玉和楼适夷、巴波三户住在一座小楼里，房间是楼板隔开的，碗碟之声相闻，过几天他就讲从隔壁听来的趣闻。巴波也不含糊，拿同样听来的笑话进行报复。对文化人来说，笑话加饥饿会产生灵感，写出好文章来，而且是养生之道，这秘密他们是不轻易对外人道的。有人写文章读来干涩，可见文人之间，在这一点上就互相保密。

我们生活在一起，远离喧嚣的城市。工作是各干各的，读书、学习都很专心，志同道合，有着共同的理想和希望。九华径虽在香港属下，却像此中世外桃源，吸引着同声相应的人士不时造访。周而复、秦牧、李凌、谢功成、刘式昕、叶素以及“人间画会”的画家们都来做客。有人看出这儿是宝地，便出资在这里修建花园，开辟游乐场所赚钱。我回到北京不到一年，还留在九华径的朋友写信告诉我，那里已经在盖楼房，地价猛涨起来了。

九华径的故事如今安在

九华径的住户除唐人外早已返回内地，并且大都在北京，在其他城市的则常来。唐人最后也是在北京去世的。10 年前考诚患癌症不治，其他人都健在。北京地方大，人们各居一方，又都很忙，难得见面。我要看端木，得乘一个半小时的车，黄永玉更远。今年 5 月间，应邀去南通参加狼山 18 高僧壁画（范曾画的）揭幕式盛会，其中有楼适夷，他已八十高龄，精神矍铄，扶杖登山，兴致勃勃。端木身体原本就像干虾，如今年逾古稀，自然更直不起来。划船无能为矣，握管不减当年，现在不需动手刷碗，再加有个文“舞”全才的贤内助，这几年间专为他曹家人立传，写大部头的书。《曹雪芹》上卷早已出版，中卷尚未寄来，估计该出世了。臧克家比他大几岁，瘦度相当，仍手不停笔。在电视上见他和孩子们在一块儿，脖子上系着红领巾，显得分外精神。黄永玉耍起笔杆，连画带写，还骑着它飞，这几天在北京，过几天就不知道上哪儿去了。梅溪变化不大，孩子们喊她“奶奶”，但怎么看都觉得应该喊“阿姨”。李岳南已久违多年，最近在老诗人王亚平追悼会上见到他，已是年近古稀，须发白的多黑的少，依然数十年如一日地保持着谦谦君子的风度。张天翼在北京多年，我和他未曾交往。1980 年他约我为他的童话作插图，他夫人把文稿送来，乃欣然应命，画时费了点劲，可现在看来就不满意了，心中歉然，由此鼓励我练功的努力。陆志庠早已退休，老两口住在西城一座楼房里。他耳聋，和人交谈很不方便，所以朋友来往比常人少得多。遇见他多半是在画展的场合，一见老朋友，便笑眯眯地紧握着手，用沙哑的喉音问候，两眼注视对方，只要你说上海话，他就能看出你说什么。他总抱怨自己身体不佳，可看他毫无龙钟老态，走路还挺快的。单复一直在东北辽宁，经过二十年的波折，筋骨还是那么硬朗，笑起来也还是那么“美美的”。他在朝阳县呆了不少年，然后到了沈阳，任职《鸭绿江》杂志。去年见到他时，已是不担任职务，只拿工资的专业作家，也骑着笔去深入生活，从事写作去了。阳太阳在广西南宁广西艺术学院任领导职务，还是在前几年文代会期间见到他，也是逾了古稀之年，嗓门还是那么大，足见健康状况之佳。巴波已有十多年没见了，最近寄来新出版的《巴波小说选》，其中就有在九华径写的一篇。看书上印的照片，显得富态悠然，嘴是闭着的，不知缺掉的门牙镶上没有。

离开香港三十多年了，那个小村庄恐怕早已被高楼大厦吞没，一点也剩不下。但九华径的印象还清晰地留在我记忆中，至今不忘。

（1983）

从阮玲玉说到左步头

忆起了左步头这个村

还在上小学时，我就看过阮玲玉主演的影片，印象极深，因为我的一位表姑长得和她很像。早年在北京，我家和表叔同住一个院子里，表姑常来，我喜欢她那么好看，打扮也摩登。后来我随着别人唱粤剧，只会一小段，叫“野草闲花”，当时在广东是很流行的，恰好是阮玲玉演的悲剧里的一段唱词，听起来很动人，现在谢添还会唱。她演的影片我只看过一次，但记得格外清晰。最近看一篇文章才晓得她的故乡是广东中山县南荫区左步头村，那正是我童年度过的地方。《镜报》约我写文章，引起我对左步头这个村子的一些回忆。

我家长期住在北京，孩子们自然说北京话，可一进家门，就像进了左步头村那样，讲话一片南荫腔。南荫话在中山县里，隔几里地的人就听不懂，更不用说县城石歧和广州了。

左步头村在孙中山先生的翠亨村之北，离澳门很近。村里的财主想捞点横财，就到澳门去赌，然后被剥光了回来。我们有时跑到离村不远的鸡头角山上玩，那里能看到海，海水是黄色的。村子离南蓢墟步行约半小时，墟日十分热闹，做的点心饼食比北京点心好吃得多。那时父亲从北京汇钱来，取钱记得是在一家南货铺，不是邮局。公共汽车站在墟外，往澳门送赌注的人们就在这里上车。

仰慕抗日英雄欧初

左步头村有欧、孙、阮三大姓，此外就是姓方的了，其他杂姓户少。侨居国外的人很多，孙姓几乎每户都有人在国外和港澳地区，国外主要是美国和南洋一带。在港澳和国内各地更多了，我家弟兄姐妹七人就分居国内外六个城市。我在香港的时候，就见过好几位左步头村的洋行经理，其中最阔的是美国固特异（GOODYEAR）橡胶公司的一位代办了。固特异是橡胶硫化成型的发明者，以他命名的这家公司是世界闻名的。但最值得本村骄傲的，是在五桂山高擎红旗的抗日英雄欧初。中山县里这个五桂山红军根据地一直坚持到全国解放，日本侵略军和国民党军都碰不倒它。1948 年我从上海到左步头探亲，我父亲常提到欧初，说在日寇侵占时期，一到夜间村子就是欧初队伍的天下。他颇为自得地告诉我，欧初对他不错，还拍过他的肩膀。我对欧初早已仰慕，恰好他的战友杨子江政委的夫人也是左步头村的，一位女战士，她是我同族妹子。1979 年我去广州初次见到欧初，已是鬓发如霜，但仍很健壮，穿着便装，却是一派风雅，南蓢话已然忘记了。

斗蟋蟀是天然的游戏

前年我又到左步头去，见村里很多小孩穿港式服装，显然是亲友带回来的。香港澳门服装便宜，成为乡间归客最流行的礼品。各家墙上挂的满是身穿西装的照片，贴的是写着“金山大吉”（金山即旧金山，今美国加州圣弗朗西斯科城）、“檀香山顺利”、“椰城吉庆”（椰城即印度尼西亚的雅加达）之类的红纸条条。到一家富裕户拜访，主人热情地端出一盒盒巧克力糖和英国香烟待客，随后一瓶瓶地开可口可乐和啤酒。他引我们走上新修建的小楼，指着其中一间房说，在香港，给他每月1000元都不肯出租的。他只有五十多岁，便告老还乡，每天扛着气枪到村外打鸟，身子骨坚实，笑起来爽朗得很。儿时的朋友都已满头白发做了公公婆婆。一位名叫祖福的雇农从前和我打过乒乓球。他不会打，球掉在地上弹跳着，他双手捕捉，怎么也抓不住，好容易拾起来，叹口气道：“这家伙比蟋蟀还难逮！”逗得我大笑，至今不忘。我一进村见到熟人就打听，想去看他，谁知他前些年去世了。他年纪比我大，是捉蟋蟀的能手。从前乡下哪里有什么玩具，斗蟋蟀自然是孩子们最喜爱的游戏了。他教我们怎样在草丛石头底下捉这种好斗的小东西，怎样看筋骨强弱。听人家说，最强者是“铜头铁颈乌须单眼”的，不知是真，还是对祖福的嘲戏，因为祖福只有一只完好的眼睛，广东叫“单眼”。蟋蟀斗败便一蹶不振，灰心丧气，再也上不得战场，颇有小资产阶级的脾性。不知是谁发明的，把败将抓起，放在手心，用另一只手拍拍腕子，把它颠起一尺多高。来这么十几下，弄得它晕头晕脑，再放进阵地，它又能英姿勃勃，张牙舞爪地再干几个回合。原来孩子也懂得将对付人的办法用之于虫豸，使它们自相斗杀让别人看着高兴的。再就是捅蜂窝，捅掉就飞跑，等蜂群四散，拾起蜂窝掏幼虫吃，既好玩，又得实惠。直到一次被一只黑色的大毒蜂在我太阳穴注射一回，老农赶紧叫我在地上撒泡尿，用那湿泥敷在伤口，医好刺心

的伤痛，此后才不想再去采那蜜吃了，改在小河里捞小鱼虾，晚上点个灯在河边捉螃蟹，在乱草中用苍蝇钓青蛙。它们没有自卫的武器，只好任人捉弄。许多小朋友在小河里游泳，母亲怕出危险，不许我光屁股下河，没能学会。每件事细想起来都有一定的教育意义，可那时谁会去细想呢。我头一次看电影就在左步头村。两个高鼻子蓝眼珠的外国人在祠堂里放映。片子都很短，无声。一个人管机器，一个人用半咸淡的广东官话（广州话）讲解。我只记得演的是一个人在躺椅上酣睡，门外进来一个人喊他不醒，用一盆水往他头上浇，他跳起来追，完了。想这时阮玲玉正在上海拍片子呢。

左步头人在美国

别看左步头村子不算大，我已知道有两位左步头人曾任全国人民代表大会代表，一位是欧初，一位是我二哥孙顺理。我离开那里很久，认识的人不多，记得的更少，是否还有其他人不得而知。四年前我伯父的女儿，也就是我的堂妹初次回国，在北京相会。她告诉我，我们的祖父在旧金山矿区开的小铺依然如故，被美国人作为纪念物保存下来，祖父和伯父的照片还挂在房里正中的墙上。听说早年华侨远涉重洋，不知要遇多少危险，有的葬身鱼腹，有的成了未开化“生番”的美餐，能到达新大陆的是侥幸者。在新大陆的开发中留下他们的血汗，他们和美国人交了朋友，有的继而成为一家人。长期相处，共同劳动结成的友谊，是值得纪念的。

（1983）

从胃说开去

这算不算一条规律呢：人到一定年龄，饭越吃越少，药越吃越多！

应该说算，因为年纪大的人都如此，谁也跑不掉。

但一细想，话也难这么说。所谓“一定年龄”，到底是多少岁？林黛玉年方二八，就已进入“规律”，而老将廉颇年近古稀，还能“一饭斗米，肉十斤”呢！可见事在人为，大有商量余地。我已经年逾花甲，药确实越吃越多，可饭一口也不少吃，连大块肥肉也不含糊。吃的药并非胃舒平、降压灵之类，而是治伤风感冒的丸散片剂，青年人也要用的。有人问：“你怎么没有白头发？”我说：“白的都掉了。”这是句玩笑话。时至今日，广告上还没有看到专掉白头发的药出售呢。

和同龄人相比，我的身体算是好的。7 年前我在干校当炊事员时，能背 180 斤重的米袋；10 年前则在大雪天赤膊干活，那时正关在“牛棚”里接受改造，果然身体改造得还可以。童年时期，我体质并不好。读小学时，球类，我只玩玩弹球——在地上玩的玻璃球。初中时玩的球大一些了，是乒乓球——那年月还没有带胶粒的拍子，只用布满圆孔的木拍。上了高中以后，才开始打篮球、排球，练长跑、双杠。以后又打网球，游泳。参加工作以后，又学会了溜冰。由于环境的改变，体育运动项目不断改变。但有一点是不变的，那就是运动本身，一直坚持至今。1948年在香港，住在荔枝角的小村里。村子不大，因为远离市区，房租便宜，就把从内地流落到此的文化人吸引了来。其中有楼适夷、张天翼、臧克家、蒋天佐、巴波、黄永玉等。我和端木蕻良、单复三人租住一间屋。出村不远，就到海湾，晴空碧海，真是游泳的好场所。每天上午写的写，画的画——都是靠稿费吃饭的笔耕者。午觉醒来，喊一声："走啊!"便穿上游泳裤，直奔海湾。我们三人每天租条小船，端木蕻良划桨，单复和我随船向大海游去。一个多小时回来，在山上泉水里洗完澡，兴尽而归。当时香港稿费很低，生活是很艰难的。记得诗人考诚一家，每天只能以豆芽下饭，那是最廉价的饭菜了。我们单身汉有时想改善一下伙食，就得下海去摸螃蟹吃。这一段时期的生活，把我们的身体练得相当结实，没闹过病——一病可不得了，不但第二天的饭食成问题，医药费的奇昂也是吓坏人的。

50岁以后，操场上我是跑不动了，可是乒乓球却是老少咸宜的。工间休息，我就打乒乓球，总要打出一身大汗才罢手，这已成习惯了。然而，打乒乓球亦不是很方便的，球台少，打球的人多，往往不能每一次都轮上。只有一种运动是可以每日坚持的，那就是骑自行车。积三十年之经验，深知欲坚持体育锻炼，最好的方法是骑车。骑车的好处大矣。北京的公共汽车，在上下班时间是以挤闻名的。相形之下，骑自行车优点太多了：一是不须候车，说走就走，说停就停，路线全由自己决定；二是不挤，上车就有座位；三是时间有保证，没有误点之说；四是空气阳光充足，于卫生有利……最后，就是锻炼了身体。一般来说，人是有惰性的，越是不活动，身子骨

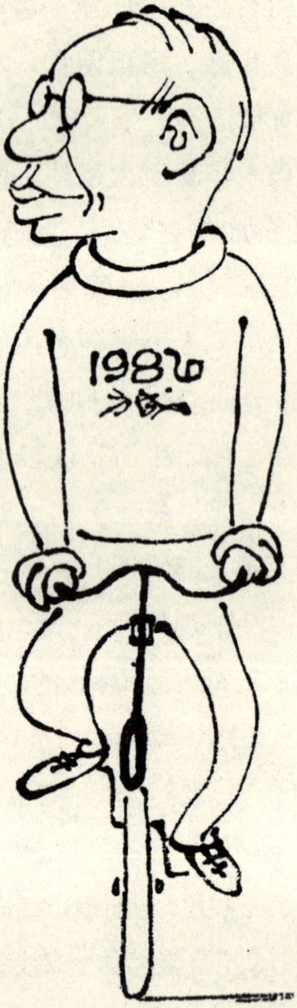
1982

越懒，这对老年人来说是很不利的。骑车，不仅活动了筋骨，也活动了神经，能使人头脑灵活，反应快，对于老年人是抗迟钝的良方。何况经常骑车，还能经风雨，见世面，耳目、皮肤也同时都受到锻炼。这说的是在路上。

进了办公大楼，又另有一种可取的活动，就是上下楼梯。事物总是一分为二的。上下楼梯比较费力，是缺点，但也正因为费力，就锻炼了腿脚。我在上下楼梯时，总喜欢用跑的速度，而且时间一长，习惯了，就能面不改色，气不喘。可能许多人都有同样的感觉，就是不承认自己年龄渐长而带来的体质变化，当猛听得孩子们大声喊你“爷爷”时，这才像触电似的叹一口气：“啊呀，果然老了!”心情开始沉重起来。但不久，看到同年的老张，老态龙钟，像自己的父亲；老李比自己小几岁，却已经半休了；这才感到有些安慰，觉得自己似乎又年轻起来。原来，“老”这个概念，有时还是相对的。

人生在世不过几十年，被人养活的时间就占去不少；为社会工作，开始是生疏，莽撞，走弯路；等到学得些本事时，所余时间却有限了。如果60岁以后还保持着足够的精力，能为祖国的社会主义事业多贡献出力量来，那多好啊！工作越多，贡献越大，生活越是愉快。我想，健康最大的意义就在于此吧。

(1980)

知易行难话健身

人们太爱恋生活了，爱得每天见面，都互道“早安”，太阳一出祝“日安”，“你好”，傍晚临别预祝“晚安”。嘴说犹觉不够，还鲜明地印在枕头和洗脸毛巾上：“祝君早安”。会餐祝酒连呼：“健康”、“长寿”；两相对骂，即反其道而大呼：“短命鬼”、“杀千刀”、“老不死的”。报纸有《体育报》、《健康报》和保健专刊，电视节目充满药品广告，牙膏各具疗效，机关工厂都有爱卫会。大清早到大街上看吧，练太极拳的，八段锦的，鹤翔桩功的，甩手的，踢腿的，撞树的……五花八门，什么操法都有。对生活爱得多么深切啊！

人嘛，有幸的，有不幸的。我是第一次大战结束那年出生的，历经军阀混战、二次大战，逃过明火，跑过空袭，挨过大刀，住过“牛棚”，居然全胳膊全腿地活下来，还能和小伙子赛跑追乘公共汽车。无怪乎令人羡慕，向我提出各样与生活有关的问题，我记下如是的对话：

“你怎么没有白头发?”

“白的都掉了。”

“染过发吧?”

“不敢，怕人说我想打什么主意。”

“练什么功吗?”

“不会。”

“做什么运动?”

“跑楼梯，骑车。以前打乒乓球，现在太忙，不打了。夏天游泳，参加过老年组比赛。”

“血压多少?”

“200。”

“这么高?”

“高压 120，低压 80，加起来 200，不算高。”

“抽烟吗?”

“戒了一半，每天 10 支，聊天例外。”

“还喝酒?”

“喝，什么色的都能对付，严格控制，没例外。”

“工作忙吗?”

“从早到晚闲不住，歇不了。”

“天天这么干?”

“有人请吃饭就不干了。”

“老伴不在家，生活怎么办?”

“一切自理。骑车上市场买菜，做饭，洗衣裳，一个人包了，这叫强迫休息，也叫工间运动。”

“每年有半个月暑期休假吧?”

“别人有，我没空。三十多年，没享受过一次公费休假。”

“睡眠好吗?”

“心里有事就失眠。一失眠立刻爬起来，看看书，写文章，或是画个什么，揪心的事一忘，准困，困了躺下就睡着，有时加一片安定，只限一片。”

“体检结果怎样？”

“血脂600多，医生警告：少吃肥肉。没法子，只好听他的。”

“胃口怎样？”

“人吃啥我吃啥，咬得动就吃得下。”

“有不爱吃的吗？”

“有。”

“不爱吃什么？”

“药。”

“不大生病吧？”

“不，有时伤风感冒，有时牙发炎。哪儿不舒服，立时找大夫，吃了药就好。”

“你怎样休息？”

“刚才不是说了吗？做饭、洗衣裳、买东西。我教你个最有效的休息方法：买几个猪爪，把毛拔光，除了找猪毛之外，就什么都不想，头脑完全休息。这是独家经验，不轻易外传的。”

“有什么养生之道吗？”

“有人也这样问过我，我说：只有两条。一条是多活动，另一条是想上吊的时候，别找绳子，喝杯酒把它忘了。再不行，听听相声。”

其实道理很简单：用进废退。人好比一架活动的机器，什么机器停了工，或不能正常运转，部件就要生锈，受磨损，报销掉。说实在的，养生之道，道理人人懂，行动样样难。拿我来说，吸烟有害，这理儿我能不懂吗？可戒烟我就不干，只按中庸之道，少吸一半。干点家务，骑自行车，肢体活动有益健康，谁能不懂？可是干起来会累，会麻烦，哪比得上坐沙发看《长寿之道》那么舒服？张飞、周瑜火气大，怒气伤身，他们能不懂？可让他们改一改，容易吗？在这个问题上，“知易行难”是言之有理的。

（1986）

方成 1.86

败家子的回忆

童年，那真是酸甜苦辣五味俱全，最招人回忆。可我是不怎么喜欢回忆它的，并非苦得不堪回首，而是太平淡，思之无味。

听说我生在北京，还没学会要钱花，便和弟弟一起被母亲带到祖居的乡下。一天，妈叫我到小铺打一瓶酱油。回家路上，一位叔叔向我喊："看呀，你这瓶底是漏的!"我慌忙把瓶底翻上来看，酱油洒了一地，逗得人哈哈大笑，叫我小傻瓜。

那时候乡下人都迷信，我家供的神就有一打。记得最外边的是"门官"，天井上是"当天"，厨房里有"灶公"，案上是"吕祖"，案下是"土地"，床底下有"姑婆"……每天清早各敬三炷香。长到8岁时，来了个看相的，看了我就对我妈说："这孩子是败家子。"妈未深信，带我到墟（集市）里请另一个看相的再看一回，结论还是"败家子"。每逢过年，妇女们爱凑一起打牌九赌钱，小孩也赌。我向妈要钱，老远就喊："妈，给几个铜板我输去。"妈一听笑了，说："看相的真灵。"

村里没有学堂，族里请一位老先生教夜校，读"人手足刀尺，山水田，马牛羊。"大概是怕败了家没饭吃吧，我自己跑去报名上课，晚上很迟才回去睡。几天就被母亲发觉了，很不放心，又难制止，我从此开始认字。9 岁，母亲又带着我们弟兄返回北京。哥哥教我用北京话读书，还教我念英文字母。全学会了，就把他的英文课本拿来，一口气把整本书的字母读完，心里非常高兴：没想到这么快就学会英文了。我进小学插班，学校是教会办的，四年级有英文课，学完字母学拼音认字，这才明白，原来读英文不是光读字母的。

我很贪玩，下了课就和小朋友趴在地下弹球儿，拍洋画儿，孩子们叫“得牢”（读 dei Lǎo），洋画儿就是每包香烟里附送的一张画片。口袋里装满了洋画儿和大大小小的石头片（我们叫“牌”，读 pǎi）还斗蛐蛐儿（蟋蟀），到市场听相声、评书，看皮影戏，看变戏法。晚上父亲在家，才不得不坐下来温习功课。他看《实事白话报》，也命我看报，至今还记得报上一段数来宝：“说实事，道实事，先说傻子我自己。7 岁时，入学校，不念书，瞎胡闹。到如今，不得了，拿着罐子把饭讨。把饭讨，不害臊，您给钱，我就要。扎吗啡，吃黑药（即鸦片烟丸），一针扎，一毛钱。瘾头大，不周全，由此坑蒙又拐骗。小学生，别学我，将来没有好结果……”为什么记得这么清楚，恐怕多少和那“败家子”的坏声名有关。父亲见别家孩子会看小说，就买了一套线装《西游记》给我。翻开一看，都是文言，比课本难多了，看不懂，便偷偷把它扔床底下去了。同班的梁启永很会讲故事，下午放了学，几个人把他拥到教室里，围坐地板上听他讲。讲的是唐僧取经，孙猴儿、猪八戒、沙僧斗妖精，真是神出鬼没，有趣极了。讲了不知多少天，唐僧遇一百多回难，还没到达西天。有人告诉我，这是《西游记》的故事，使我想起扔在床底下那套书来，回家把它翻开再看，依然看不懂。再翻几页，发现插图，画的果然是孙猴儿、猪八戒等僧徒四人，再往下翻，又见章回目录，看第一回，是白话文，好懂。原来我当初看的是这套书的序文，没

等往下看就把书扔了。小说真是写得好，看完又发现，唐僧总共遇八十一难，梁启永讲的那些故事，全是他自己现编的。

小学总算毕业了，考上初中。课外还是紧着弹球儿，斗蛐蛐儿，上市场看杂耍听相声。《西游记》看完，父亲不给买小说了，怕我误了功课。但我已看上了瘾，就到旧书铺，用这套《西游记》换一套薄些的小说，看完，又拿这套去换一套更薄的。薄得不能再换了，就添几个钱换一套厚的。如此这般，那书铺里的线装小说差不多都看过了。小说里大都有插图，我从小爱画，常把喜欢的插图照描下来。画得兴起，就按小说中的情节自己想着画，画骑马打仗，投飞镖，祭法宝。上课时不听讲，偷着画老师。唯有对几何这门课颇感兴趣，因为算的时候要画图。对地理课也喜欢，也因为要画地图。年终考试，代数得零分，几何得100分，数学平均不及格。化学也不及格，幸亏其他几门课都在60分以上，否则就得留级。留了级回家要挨打的，吓得我头脑清醒些，上二年级，就没有不及格的课了。

还是爱跑爱闹，见人骑车，也借来学。还没学捏闸，骑上就飞驰，来回猛跑。一次正骑得高兴，对面来了个骑车的，把我吓慌了，我不懂行车规则，不知往哪边躲，说时迟，那时快，咔嚓一声，顿时失了知觉。醒来一看，我倒在一棵大树下，车梁弯了。围观的同学议论说：骑车技术真棒，不然非撞上不可。我听了很得意，过后才知道他们夸的不是我。

我小时候就是这么糊涂。初中有图画课，我的作业常“留成绩”。图画老师特地送我一盒水彩颜料，我珍宝似地捧回家，至今不忘这位老师。

《实事白话报》每天登一套连环漫画《毛三爷》，引起我莫大兴趣，可说是我作漫画的启蒙老师。父亲吸的“大联珠”香烟里有洋画儿，画的是我看过的小说中的人物，也许是《封神榜》里的吧？

别的香烟中的洋画儿有画《三国演义》的，有画《西游记》的和其他的。为了凑成整套人物，假期我总爱上白塔寺、护国寺庙会小摊上去搜罗。我几乎天天画，把满意的作品钉在墙上。父母看了高兴，亲友看了也夸奖，我画得更起劲了。但上课时不敢再画，初中毕业考试成绩还是不错的。

这时父亲不幸失业，在北京谋事无成，只得携家带小回广东去，单把读大学的哥哥留下来。我叔父知道了，劝父亲让我继续升学，父亲不肯，因为我会败家，学多了没用。我叔父是虔诚的佛教徒，却不信看相的，坚持要我留下念高中，并愿供我一切费用，我这才上了寄宿高中。

1935年，我正上高中二年级。北京学生在共产党领导下，为反对国民党政府对日本帝国主义投降，放弃华北主权，发动了“一二·九”学生运动。我所在的学校学生会负责宣传工作，我负责画宣传画，画好一批拿走一批，送到学联去。1980年我举行漫画展览后，记者来采访，问我何时开始画漫画？回忆时才想起，在那些宣传画里，有的就是漫画，贴在学校大门外那张我还记得呢。

在高中，我还是活跃分子，喜欢打球，唱京戏，演话剧，练双杠，练长跑。运动会时，当啦啦队员。但很勤学，最感兴趣的功课是地理和生物，我的笔记本里画着详细的地图和生物标本、显微镜下的图像。学生宿舍三人住一间屋，我找两位功课最好的同学赵如梓、侯树珩和我同住。高中毕业考试，记得我的分数是属第二。我考大学的物理试卷里还画着一个人用一杆买菜的小秤，称一条一丈多长的铁轨呢。考第一名的是后来同住的一位同学郭世琦，我们都考上了大学。抗日战争时他参加了共产党，改名高天辉，解放后在人民解放军总参任领导工作，前几年不幸早逝。我一直怀念这几位同住的学友。

（1983）

我家权威

“你算老几!”

这原是讽刺人的话。我却平下心来，按字面的意思把惊叹号改成问号：“我算老几?”坏了，我算不出来。

我是头生的长子，可排行第三，因为母亲是继母，我还没出世就有了两位哥哥。按年龄长幼，我只能排第四，因为还有个姐姐。祖上传下的习惯?兄弟姐妹是男女分开排的，所以在我们排行里，她不算。姐姐是老三，她在姊妹行中排成老大，升两级。

父亲是铁路局小职员，见了上司要赔笑靠边站的。但一进家门，便是他一人之天下，孩子们看见他立时规规矩矩。饭桌摆好，他坐正中，菜端上来，他一人先喝酒，好菜都放在他眼前，广东人爱吃的鱼头、鱼尾、鸡尖全归他。我们一造反，母亲就吓唬：“你爸爸来啦!”立时生效。爸爸成了权威的代号。大哥早故，二哥便是二等权威，再就属我了，还是排第三。母亲和姐姐我们都不怕，不在话下。

二哥从小听话，功课好，在家里很受尊重，我没有见父亲说过他（北京方言，“说”者，责备也)。我作业不会，母亲就说：“问二哥去。”我淘气了，母亲就说：“瞧你哥哥，哪像你!”二哥从来不打人，也不骂人。父亲不在家时，他说话顶用，果然是二等权威。

老四比我小两岁，学问不如我。他功课不会，母亲照例说：“问哥哥去。”这是指的我。哥儿们难免要争吵的，一争起来，母亲准冲我瞪眼：“你是哥哥，要让着弟弟！他小。”他一淘气，母亲就可爱了，总是说：“瞧你三哥，哪像你！”我也就飘飘然，多少拿出点当哥哥的派头来。究竟年龄相近，不断闹矛盾，但在大人面前，我们有着共同利害，放了学招呼着去弹球、斗蟋蟀、逛市场，天不黑不回家。在他眼前，我说不上有什么权威，可他得喊我“三哥”，那是尊称。有了尊称就须自尊，不能在“下属”面前丢人的。丢人，广东话叫“失威”，意思更清楚了。

那年月，生孩子多算是福气，我下面还有几个弟弟妹妹呢。后来我在外省上学，几年回家一次。一到家，这些小家伙们老远就喊：“三哥回来啦！”连蹦带跳，高兴得很。母亲早逝，父亲年老气衰。老人总是偏爱小的，小弟妹们越发放肆起来。开饭时候，六弟居然和爸爸一同入座，而且公然站在凳子上，瞧哪盘菜好吃夹哪盘里的，实在没规矩。我喝了一声，他乖乖地坐下来了。他又贪玩，不肯上学。这还得了！我拿起鸡毛掸，用藤条在他屁股上打两下，他才抹着眼泪背着书包去了。伯母婶母管不了孩子，我一回来，她们有了后台，堂兄弟淘气，她们就喊：“三哥来了！”那是谁都怕的。妹妹们更胆小，也娇气，闹起脾气，只要三哥一到，不等发言，她们就吓得呜呜地哭起来。女的一哭，男的心就软，到底柔能克刚，她们没挨过打，也没挨说。姐姐身体好，又勤快能干。母亲去世后，家务事都靠她，也像母亲一样照顾弟妹。傍晚六弟回家总是一身泥汗，姐姐把他按到大木盆里，浑身洗刷干净才能上床睡觉。她到二十五六岁时才远嫁到南洋，至今没回来过。她很和善，我们都不怕，在她眼前敢淘气，可最后还得听她的，也属我们家的权威。这权威和男的不一样，谁都想她，有时想得要流泪。

以前生了孩子很难保全，做父母的大都要经受一次到几次丧子之痛。我们家境中等，保全了2/3，剩下7个，现在年长的已逾古稀。我们分居6个城市，相距多在千里之外，但一有机会便互相探望。虽然都有了儿孙，见面也随便开玩笑。当哥哥和姐姐的也还是像童年时那样，但已不是什么权威，转化为说不出的一种特殊关系，古人称之为手足。手足连身心，同样骨肉，但相对而言，手总处在比足高的位置。一人有困难，另外几个就不舒服，不须开口，支援自来，尤其是处在手的地位上的。一个弟弟多年家庭负担过重，就是这么很顺利地度过了。前几年我丧妻，妹妹知道了，立即请假从外地赶来，使我得宽心，帮助我料理家务，住了一个时期，一切安定，才放心回家。

我有三个孩子。平时我很忙，假期也难得休息。妻更忙，孩子都靠保姆带大。妻比我能干，孩子听她的，于是成了权威，我则大权旁落。孩子长大成人，我只好实行民主，在这种情况下，实行民主十分吃力，不仅费口舌，费脑力，也费体力。所以练就一身家务本领，除裁缝之外，其他活路那是手到擒来，决不含糊的。三个孩子里，老大肯定是权威了，今后发展如何，一时还看不清楚。

这种权威的形成，自是出于一定的历史条件，所以才顺理成章，也是顺“礼”成章。所以那时它只能限于家庭这个小范围内。现在，这个范围扩大了，而且不以年龄计。现在人们尊崇雷锋，尊崇海迪，他们都是权威。他们不用藤条，不用责备。这权威，用北京说法，高老鼻子啦！

（1984）

深切的怀念

——为陈今言画集序

陈今言同志离开人世已经3年了，写这篇序文不能不引起极为痛苦的回忆，不仅由于二十多年夫妻共同生活的突然中断，还是由于失去的是一位值得永远怀念的好同志。她过早地死去，带着“四人帮”加在她心上的致命伤。

陈今言同志是新中国培养的第一个女漫画家。她的作品大多发表在《北京日报》，因为她是这家报纸的编辑；她不但创作漫画，还发表过许多其他作品，如连环画、版画、插图等。她是美术组领导人，除日常编辑业务外，画了大量的刊头、题花之类。后来在工艺美术研究所工作，又设计过许多工艺品。此外还写过相声，曾在相声大师侯宝林指导下写出相声段子，由侯宝林亲自演出。在美术界像她这样多能的艺术家是少见的。没有想到因此使她成为“四人帮”。她不断被揪斗、辱骂、抄家，关进牛棚，开除党籍，送进干校进行改造……那时，她才四十多岁。

她出身于较富裕的家庭，早年是位“阔小姐”。解放前跟随革命的弟妹们搞地下工作，在日本占领军眼皮底下贴标语、送传单。她的家是我党城工部在北京的一个地下联络据点。那时候她还不是共产党员，却一直是在党的教育影响下。长期的锻炼，使她习惯于不分昼夜地工作。废寝忘食，对于一个不断钻研、追求的艺术家来说是家常便饭，但我还没有见过像她这样不仅在创作时，就是在日常工作时也如此的人，常是从早到晚不肯罢休地干。最紧张的时候，曾晕倒在办公室，被人送回了家。报纸的美术工作是多样的，除了编辑、组稿等工作以外，还有创作任务。她在辅仁大学学的是油画，报纸工作却用不上。于是需要连环画时，她画连环画；需要插图时，她画插图；需要漫画就画漫画；需要版画也搞版画。凡此一切都要重新学起。画连环画须深入生活，了解形形色色的人物，画许多平常没画过的东西；漫画在学校里是没有这一门课的，它有特殊的功能和表现方法；版画虽是画，但用的不是纸笔，而是木板和刀。1973年她调到北京市工艺美术研究所，做工艺美术研究和设计工作。为了把牙雕设计好，她先学木雕。她只能在家里靠业余时间学习，除了时间是现成的，其他如木料、工具、参考资料等等都须自己筹备。谁能相信，这本画集里的木雕是一位从未摸过木雕的艺徒之作？我亲眼看她用小学生削铅笔的小刀（俗称修脚刀）每天干到深夜。看了她的几件木雕作品，牙雕师傅才敢把价值昂贵的象牙交给她，让她制成牙雕。学会牙雕，了解牙雕的艺术特点，才有可能设计出好的图样。她干工艺美术时间并不长，由她设计而制成的一些作品（有大件有小件的）已经在广交会上展出，并出售了。为学习和创作，她付出的劳动是惊人的。她忠实地按照党的要求，能干什么就干什么，从不挑肥拣瘦；能干多少就干多少，从不叫苦叫累。她干起来像拼命似的，而且兴致勃勃。对党的忠诚和事业心给了她坚韧的毅力和刻苦精神，因此也练成多能的才艺。她很好强，工作干不好是睡不着觉的。

这是个多么活跃的人啊！在大学里是篮球和排球校队运动员，在报社是文娱活动积极分子，是业余京剧演员。文化大革命前不久，在区里参加乒乓球比赛还获得三级运动员的称号。在宿舍，她是“向阳院”主要负责人，掌管宣教卫生工作，照料宿舍成百个孩子，调解人事纠纷，在宿舍里每一个家庭出出进进。孩子有什么事都要找“陈阿姨”，因为事事都是她领着干：组织学习、写标语、办图书室、清扫垃圾、打扫厕所，都是和孩子们一齐动手。地震期间，几家老弱的防震床是她抡斧子搭起来的。她体质很好，干起活来跟男人一样，手脚麻利得很。从工作上，谁也看不出十几年来她有什么变化，但精神上的创伤，简直把她毁了。一向欢快爽朗的笑声再也听不到了，话也不多说，脸上不时袭来一阵阵阴影，眉间的皱纹一天天深下去，人越来越消瘦，脾气也变得烦躁起来。一回家，把家务弄完，便埋头学习和工作，哪里也不想去。从干校出来一直是如此。美术展览一个也不看，那是“四人帮”搞的，她恨！她很热爱京剧，但大都被禁绝，心烦极了，无可奈何地捧着唱本躺在床上哼哼样板戏。这已是她唯一的精神慰藉。唱得像往常那样富有韵味，却排遣着满腹郁闷和忧伤。直到“四人帮”被粉碎，她的面容才渐渐舒展开来，然而她心灵上的创伤已经无法平复了。睡眠一直不安稳，稍有响动，会猛然惊起。她曾说，梦中一听响声，以为又有人来抄家了。往事的回忆深深地刺伤她的心。她有时讲起她的娘家，那个当年党的地下据点被查抄和扫地出门的情景。想起还不到上学年龄的孩子因父母被关进“牛棚”不得不自己照料自己的生活时，就不禁潸然泪下。想起来那些造谣诬陷的大字报，想起十来年身受的折磨，更使她气闷难忍。为了摆脱这种精神上的负担，她更加拼命地工作。她体力依然很好，但致命的病灶已然形成，终于触发了。1977年6月的一个早晨，她骑车上班，中途转回家，倒下了。急忙送医院，又碰上两位连心脏病常识都缺少的急诊医生。几十年培养出来的党的好儿女，不到两小时就停止了呼吸。她来不及留下遗嘱。家里她箱子内除了一些日常旧衣物、书籍和画稿外，没有什么称得起贵重的遗物。在生活上她似乎只需温饱。她在工艺美术研究所那几年，午饭只买几个火烧带到办公室，为的是节省时间。她把自己的时间都用在工作上，直到最后一息。她以自己的行动在家人心中塑造了一个党员艺术家感人的形象，这是她给我们留下的最珍贵的遗物。

她的意外死亡，也给同志们留下深切的悲伤和怀念。许多人一进我家就嚎啕大哭，其中有象牙厂的工人，有报社和研究所的同志，亲友更不用说了。一位青年因画小人书《大红马》几乎被打成“反革命”，是今言多方奔走，找出许多有力的论据为他辩护，保住了他。许多漫画作者得到她热情的关怀和帮助。一位青年漫画家告诉我，他的一些作品就是因得到她的鼓励才画出来的。作为报纸的编辑，她经常协助画家们，带着画家们到工厂、农村参观访问，自己也常给工人业余画家做辅导工作。她的热情和业务上的能力吸引着许多专业和业余作者（多是青年工人），他们是同志，也是朋友。我收到江苏寄来的一封真挚而沉痛的慰问信，发自一位和她通信称她为“老师”的青年，她们没有见过面。还收到唐山寄来的一封，发自一位年逾花甲的老艺人，他们在一起工作过一两个月。在那沉痛的日子里，多少温暖的手紧紧地和我相握，多少感人的话倾诉着哀情，使我更深刻地了解她，对“四人帮”一伙丑类，也更加痛恨！

她的作品无法收集齐全，许多原作在混乱中散失，只是在同志们的协助下查到的已发表的作品，完成这本集子的编辑工作，请同志们看看，这就是被“四人帮”打成“反革命分子”和“右派”的“罪证”。出版这本画集，是为纪念一位为党为社会主义事业鞠躬尽瘁的画家，也为了帮助我们认识“四人帮”的罪恶，从中吸取历史教训。

这本画集的编印过程中，得到《北京日报》、《人民日报》和人民美术出版社的同志们的大力协助，又承马克同志协助编辑工作，田原同志题字，画集顺利出版，特此致谢。

（1980）

慈禧太后："你真是花钱能手，我当年盖颐和园的时候，也没想到用琉璃瓦修饰御膳房。"

时代的缩影

——看张乐平和廖冰兄画展

老觉得自己还能蹦蹦跳跳，可年轻人已经喊我“方老”了。却之不可，受之又不甘。论年龄早逾花甲，论创作，也有40年，人家是敬老，只得勉强应受。但在张乐平、廖冰兄面前，我是恭而敬之地靠边站的。他们不唯是长者，也是我国漫画界的先驱。

文学艺术反映社会生活，自然都具有时代特色，其中把社会解剖最透，又一目了然的，莫过于漫画了。我们的老漫画家一生经历新旧两个时代，把他们的作品摊开来看，便是时代的缩影。现在这两位画家同时又在北京同场展出历年作品，真是触目惊心。中国为什么要闹革命？看他们的画吧，真个一目了然。

人间交往靠语言——说的和写的。漫画家则用画，一种艺术语言，即经过浓缩、加工、饱含激情的精炼语言。有人说，一幅好画赛过一篇文章，就是这个意思，所以这才优美动人。由于加工方式不同，艺术家的语言都有迥异于他人的个性。这两位漫画家都在解剖社会，剖视人，张乐平的方法是让孩子闯进社会各阶层，把世态人情掀露；廖冰兄则驱使人畜鬼神渗入阴暗角落揭旧社会的老底。这自然均属艺术虚构，以此深入地表露生活的真实。手法上乐平笔近写实，冰兄笔近写意，各有特长。在抗日战争时期，他们对侵略者都用挥刀直上的战法，直截了当。在白色恐怖笼罩下，对内战内行、外战外行的反动统治者，则采用迂回战术，但两人打法不同如上述，这是一望便知的。同样的是，他们各有一套扎实的功底，运笔挥洒自如。乐平漫画中的人物造型、表情、动态活灵活现，线条潇洒凝练，看《小猫咪咪》这组画中的小动物，那都是传神妙笔，没有深厚的写实功夫是画不出来的。冰兄用装饰性夸张笔法，精细的如《禁鸣》，粗犷的如《猫国春秋》，纤柔者如《春雨天小写》，各有神采。他的笔法多刚健，线结构严谨。有着丰富创作经验的老漫画家，创作态度是很严肃的，构思和笔墨技法都很考究，加以博学多识，有深广的生活经历，艺术表现手法路子就宽。乐平画了不少战斗性强的政治讽刺画和宣传鼓动画，也作生活漫画、儿童漫画、年画、抒情式的画，尤其善于采用连环漫画的形式，掌握这种技法的人，国内是少见的。冰兄运用的讽刺技艺，因长于诗词歌曲更显灵活多变，如《酬赠图》套用诗经辞句，《大猫跳小猫跳……》借用儿歌，《神憎鬼厌》中的“清明时节雨纷纷，游子回乡拜山坟，眼见发财机会到，阿庚拉队去捉人……”显然有从杜牧和杜甫诗里借来的调调。广撷博取方能充分发挥漫画的艺术功能。

艺术是以情感人的。这两位性格截然不同的画家，都怀着同样赤诚的心，对人民爱得真挚，对丑类恨得切齿。人们看他们的作品会感到作者心情的激动。乐平最挂心的是孩子们，他画中表现的主要是孩子，因他们的受难而愤怒，而控诉；解放后又为他们的幸福而欢欣，画许多有趣的漫画。他已年逾古稀，步履蹒跚，还扶着拐杖和小朋友们在一起。手已发抖，仍坚持着为他们作画，简直是有求必应。我每次到他家，都会遇到来访者，请他写，请他画。在冰兄家也一样，我见到的多是漫画界的同行，大都是小字辈的。按年龄冰兄是老长者，却像老大哥，年轻人在他面前是毫无拘束的，这和他表现在作品上的性格判若两人。他为自己的画展设计的请柬，封面是怒发冲冠的自画像。真是这样。面对旧社会的丑恶，对人间的不平他怒发冲冠，他融在画中的情感像爆发的火山。人们把战斗的漫画比喻为匕首、投枪，看冰兄的画就觉得匕首、投枪正在挥舞投击着。他把反动派的倒行逆施、白色恐怖和一切卑污行径公布于众，虽然用的是艺术语言，却明白无饰，因此震动人心，影响极为深远，和乐平的“三毛”一样，几十年来一直被人牢记。他被剥夺了20年的创作时间，粉碎“四人帮”和在党的十一届三中全会后才满怀豪情地重新拿起画笔，为保卫社会主义，向旧世界的残余继续奋争。

两位漫画家，解放前画的都是讽刺画。讽刺画的艺术手段是讽刺。讽刺是幽默的变种，两者有着血缘关系，共性极多，所以人常说讽刺艺术是用笑来战斗的。但看乐平和冰兄那些讽刺画，只引起苦笑，有的却笑不出来。幽默哪里去了呢?

我是这样想的：人们处于黑暗年代，心情被压得沉重万分又敢怒而不敢言。即使讽刺画说出了他们心里的话，使之获得瞬间的轻松，发出的毕竟也是惨然一笑。压力穷竟是沉重的。艺术品对事物矛盾深刻的开掘，激起的是满腔义愤和悲愁，那时是笑不出来的。一般弱者和受压迫者的漫画，大多是这样。唯有在压力被推翻，事过境迁，再回头看作品中采用的讽刺艺术手法，看看被讽刺者的丑态和尴尬相，回想当年这些人被刺而哭笑不得的窘状，这才真正轻松得笑起来。被压迫者还用漫画的一些技法绘制宣传鼓动画，这种画也看成漫画，其实它的功能主要是鼓动宣传。但无论如何，没有

四凶覆灭后写此自嘲并嘲与我相类者
冰兄于广州年方六十有四

幽默感，不懂幽默或不善于运用幽默手法的人，是画不好漫画的。

我没有对哪一件作品作具体分析，从所附的几幅画便可看出两位大师那么多彩的艺术手法和尖刻的讽刺力，也看出他们的笔墨功力和鲜明的艺术风格。在展览会上看到过去展出时两次被盗（一次在国内，一次在法国）的冰兄的作品照片，看到那么多读者写给乐平深情洋溢的信件和专为“三毛”编织的小毛背心、小鞋子和御寒的其他物件，可知他们的艺术感人之深了。艺术家为人民耗了心血，付出劳动，人民会永远记住他们的。

（1983）

“马派”画风

京戏有个马连良，称马派。绘戏画的也有个“马派”，他叫马得，姓高，天津长大。

马得的画，我称之为“马派”，是因只此一家，独门独户。马得是漫画家，又是国画家。他的画既属国画传统艺术，又具漫画特点。国画人物讲究形神兼备，漫画尤其着力于传神传情，常使形为神役而有所变异和曲扭，但仍不失其真。马得画戏剧人物近国画写意，画连环画和速写则漫画味十足，用笔都重在传神传情上。他用墨循古法，运笔、造型又有他“马家风韵”。评艺术不同于讲科学道理，说起来众口一词，而评艺术则各有所见，各得其妙，亦有可意会却难言传之微。比如说“马家风韵”，大概谁都会承认说“是有那么一股子味儿”，可谁也不会说他能把这股马家的味儿讲得一清二楚。如果要我讲的话，我发现的是它的幽默感。幽默，说白了叫风趣、含蓄。幽默的语言都是曲折表达和表现的，画得出来，让人看了就要在脑子里闪电似的转个弯儿，才理解它的含义，品出味道来。两个人相爱，说：“我真爱你!”那是直截了当的表白。电影里一男一女，两人眼神那么一碰，一句话没说，连老太太都明白：“这俩有意思啦!”那是传情。幽默家的传情用笔是浓艳的，青是靛青，紫是酱紫，

看着觉得过头，反而感到这才更真切。以浓色强调一点，用笔势必省简其余，造型如此，笔墨也如此。看马得的画，就那么几笔，可这几笔满够了。作画，三五笔的活儿能一笔包下来，那是功夫。写意画家说过：用笔不易，用墨难，用水更难。笔上水墨调谐，比例合适，一笔下去，使墨色在浓淡交错中，能透出阴阳或轻重、远近、虚实、质性、情调等种种视觉感受，力求有以一当十的艺术概括力，那是长期练就的。画人物也是如此，有的只见侧背，却已情传入神，简洁而又含蓄，让观众自己去琢磨那人的表情，会有更为丰富的感受，更有情趣。有人说这是取巧。不错，幽默本来就是奇巧的艺术，难也就难在这个巧字上。马得的笔墨里有这巧劲，才使人感到有它特殊的风采。我欣赏他的戏曲人物画，当然也喜欢他的漫画。我曾建议他多画些现实题材的作品，他可能正在努力。

有人以为漫画讲究的只是构思，在画的技法上要求不多。错了。漫画构思要有深度，要奇巧，笔上功夫同样须奇巧，这才够味，有看头。按说戏剧人物一般不属漫画表现的题材，但终于在漫画家笔下显出奇艳的光彩，给人以异样的美的愉悦，这只有掌握笔墨技法的人才能胜任。古代中国画家运用漫画笔法的人，不止梁楷和罗两峰。漫画历史悠久，但其迅速发展仅是近二三百年间事，而在中国不过几十年，锋芒始露。展望前途，广阔得很哩！看马得的作品，我想在这方面会给人以启示的。

（1984）

醉太白

看画识丁聪

和工农业生产一样，我们的漫画也遇到好年景。在累累硕果中，最使我欢喜的是新出版丁聪的两本画集：《丁聪插图》和《昨天的事情》——解放前后的漫画选集。谁想认识丁聪，看这两本书，就差不多了。

这两本书引起我的怀念。我知道丁聪，那很早了。初次见到他，记得是1945年，可他不认识我，那时我是业余画画儿的。那年他随着一个话剧团来到我所在的四川五通桥镇。我爱好文艺，喜欢和文艺界人士接近。话剧团一来，我就认识了一些人，认识了贺孟斧、应云卫、陈白尘、张逸生、李伟，还和苏绘、许肯有过交往，可一直没机会和丁聪搭上话。1946年，我到上海，走进了漫画这一行，自然想去拜会漫画家的。由黄嘉音介绍，我第一个拜会的就是丁聪。屈指算来，至今37年了。

丁聪的画，我是钦佩的。画得好且不说，给我教益最深的，是他那艺术家的忠实。我国漫画的主流，有个好传统——总是站在历史前进的方面。丁聪性情温文敦厚，一派书生；看他针对反动势力的讽刺画，却尖利入骨，是真猛士。这正是我国正统讽刺艺术家的

买书"操"

小丁画并作歌

看到新书广告，
就往书店跑：
不是"书没到"，
就是"卖完了"！

西城没有东城找，
碰々运气好不好？
今天跑，明天跑，
身体锻炼好！

本色。看他的全部作品，都使人感到艺术家手笔，严肃认真，一丝不苟。艺术家的作品未必件件全精，而丁聪的画中，即便不甚精的，也有引人再看的魅力，因为他都下了功夫，显现出他的构思、造型、笔墨等诸般艺术特色。我看了他那幅五彩缤纷、人物众多、刻画精致的漫画长卷时问他：这幅画下那么大的功夫，稿费有多少？他听了一笑，说：那时哪里有多少稿费，就几块钱，还不一定拿得到手。但他始终如一地照画下去。他家里经济负担不轻，需要金钱维持物质生活，然而一旦开始创作，他的头脑里只有艺术。

他的画有看头。内容上，看他的思想，看他对世事的基本态度，这不须介绍，一望便知；艺术上，看他独特的风格和表现的技法。他的画清晰、细腻，有深度。他的漫画可以不看标题，容你品味，自会了然。画中人物造型使人感觉实在，充溢着生活气息。尤其是文学作品的插画中，一人、一物、一景，都忠于生活实况，毫无马虎，因而看了能引人回忆，启人再思。这两本画册都是黑墨印刷的，倘看他的彩色画稿，更加令人欣赏作品装饰美的色彩。我也画过一些插图，拿来和他的比起来，尤显逊色。

向丁聪约稿的人都知道，他非常忙，创作不断，勤奋得像小伙子。其实，按习惯算法，他正当古稀之年。既无“古”，又不“稀”的是他那满头乌云般的黑发，还有他的作品，也似青春永驻，这是最令人欢喜和敬佩的。

（1984）

耐人寻味的一着

我因为画漫画，连带着对相声、杂文和喜剧特别感兴趣，有时也写点杂文，写写相声，还写过喜剧性的剧本。数十年之经验使我体会到，各种幽默的、讽刺性的语言，实在难于掌握，因此曾说过："幽默讽刺艺术，是最难的一种艺术了。"这话不免带有偏见，但说它很难，确是真的。

幽默讽刺的语言是曲折含蓄的，因奇巧大出人意料令人笑起来。曲折还好解释，日常说话就有不少是曲折表达的。话不便直说，就得拐个弯儿来说，使用曲折表达方法。小孩子什么话都是直说的："我撒泡尿。"大人就不可以，要讲文明。早先在家乡农村里，我遇见一位姐妹，问怎么好久没见她了，她脸一红："我做客人了。"原来她刚结婚，嫁到外村去，回家是做客了。叫人的外号"大个儿"、"胡子"，也属曲折的称呼。曲折用语多，有拙有巧。广东称谈恋爱叫"拍拖"，北方称"搞对象"，散步称"压马路"，有知识称"喝过墨水的"，生病叫"欠安"，死了叫"仙逝"、"去世"，皇帝死了叫"驾崩"，和尚死了叫"圆寂"，诸如此类。一条鱼死了称"去世"，蜂王死了叫"驾崩"就成笑话，但在幽默文字里便用得着。幽默的文学家喜欢用曲折笔法，马克·吐温在《麦克威廉士夫妇对膜性喉炎的经验》里有这样的说法："我半睡半醒地爬起来，一下子踩着一只猫，它哇的一声提出抗议，我一脚踢去，想教训它一下，可是一把椅子替它受了委屈。"这是幽默家的"间离"法，语中带居高临下，冷眼观察的姿态，也是有所含蓄的。但所谓"含蓄"，和"曲折"再加区别，就是曲折更大，弯拐得多，含义更深一层，言外有意，要琢磨一下才明白。

古时有个笑话：一位县官做生日，属下胥吏照例须给老爷送礼。老爷属鼠，大家一合计，老鼠个儿不大，就凑钱叫银匠打了个银老鼠送去。看是银的，县官很高兴，说："很好！太太的生日在下个月，她属牛。"故事到此结束，含义是清楚的。话说得含蓄，故事讲得也含蓄。在1976年，当"四人帮"垮台的消息传出来，群众大为高兴。北京菜市场里卖螃蟹，故意将四个一捆出售，一边吆喝："买螃蟹啦，仨公一母！"谁都明白。虽然人都喜欢吃母螃蟹，挑圆脐的买，但都高高兴兴地去买这"仨公一母"当庆贺的酒肴，也欣赏"仨公一母"的含蓄说法。

从这些例子可看出，含蓄是话里有话的。所以使人感到意味深长，因此便觉奇巧生趣；讽刺的也觉刺得更深。

还有弯拐得更大，更曲折的。传说郑板桥在山东当县官时，有一年春节，在街上看到一家门上贴的春联是："二三四五，六七八九。"他一看就明白，回去就派人带点布和粮食给这家送去，他悟出春联的意思是缺一（衣）少十（食）。与此类似，大概发生在军阀时代或国民党统治时期，有副对联是："一二三四五六七，忠孝仁爱礼义廉。"含的是"忘八"、"无耻"的意思。这样的例子不多见，在相声中有的段子用得上这种手法，如："人家过年二上八下，我家度岁九外一中。"这是故作玄虚的逗笑，讲的是手指动作部位——"二上八下"是包饺子，"九外一中"是捏窝头。

幽默讽刺语言都是曲折含蓄的。这里还把“含蓄”区分出来，意在使曲折加婉，更有幽默感，讽刺加深。古时有个笑话：

夫田中归，妻问锄放何处，夫大声曰：“田里。”妻曰：“轻些说，莫被人听见，却不取去。”因促之，往看，无矣。忙归附妻耳云：“不见了。”（见豫章醉月子选辑《精选雅笑》）

后来看一本民间笑话选，内容一样，讲法不同。原文如下：

有一个人在田里锄麦草，他的妻子离老远喊他吃饭，他便大声回答：“听见了，等我把锄头藏在田边的草里就来。”

当他回到家时，妻子埋怨他说：“你这个人呀，藏把锄头也大声咋呼，要叫小偷听见了，还有你的？办这样的事，小声些才行！”

他觉得这话很对，一边说：“怪我，怪我！”一边慌忙往回跑。可他跑到田边的草里一看，锄头已经没有了。他急忙跑回家里，用连蚊子也难以听清的声音对他妻子说：“你的话很对，锄头真的叫人偷走了。往后我得接受教训，不再大声说话了！”

一个笑话，两样讲法，可以看出含蓄和幽默的道理。前一种讲法，该小声他偏大声，不必小声他偏小声，这矛盾处理很突出，讲的时候，点到而止，剩下的让人想去，便有余味。后一种讲法插话太多，反而把矛盾之处冲淡了。最后加上表示要接受教训的话，更是画蛇添足。这故事之可笑，出于反常。越是反常，越使人笑，所以一般滑稽、幽默和讽刺多用夸张法，使错上加错，愚上加愚，有时用重复手法把矛盾幅度加大，为的是取得更佳效果。后者结尾加一句颇为清醒的表示改“愚”归正的话，不仅缓和矛盾，且有和盘托出，取消含蓄的反作用，使幽默感又减几分。同一故事，用含蓄讲法和一览无余的坦叙，效果悬殊；幽默的人讲出来，和不懂幽默的人讲出来，效果差多了。

在漫画创作中，运用含蓄笔法的，我很欣赏李滨声的《前车之鉴》、刘庆涛的《第一步“诊断”》、叶景文的《植树中的对话》等等。《前车之鉴》画的是一个人骑车手不扶把，旁边一个因脑袋受伤而层层包扎的骑车人对他说：“扶着点吧，老弟！昨天我比你还神气哪！”一句话使人不禁笑起来，因为联想到此人受伤的经历和话语中的含义，又会推想那个神气活现的不扶把的“英雄”将会变成如那受伤者的狼狈相，便觉余味深长。这含蓄的表现手法就比画出车祸，艺术效果强多了。

讽刺语言虽都是含蓄用笔，运用方法有不同，含蓄深浅亦不等。有的作品缺乏含蓄，便少幽默讽刺意味，作出的画会像图解，动人之力就差多了。

我最近画的一幅漫画，画面是一间拥挤不堪、卧室兼厨房的小屋，一位领导干部手拿着关于改善知识分子生活和工作条件的文件，推门进来对知识分子模样的主人说：“这文件很重要，你要好好学习！”这幅画意在讽刺不认真执行党的知识分子政策的领导人，但不直接去画此人如何不见诸行动，而是画他在行动，从这行动中表现他的工作作风和后果——这样行动的结果是，看来像执行，其实完全等于不执行。这是以前普遍存在的一种形式主义作风。

漫画创作中的含蓄用笔是多方面的，有的在对话，有的在标题，有的在整体构思，有的在形象处理。工厂排出废料污染江河，鱼不能生存，我画的《钓鱼》，并不直接画水中无鱼，也不画鱼都死了，而是画钓出的鱼是没有肉的（对话：“从你们工厂一开工，河里就剩这一种鱼了”）。如讽刺美国种族歧视者对黑人的歧视和屠杀，我不是画那白人如何歧视或屠杀黑人，而是画他买两个洋娃娃，一个白的，一个黑的，带走时将白的抱着，用绳子将黑的吊着。

在笑话里，很多是用这含蓄语言的。一个人去租房子，问租金。房东说：底层每月40元，二层35元，三层30元。那人摇摇头。房东问为什么不租他的房子？回答说：楼不够高（不说房租贵他租不起）。

总之，话都不直说，而是旁敲侧击地让人去领会，给人以推想和联想的思索余地，以奇巧给人以审美的快感。

含蓄是幽默讽刺艺术中最高的一种艺术技法，是最耐人寻味的一着。要掌握好这种技法，需要较高的文学艺术修养，并要善于运用想象。

（1986）

——扶着点吧，老弟，昨天我比你还神气哪！

前车之鉴

相马

挤出来的海报

几十年来作画，少说也有上千张了，其中能在全国各地长期展览的，只有那么一件——一张电影海报，还是托《茶馆》的福。

以前我没画过什么海报，也从来没想过，但确实画了，是谢添导演硬要我画的。我不能不画，一因有交情，二因有交易。

《茶馆》这部话剧我是喜欢的，很喜欢。听说要拍成影片，我怀着极大兴趣多次到北影摄影棚里参观，还把影片需要的，早先国民党的一首军歌唱给饰兵众的演员们听。这首歌原不是什么军歌，而是民间流行曲子，因为有趣，那时的青年学生都爱学爱唱：“三国战将勇，首推赵子龙，长坂坡前逞英雄……”那时的相声演员，没有一个不会的。影片

刘麻子 [英若诚饰]

吴祥子 [林连昆饰]

王掌柜 [于是之饰]

拍摄已近尾声，一次吃饭时，两杯啤酒下肚，谢添导演对我说，他有一个想法，要我为这部片子画海报。

“海报？我可没画过，怕不行！”我说。没把握的事，我还真有点含糊。

“就画吧，你行！”接着，就讲出他设想好的画面来，讲到于是之扮演的老掌柜步履蹒跚的姿态，他笑得眉眼挤成一簇，还站起身来表演一番，逗得我也大笑。那时我和沈同衡同志合编的杂志《漫画选刊》正准备创刊，需要几位名家捧场，于是双方达成协议，这海报我画，作为交换条件，他得为这刊物画一组《茶馆》演员的漫画像。我知道他画漫画也是老手，至今我还保存着从杂志上剪下的几十年前他作的一些漫画人像呢。

《茶馆》是以喜剧手法表现的悲剧性的戏。喜剧和漫画艺术上相通，这是为什么他要我来画这张海报的原因。他是喜剧家，又是漫画里手，对幽默讽刺艺术的一般规律很清楚。他设想的海报构图，与《茶馆》的内容和表现形式特点相一致。他导演了《茶馆》这部电影，海报的导演也还是他。

海报急于付印，我的业余时间也有限，画起来颇为紧张。幸而一位北影美工帮我

宋恩子［李大千饰］

秦中义［蓝天野饰］

常四爷［郑　榕饰］

松二爷［黄宗洛饰］

画了现场背景的速写作参考，又请书法家黄苗子同志写上“茶馆”两个大字，画稿拿到摄影棚，同演员一起经过两次讨论修改，不出一个月，便完成了。他画的演员漫画像也如期交稿，甲乙双方都表示满意。海报稿费所得，换来烤鸭酒菜，在我家欢庆一番。海报印出就源源送到全国各地，在大街上展览出来了。

（1984）

茶館

灵活多彩的幽默技法

——评相声《空城计》

相声是逗笑的艺术。逗笑很容易，人人都会的，可逗笑的艺术却很难。现在人们以艺术的标准来欣赏相声，你拿出来的如果是不合格的艺术，观众就不满足；如果简直没什么艺术性，那么就会令人失望，不但笑不起来，还要批评。

相声逗笑，喜剧也逗笑，运用的都是幽默讽刺艺术手法。相声短小、浓缩，其艺术手法的运用比喜剧要集中，要强烈，艺术效果是爆发性的。所以相声术语说，包袱（笑料）要抖响，如放炮似的响。

逗笑，怎样才叫艺术呢？

逗笑的方法很多，老太太逗娃娃，那不叫艺术。用幽默和讽刺手法产生笑的效果，才叫艺术。艺术还有高下之分，人们当然要求尽可能高水平的艺术了。

研究相声艺术，有必要对一些相声段子加以分析，看看各有什么特色，所长在哪里？所短在何处？我很欣赏《买佛龛》，认为是我所知的对口相声中，也是讽刺技法使用得最出色的。两年前我曾写过一篇评论，在《曲艺》杂志上发表了。我也很欣赏《空城计》，认为是我所知的对口相声中，也是幽默技法使用得最出色的。在一些会上我提到过，但还没有写成文章，这里谈谈我的看法。

《空城计》是个传统相声段子，经侯宝林整理并演出。内容说的是一个京剧票友临时上台顶角凑戏，扮演旗牌龙套站错了位置，破坏了演出程式。正紧张时，扮演司马懿的演员随机应变，现编唱词，挽回局面，圆满收场。这原是一则梨园轶闻，情节虽然很简单，把它铺展开来，却能构成妙趣横生的相声段子。

这个段子有两个很明显的特点：一是结构严谨，包袱密集，都是随故事情节展开，自然产生的，有一气呵成，行云流水般的艺术效果；二是艺术手法灵活多变，富有创造性。

段子一开头，就垫上个很有现实意义的包袱：

甲：我是最爱听戏的人，可是近几年我不听啦。

头一句话便引起个悬念。

乙：那是怎么回事！

甲：不听啦，我听的那戏，没有啦。

悬念加深，谁都想知道，到底什么戏，解放后就没有了呢？原来是“蹭儿戏”——就是不花钱买票、白看戏的一种说法。解放前，地方上有些势力的，和借某种关系混进剧场看“蹭儿戏”的人多得很，解放后情况自然不同，此乃实情。但“蹭儿戏”指的是看戏的“方法”，不是戏的品种，甲的话里将两个不同的概念混同了。虽属误用，但情理可通，又联系实际，带歌颂性，包袱来得很漂亮，能使剧场空气顿时活跃起来。

甲：我对京戏有兴趣，太爱啦。

乙：爱您可以学哇！

甲：学啦，早就学啦。

这就开始吹起来了，然后矛盾一层层地揭开来。问他在哪个科班里学的，回答："没班儿。"漏洞出现。然后说，"我是票友。"是自学的。

乙：您唱得怎么样？

甲：我这个人可不会吹。我也不敢说我唱得好，反正这么说，我唱过多少次戏，没出过错儿，没得过倒好儿。

没得过倒好儿，这算不错。再一问，原来是在电台上唱的。

乙：有叫倒好儿的你也听不见哪！

甲：啊，是呀！这么唱保险哪！

开始露出心虚的底相来了。

他一吹起来，似乎是行家里手，可细一问，都满不是那么一回事。他还步步为营，紧着掩饰，给自己打圆场，而在掩饰中，又露出外行的老底来。这样一起一伏，在重重矛盾中，造成一连串的滑稽。

在相声里，表现自吹自擂的情节不少。《空城计》里的吹法有他高明之术：

甲：我唱戏非得有名角儿配戏，我才露哪。

接着，说解放前在长安大戏院唱了一回。问都有什么人陪他唱，他说：

甲：有富英。

乙：噢，谭富英。

甲：有盛戎。

乙：裘盛戎。

甲：有盛春。

乙：杨盛春。我说您把姓带出来行不行？

这包袱抖出来真响。因为人都理解，提名不带姓，意味着他们之间的亲密和平等的关系，甚至长辈对晚辈也这么称呼。甲用这样的说法，以示自己和这些著名演员至少是同一流的人物。一听他那口气，观众和听众便感到，这是十分高明的幽默和讽刺的技巧。乙最后一句："您把姓带出来行不行?"把甲的意图揭了出来，话也说得含而不露。两者都用的是潜台词，引而不发，让人自己去琢磨，越想越可乐。

再听听他在戏里扮什么角色：

乙：您来诸葛亮?

甲：不对。冲你这么说，你就外行。有谭富英我能唱吗？虽然我比富英唱得好，观众他也不认哪！

又是个响包袱。这话里有三重含意：一是先前已出现他那胆怯心虚的外行底相，可还硬充里手，说别人"外行"；二是又来个提名不带姓，产生重复的滑稽感；三是说自己唱得比谭富英好，可观众不认，一听就明白这是十分可笑的自圆法，吹得离了谱，有如侏儒硬充巨人似的滑稽。

说到这里，此人半瓶醋、胡吹、硬充好汉的性格特点已表露得很明显了。一听他的口气，就觉出他那"二百五"的性子来。

他自己说出，在京戏《空城计》那次演出时，扮演诸葛亮和司马懿这两个主角的不是他，次要角色也不是他，连二老军也没他的份儿。

乙：这……这里没有角儿啦。

甲：(自言）这戏没我唱不了哇。

乙：您来哪角儿?

甲：打旗儿。

开头把自己抬高得似乎是主要角色，三言两语，突然降到无足轻重的打旗的龙套，这是一个大起大落的滑稽。而“没我唱不了哇”吹得也合实情，《空城计》没龙套怎么演啊！这是制造错觉的技法，在相声中常用，这里运用得很自然。

跟头栽下来，他还要挺一挺。

乙：噢，龙套哇？（话里表示轻蔑）

甲：啊，票友儿嘛。（故作镇静，以示没什么）

京戏票友，逢场作戏来玩玩，演什么角色的都有，可没有去当龙套的。甲以名票自居，名票当龙套，岂不可笑？显然在睁着大眼说瞎话。接着越说越离谱：

乙：票友儿您得来个角儿呀。您怎么打旗儿呀！

甲：哎，我们那个票房儿专门研究龙套。

乙：啊？

甲：业余龙套研究社。

虽然越说越离奇、走板儿，但听来却很自然，因为话说的很带“二百五”性格那种人的语气。在现实生活中确实有这号人物，好吹牛，摆谱儿，说露了底，又自作聪明地紧着去补漏洞，却越补越出洋相。这里虽是夸张的刻画，但合乎实情。正是由于把握了特定人物的性格，情节的开展，就有所依据。夸张幅度很大，也因合于生活逻辑而觉得可信，来得自然。此外，正如前面提到的，还有技法运用问题，用得巧，才出好效果。下面还有不少高明的招数：

甲：因为我想听，他们不让我进去。

乙：为什么？

甲：我没票！

乙：废话！

废话，也就是不言而喻的老实话。说句老实话怎么也产生滑稽感呢？因为这里有明显的不协调。甲一直以名票自任，名票很受尊重，出入剧场自由，进不去，想必有什么特殊原因，所以一听“我没票”，便大出意料。一句大实话就把冒充名票的老底抖露出来了，这是自我矛盾产生的滑稽。

甲：把门儿的太不客气。“票?”（摇头）“没有!”

乙：你买呀。

甲：嗯。（指兜儿）也没有。

这两个“没有”，再次运用重复的喜剧手法，产生滑稽：

甲：“没有哇？走!”

乙：轰出来了!

甲：好，回见，回见，别送。

乙：谁送呀?

这里不仅显示甲的力图挽回面子，厚着脸皮故作态的滑稽，更可笑的还在于他的狼狈处境和他那故作体面的言词之间的老大不协调——明明被人赶了出来，却硬摆出被欢送的架势。

后面，他又被人轰了出来，还说了同样的话：“好，回见，别送。”又是一次重复的技法。

在剧场后台，人人都戴个写着本人职务的红条儿。甲说他也有，给人以错觉，以为他有的是同类的红条儿，细一问，原来条上写的是“司仪”两个字，他还说明：“上回人家结婚，我给喊的。”这话更带“二百五”的本色。乙又补一句：“那管什么用？后台又没结婚的。”引起微妙的滑稽感——谁见过前台演戏，后台结婚的？

他冒充跟班混进后台，人给他也戴上个红条儿，上面也有两个字，乙问哪两个字：

乙：演员？

甲：杂役。

这一上一下出人意料的大起大落造成的滑稽感，后面还有。在讲解从头旗到末旗四个龙套待遇不同之后，又补上一句“你想我是侯老的举荐”作铺垫，紧接着乙就问他扮的是哪一个：

乙：“头旗儿？”

甲：“末旗儿。”

一连串的大起大落，包袱出得很自然，合情理。这种手法在相声中用得极多。但在一个段子里出现次数之多和效果之响，很少有比得上《空城计》的。其所以能取得这样的艺术效果，除了有人物性格依据和对京剧剧场生活熟悉之外，还在于作者和整理者能熟练地运用幽默讽刺技法，才会有如此适当的情节安排和语言对话的构思。演出效果，同样要看演员在这三方面掌握的深度而见高低，这是很清楚的。

不买票能混进后台，出于机智。最后扮演司马懿的演员现编唱词，圆满地弥补了龙套差错造成的纰漏，更是出于机智。机智是产生喜剧效果的一个重要因素——当然，不是一切机智都如此，是有条件的。

由于“二百五”性格矛盾造成的滑稽还有多处。他先吹嘘自己是大行家，可要他当打旗龙套时，紧张得只好承认自己是什么都不懂的“棒槌”，来个自我否定的大实话的包袱；当被指出他不会时，他还要挣扎：

甲：谁不会呀？这出戏哪个角儿我都会。

乙：那你干吗让他带着呀？

甲：我要给人家说戏呀，连“场面”我都懂，就是别让我上台，一上台，我就晕。

乙：噢，晕场呀！

甲：也不是老晕，一下台就好。

这一句有心辩解的傻话，反而活现出一副“二百五”的面目来，欲盖弥彰，大出洋相。

当那带他走的三旗儿发现他走错了，叫他走过另一边时，他还耍赖：“你过去不是一样吗?”也是“二百五”性格的一种可笑的表现。

此外，还有一些机巧的响包袱，如叫他临时上场当龙套时：

甲：“实在没人啦！”侯老一回头儿，看见我啦。“哎！你来一个吧！”我说不行。“救场如救火！”我说不行，我来不了。

乙：怎么?

甲：不行！我没词儿，“嗐，没什么词儿，就一个字儿（学打旗状）‘豁——’。”

在十分紧张的场合，一本正经地学着京剧的这种颇为可笑的又极简单的表演程式，还含有对甲的满不懂的微妙揭隐，在语气上又有急而突缓的变化，一听就可乐。又如龙套走错后，一边站一个，一边站三个时：

甲：台底下有几位这个嚷啊：“好啊！打旗儿的怎么站的，一边儿俩那是‘二板’儿。你那么站成‘么鹅儿’啦！”

从人的站相联想到骨牌点子上去，这句讥讽的话登时引起观众哄堂大笑。这滑稽效果出之于巧合。侯宝林很善于运用巧合术，如在《改行》中，联系当时实际，以“坐家”和“作家”造成错觉的谐音法，和《姓名学》中的一段对话：

甲：只要不是他们帮里的人，沾上老字就得揪啦！

乙：真霸道。

甲："你叫什么名字？"

乙：侯宝林。

甲："保……林？可以定性了，不是好人，把他抓起来！"

乙：怎么啦？

甲："林彪都死了好几年啦，你还保'林'哪！"

后面还有一段：

甲："你叫什么名字？"

乙：郭全宝。

甲："叫全保，好，一看就是好人嘛！"

乙：全宝又好啦？

甲："啊，把我们四个全保啦！"

同音曲解也和谐音一样，都有巧合因素，令人感到奇妙而产生滑稽效果。

在这个段子里，还有一些知识性的解说。知识性的东西，是人感兴趣的，在相声里，特别是一些单口相声，往往以此吸引观众（听众）。许多相声段子以知识性使之显得充实、富有魅力。《空城计》里讲到四个龙套的不同待遇和各角色上场时对于京剧表演程式的描述等等，都很生动。此外，还有京剧的学唱和表演，也取得了好效果。

整个段子的编排，是以一个活生生的人物为主线贯串起来的。此人是个具有某种特质的喜剧性角色，这种特质人物，须依据主题的需要来选定。《空城计》这个段子，说的是京剧演员见机应变的聪慧，这是主题。造成差错的原因，出在一位临时上台顶角的票友身上，所以，就得拿这位票友来做文章编排剧情，构成合情合理、脉络清晰的一场喜剧。由此决定这个票友须是具有矛盾性的人物，将矛盾加以夸张，便生滑稽。

《空城计》的主题思想很明确，有歌颂，有批评，以歌颂为主，其艺术特色最突出的是它的幽默。段子中滑稽百出，都明显地为主题服务。滑稽而有所含蓄，这才是幽默，也才见艺术。幽默和讽刺本属同一艺术范畴，两者不可分。幽默里常带讽刺，讽刺中也含幽默，两者的艺术手法是相同的。想进行讽刺而缺乏幽默感，不善于运用奇巧的艺术技法和构思，就会产生平淡乏味的作品。从《空城计》中可以看出多种艺术技法和艺术构思的灵巧运用，所以才显得真实、合理，来得自然顺溜，给人以美感享受。

（1985）

中国人的幽默

近十年来，我们报纸刊物上常介绍外国轻松谐趣的漫画和幽默对话。过去报刊上罕见的我们自己的幽默漫画和幽默对话，便也纷纷出现了。这些作品和早已流行的外国作品比较起来，自然不如人家的那么成熟。读者看来，觉得中国这类作品不像外国作品那么幽默，便以为中国人缺乏幽默感。其实不然。从我国历代文艺作品中看到的幽默确乎不很多，那是因为长期处于封建专制下所限。中国人并不缺幽默感。在这个问题上，我有深刻感受。

五十多年前遇见一件有趣的事，我印象极深。那时我在北京（那时叫北平）读书。一天，在中山公园大门外电车站上，见两个十来岁的小报童蹲在地上玩耍。一个问："你能用十一横两竖写出哥儿俩的名字吗？"另一个想了一会儿，在地上画了一会儿，写不出来。前一个就说："我能写！"我看他在地上写的是："王二王三"，逗得我大笑。这是孩子戏耍的幽默。

在那个"文革"期间，我全家被发配到河南叶县农村。一次到地里见麦子长得稀稀落落，就问一旁的农民。他指着那片地说："这是卫生地！"一听我就笑了，知道他说的是不上肥的意思；那时农村主要是用农家肥——粪尿。这是农民的幽默。

上世纪五十年代之初，我上夜校学习俄文。时值冬季，校外有许多小贩。门左边卖水萝卜（俗称“心里美”）的吆喝：“萝卜，赛过梨啦！”恰好门右边有个卖鸭梨的，只听他吆喝一声：“卖梨啦，萝卜的价儿！”人听了没有不乐的。这是小贩的机智和幽默。

谁都喜欢和相声演员、喜剧艺术家在一起，听他们讲笑话，欣赏他们机智幽默的言谈。他们爱开玩笑。他们的玩笑往往是出其不意，突如其来，看来似不经意，脱口而出，把人逗得不禁失笑，他们却面不改色，和说家常话一样。在天津一次相声艺术家的集会上，侯宝林在讲话中，表演京戏的一段唱，十分精彩。唱后他自谦不足，说：“岁数大啦，唱不好，就能糊弄人！”电台的老田说：“我听挺好嘛。”侯宝林说：“你让我糊弄惯啦。”逗得哄堂大笑。去年夏天，我看侯家院子里一个平箩晾着米，米里爬着许多黑色的米虫。我随口说一句：“哟，米里长虫子啦！”宝林说：“噢，这是我们家养的。”在一次纪念老舍先生的集会上，有人建议，请侯宝林、谢添和杜澎三人说一段传统相声《扒马褂》，请马三立导演。杜澎说：“不行，咱们仨凑一块儿可不好。”人问：“怎么不好？”他说：“侯宝林、谢添、杜澎仨人凑一块儿，猴、泄、肚（侯、谢、杜），猴儿拉稀啊！多难听！”这是喜剧艺术家的幽默。

我听说这样的小故事：黄永玉和彦涵到东四四条胡同去拜访余所亚。那时余家院里没有厕所（余所亚今已迁居），解手要去胡同里的公共厕所。走近了，彦涵说：“好臭！”黄永玉说：“这才是正味儿。”又听说，一次开会，启功和黄胄同行，黄那时行路不便，拄着拐棍走。启功虽然寿高八十，上楼的时候，三步两步跑到前面去了。黄胄开玩笑，说：“你跑得真快，像兔子！”启功回头对他说：“怎么，你想跟我赛跑啊！”文人的幽默大抵如此。

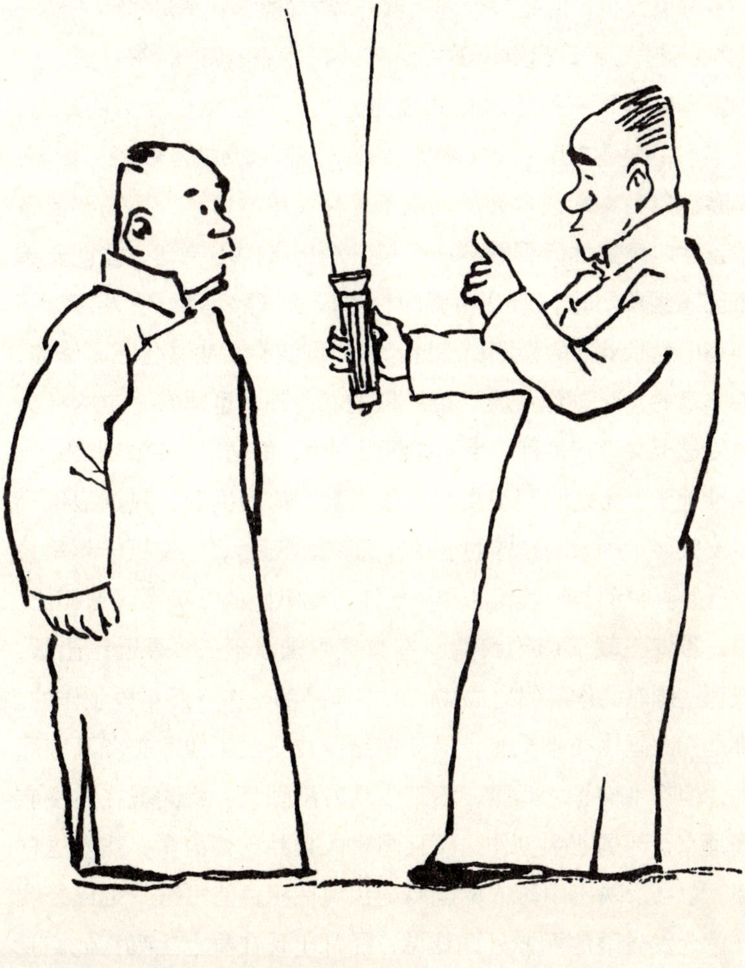

——你说你没醉。来，你顺我这柱子爬上去！

我们在日常生活中，就能感觉到群众语言中的幽默。近十年来，人们普遍讲究时装打扮了。北京许多人比较保守，开始看不惯，管他们叫“业余华侨”。前些年在广州的一次小会上，一个人在发言中说广州漫画家太少，说是“炒埋唔够一碟”（粤语：全炒了也不够一碟）。这类别出心裁，幽默风趣的说法，中国哪里都能时常听到。

幽默本来就是一种艺术化的语言方式，语言文化发达的地方，幽默就多。中国是有几千年文明史的国家，怎么会缺幽默呢！然而，要将幽默运用到文学艺术领域，就不是件简单的事了，还需要具备一定的条件。侯宝林听到欧洲一个精神病患者的小笑话，能就此编出一个艺术结构严谨，十分精彩的相声段子《醉酒》，使人百听不厌。要写出幽默动人的喜剧和小说，同样需要有高度文化艺术修养，需要有丰富的文艺创作经验才能胜任的。此外，也须有一定的社会环境，使这类文学艺术种子生长在沃土之中，好结出丰硕的佳果。

话扯远了，还是回到现实生活中去吧。前面提到，我国报纸刊物很少发表显示画家幽默感的漫画（通称幽默画），只在近十年里才逐渐流行，画家创作经验无法和早已流行幽默画的欧美漫画家相比。四年前，香港三联书店约我编一本当代中国漫画——最近已出版，我特选那些幽默的作品辑之成集。这些作品都是在三五年里创作的。画家都是初次画这类幽默画，虽然在绘制技巧上不像欧美漫画家那么成熟，但艺术构思之幽默，不下于西方漫画家。我国现在还没有专业漫画家，都是业余创作，而且画家人数并不算很多，能有这样的成绩，总会反映出中国人的幽默吧！现在相声艺术家不是已经收了好几位金发碧眼的西方外国徒弟，经常出现在舞台上吗？他们就是来向中国幽默家学习幽默的。您说是吧？

（1992）

"鼠味餐厅"议

思想不解放，真误人不浅！就说我吧，有个主张，在肚里（按习惯说法）憋了三十一年之久，没敢说出来。不是怕别的，怕的是人家会拿我们广东人开玩笑，因为涉及吃的问题。

广东人食欲之强早已名扬四海。几十年前就听说：带翅膀的除了飞机，带腿的除了板凳，全吃。这当然是笑话，但也具实情。我在家乡生活时间不长，可有些进过口的吃食，自己现在想起来都觉稀罕（恕我不公布）。不知道是否也属笑话，说有一种宴席上的名贵佳肴，名曰"三响"，那是初生的田鼠。何谓"三响"？曰：筷子夹起，那小东西吱的叫一声，一响；往调料里蘸一下，再叫一声，二响；送进口咬之，又叫一声，是谓"三响"。听来够吓人的。不消说，话里指的是我们广东人。

"三响"只是听说，鼠味我可尝过。那是在1958年，我在广东阳江县当一个农业合作社的副社长。为买红薯（北京称白薯）秧，和几位农民乘小船去海陵岛，将启航，就发现船上有老鼠。这几位青年哥儿们真是快手，只半个多小时，两只大老鼠便捉拿到了，提交上岸，又半个多小时，他们笑眯眯地送来一碟香喷喷的炒肉丁："老方，你尝尝！"我有点胆怯，但不示弱，从他们手里接过筷子，夹一块送进嘴里。细一品尝，很嫩，味如田鸡，于是又夹了一块，再不好意思多吃。当时就想，这么好吃的东西，不妨鼓吹，拿来开馆子，不但奇味可居，又是灭鼠良策。于是鼠肉餐厅的设想就盘算好了，但不敢说。为此拿我开玩笑，我不在乎，若冒犯了广东老乡，可不大好。不说也罢！

最近看到报纸一些报道，才使我放下心来，敢于公布了。我早知道非洲人有吃蚂蚁的习惯，在照片和电视上都亲眼见过，不是什么新闻。其实中国也有，《北京晚报》一篇文章讲到黑龙江一位食蚁三十年的老汉，还引《本草纲目》和《周礼·天官》中记载古人食蚂蚁之说。这还不算，另一家报纸引新华社报道，在山东蚂蚁、蝎子和蝉都能上席，并说“都是有较高营养价值”的消息，可见“肉”者非只限于鸡猪牛羊之类人们熟悉能用秤称的大家伙。更使我信心百倍的是另几条新闻，都是外国的。路透社报道，泰国北部黎逸府田鼠成灾，政府鼓励百姓灭鼠，交一条鼠尾奖金两美分。黎逸府的官员说，百姓交了鼠尾，留吃鼠肉，既赚了钱，又得蛋白质入口，一举两得。《羊城晚报》消息：印尼爪哇老鼠成灾，但近年来已变灾为宝。村民在政府资助下，办起鼠皮加工厂，以每只40盾（合人民币8．4分）价钱向村民收购老鼠，剥皮加工，制成裙、裤、外套、公事包和手工艺品。这个办法，比原先当局规定男子结婚必须打25只老鼠上交政府，才给予登记的灭鼠措施更为积极有利。

您瞧，我的鼠味餐厅设想比外国的发明早得多，只因思想不解放落于人之后。若有人几十年前开这么个餐厅，早已成为万元户。当然，在“四人帮”当政之时，他也就会被挂上黑牌，头顶着死老鼠游街。如此说来，思想不解放也还是有好处的。

（1989）

行万里来的学问

五柳先生“好读书，不求甚解”。我有时正和他相反：不读书而好求甚解，常为此而伤脑筋。也因此而将“读万卷书，不如行万里路”这句话当作信条——行路总比读书省劲啊。近几年来，我真的行了万里路，也真的长了学问了。

我小时候在乡下长大。乡下男孩子热天是一丝不挂的，光着屁股到处跑，自己并不觉得有什么不合适，因为别家孩子也一样。长大成人可不行，只有在共公澡堂里还可以，因为在那里别人也一样。曾在电视上看到过非洲某地方的居民，男女都赤身，尤其是男人，和在澡堂里一样，就觉得那是不文明的。觉得就觉得吧，可我还要去想，想求一下这“文明”的甚解：什么是“文明”呢？这可是学问啊！

于是我开始去行路了。

路上到处可见墙上和广告牌上贴着的，绳子上挂着的，尽是五颜六色的各式标语、口号和告示。果然发现其中有一条“讲文明”，我心里就有底了。接着又看到许多商店、饭馆里还贴着“文明经商，礼貌待客”、“说话和气”、“微笑……”等等，可见“礼貌”、“和气”、“微笑”都属于文明。还有贴得更多，处处可见的是“禁止随地吐痰”！公园里还插着许多小牌子，上写着“禁止攀折花木”；高级宾馆和娱乐场所门口贴着“衣冠不整，恕不接待”。其所以禁止和恕不接待，无疑是因为那些都属于不文明的了。没走几里路就长了学问，得来全不费功夫，心里挺高兴。后来才明白，我高兴得太早了。不行万里路，学问是很浅的，很有限的。为行得远，我乘火车。火车上乘客很多，没有打赤膊的。个个穿戴齐整，说话和气，有人还冲我微笑过。上了车，没见谁随地吐痰。车上小花盆里的花儿始终在随车振动而频频摇摆，谁也没去摘它。人们往架上高处放行李时，登上座位之前，还小心地脱下鞋子才踏上双脚，怕鞋底弄脏了座位……个个都在文明乘车。车上也贴着一条告示：“请勿吸烟”，想来是有人不吸烟，烟会有害他人健康的，我只好暂时把烟收起来。然而有两位还在一边聊天一边吸着烟，而且就坐在那告示下面，烟灰还往车厢地上撒，看着挺不讨人喜欢。文明乘车的人怎么也会这样呢？火车上有洗脸盆供漱洗之用，我去洗脸时，一位衣着新型，头发也颇为新型的客人正在洗脸，洗完还漱口，漱口水也吐在盆里，漱洗完毕，回身就走。一看盆里的水，差点为之呕吐，但不得不伸进手去，将盆底的塞子拔出，使水漏掉，把盆子冲干净才放水洗手。我心说：“他也不想想，不把自己的脏水泄掉，别人可怎么用这脸盆啊！”车上有厕所，里面也贴着告示：“用毕请用水冲洗。”然而不少人显然和“请勿吸烟”下面那两位一样的视而不见，弄得臭气冲鼻。在车上服务的乘务员经常要扫地，每次扫出的果皮、烟蒂、烂纸杂物之多，真使人替扫地的乘务员难受。有人到站要下车，从高架上取行李和他上车放行李时不同，双脚是穿着鞋踏上座位的。我一看就明白，这座位他不坐了，可也不想别人坐上去会弄脏了裤子。

于是我得到启发，发现这“文明”里面还有学问。这学问说白

请勿吸烟

了就是两个字“会想”。想什么呢？想的是在社会之中，干什么事在想到自己之外，会想到自己附近还有别人；想自己方便了，还会想到别人的方便；想到对自己有利，也会想是否对别人有利。现在许多公共场所的门是带弹簧的，人推门进去，门会弹回来。有人进门时会想到他后面可能有人进门，便用手扶着门，使之轻轻关上，免得撞伤后来者，这行为自然可说是文明的。我走过许多地方，发现不少人是不会这样想的，和未成人的孩子一样。“文明”是因社会发展而来的，可未成人的孩子还不能算进入文明社会啊！否则他怎么肯光屁股到处跑呢？

行万里路，可真长学问！

（1990）

高价营养

人总以为，当了皇帝，“老子天下第一”，应该活得最舒服了。然而寿命不长！据说，历史上，中国皇帝的平均寿命不到四十岁。深居后宫的后妃和宫女们的寿命之短，自在意中。原因自是各不相同，但有一点是共同的，那就是缺乏一种人体必需的营养。按说帝王之家，权倾天下，要啥有啥，怎么还会营养不足呢？说来也简单，因为这种营养品是硬要要不来，用钱也很难买来的。这种营养品就是笑。皇家也知道营养不可缺，所以过去中国的和外国的宫廷里都要养一些滑稽的优人和看来滑稽的侏儒，专门逗笑，作为滋补。但优人和侏儒们也知道自己的脑袋需要小心保护，不能敞开去逗，这补品的功效就微乎其微，于事无补的了。现在中外学者和医生们用科学理论阐述笑确有益寿延年之功，有人还建议医院应设笑疗科（也许已经设有了），笑的营养价值得到进一步证实了。

年纪大些的人多知道，人体缺什么，就想吃什么；有想要的，市上就有卖的。于是，社会中出现各种逗笑的杂耍，舞台上和马戏班里有抹着白鼻梁的、涂着花脸的丑角。随着历史的前进和文化的发展，逐渐形成笑的文学和笑的艺术。他们不仅是人体之所需，也是社会肌体的营养，都起着维护的作用。各国报纸之所以发表最多的是漫画而不是其他艺术品，因为它是笑的艺术。

笑是人人会的。朋友请吃大菜，彩票中了彩，竞赛得了奖，自然喜笑颜开。但这都须靠偶然机遇和花费劳力得来，不像果味钙片、维生素之类的营养品那么容易制造，能在药房里瓶装出售，哪里都买得到。这就需要用其他方法生产。积千百年之经验得知，用文艺手段产生的笑，其营养价值最高。一段相声，一幅漫画，倘能使人看了、听了便记得住，一想起就笑，还乐意讲给别人听，指给别人看引人发笑，当然比爬在地上学几声狗叫逗的笑，其营养价值要高得多，所以才叫艺术。那种听一遍就不想听二遍的相声，看了很快就忘的漫画，营养价值就差多了。若是听了看了和没听没看一样，那等于喝白开水。

有人会说，漫画和相声不同，相声必须逗笑，而漫画则未必。是的，有些漫画暴露坏人坏事，看了非但不笑，反而激起愤怒——例如一些反侵略的作品，这算什么营养呢？其实这种属于复方药剂。只要仔细观察，便能发现这类漫画中也有笑的因素。漫画常用大幅度夸张手法，画出的人总会有可笑之处——丑得可笑，蠢得可笑……因为，反对坏人坏事的漫画家总是充满自信，以强者姿态挥笔作画，把对方视为丑类的。有些漫画当时看了只顾生气而不笑，过后再看便觉得可笑了："您瞧！漫画家把希特勒画成这'德行'！"也有画得技法平庸毫无可取者，则当别论，不是漫画本身的问题了。

丰富的生活经验，敏锐的观察力和文化素养，是从事文艺创作所需的重要条件，漫画创作也不例外。但漫画艺术表现技法，却是漫画家独特的技艺。美术学院毕业生能作漫画的极少，因为学校还没有漫画教程，没学过。又因为漫画创作思路和造型方法都很特殊，和其他绘画有很大差异，其他画家不习惯。漫画艺术语言俏皮、泼辣，须有幽默感才能体会和运用。这是从事笑的文学艺术创作和从事其他文艺创作不同的地方，也是难于把握之处。虽然一般人都有程度不同的幽默感，但要将幽默用之于文学和艺术中，尚须具备种种条件。以中国而论，古时小说流传下来的不少，鲁迅评之为“讽刺之书”者只有一部《儒林外史》。讽刺之书属于笑的文学。诗词传世者成千上万，其中属于笑的诗词如刘禹锡的《元和十年自朗州承召至京，戏赠看花诸君子》、《再游玄都观》者也极为罕见，可见笑的营养品生产之不易。因为这不仅涉及文艺方法问题，还涉及其他。例如，近三十多年来，我国笑的文艺创作最盛时期是在 1976 年之后，而最衰以至于绝迹是在 1966 年下半年到 1976 年上半年这段时间。又例如，在 1949 年之前，我国的相声还被视为“杂耍”、“玩意儿”，而在之后，才列入笑的艺术。相声表演者不再被称为“艺人”、“说相声的”，而名正言顺地被尊称为“演员”、“相声艺术家”和“幽默大师”。由于笑的营养越来越丰富，我国人民的平均寿命比三十多年前提高了几十岁，平均身量也高了许多。女式鞋的尺码越来越见涨，很多女孩子找恋爱对象，标准身高已上升到 1．8 米。这当然不仅仅是笑所能起的作用，但是笑确实是起了重要作用的营养品。我常听人说，漫画家多长寿，因为在制造笑的同时，本人也享受着笑的滋养。这一点，我是有体会的，这也是我所以乐此而不倦的一个原因。

笑　疗

旧画重提

企业家和商家恭喜的是发财。知识分子恭喜的也是发才——是才能的“才”，人才的“才”。只要自己才能得以发挥，人才得到重用，对发财是不放在心上的。我做过几年科研工作，结交的多是知识分子，深知此心——当然，这说的是一般情况，重财而不重才的到处也有，在法庭被告席上就出现过。我现在是个文艺工作者，知识虽不多，也忝列知识分子行列，所以对人才问题很敏感。八年前，看到咱国家队体育运动员在世界竞技场中大显身手，荣获金牌的时候，在兴奋之时，首先想到的就是人才问题。随即画了一幅漫画，题为《领导必读书》，因是赶着发表，急就画成，画得并不完美，自己不怎么满意。但发表之后，反应却很快看到，有杂志转载，还有读者来信问，这本书哪里能买到。这位读者想必是可敬爱的一位身居领导职位的同志。

今年，亚运会在北京举行。开幕之后，真是万人空巷，平时拥挤十分的公共汽车电车，都像年三十晚上那样空荡。人们都跑回家看电视体育新闻去了。咱们的体育健儿果然不负众望，竞赛第一天，就把 8 个金牌全包下来了。第二天，在 11 个金牌里也夺得 8 枚。8 和“发”谐音，按中国传统说法，那是连发连中的好兆头。今天是第三天，无疑会接着“发”下去的。我看了兴奋得心跳，头脑里又

《领导必读书》

想起人才问题，联想到八年前那幅画得不怎么样的《领导必读书》了。

我从小喜爱运动。上小学只会蹲在地上弹球儿（玻璃球儿），那只是手指运动，不算体育。然后打乒乓球，排球，网球，练双杠，长跑，游泳，滑冰。遗憾的是我缺乏体育运动才能，在运动会上只好当啦啦队员。虽然后来曾当过《人民日报》乒乓球代表队员——硬是经过比赛选出的，但和外单位比赛，个人战绩哪一回也不好意思说。由此对才能问题又加深了体会。我认为每人都有某一方面的才能。还是拿体育来说，我的几个孩子，身体细胞里有他们母亲传下的基因，在体育方面，虽然都没我下过那么大的苦功，可哪一个都比我强。于是我又想到，如果很早就把陈景润分配到报社当记者，或者在什么单位当会计师，要他干一行爱一行，那个哥德巴赫猜想的陈氏定理就不知哪年哪月才会出现。体育运动员也各有才能，经过锻炼就出成绩。如果体育界也出了个乱点鸳鸯谱的乔老爷（按字面意思而言），让陈镜开练乒乓球，李富荣练举重，咱们得少拿多少金牌呀！可见咱们国家体委是深通此理，也严格按此理办事的。

然而还不能完全归功于体委，因为在体育运动竞赛中，体委受着全国二十多亿只眼睛时时在盯住，监督可紧呢！倘使在国际比赛中，咱们的运动员拿不到，或少拿很多金银牌，体委主任可怎么当得下去！连教练员也得冒冷汗，吃不下饭，讲多少道理也无济于事！

体委究竟立了大功，所以那幅画的主题就是以体委的工作当榜样，希望各行各业的领导认真研究。举例来说，徐寅生乒乓球打得好，拿过金牌，今天就不会再派他上场。他现在担任领导职务，有权了。假如有一位会拍的哥儿们，知道他有个亲戚想进入乒乓球国家队，就施展手段拉这关系要把这位亲戚硬送进去，办得到吗？肯定碰钉子。在体委里，国家队员都从前门出入，没后门。队员个个都是在体育竞赛中发现，在竞赛中培养成长，也在竞赛中淘汰，出什么歪道儿，不但金牌银牌夺不到，那20亿只眼睛可不饶人啊！

（1990）

由此推想

报纸上有条新闻很有意思：在世界杯足球赛期间，意大利犯罪率急剧下降——米兰下降达 93%；那不勒斯下降达 100%。

由此可见意大利足球运动之盛和球迷之多，使足球运动产生维护社会治安之效。

踢足球必须有足球场，为足球运动提供必要条件，小胡同、小操场里是踢不成的。由此推想，意大利足球场一定相当多。由此再推想，意大利足球队必然是国际足球赛中之佼佼者，在比赛中常获出线权，常获奖牌奖杯。

这些年来，我国在改革开放风中，天空开放了，高楼大厦不断在盖，越盖越高，直上云霄；而地面尚待开放，足球场仍然很少。为提高人民健康（包括体质和精神两方面）水平，为维护社会安定，也为在国际竞赛中为国争光，夺取奖牌，在这个问题上也该向外国学习。

（1990）

向丁老汇报

丁聪老哥知道我常出差，给我出了个题目，要我在旅舍住宿时查访，看我住的房间有多少是设备完整没出毛病的。

我每年都有几个月在各地行走，去年就到过十来个城市，住过好几家旅舍。一进旅舍，我就带着检查团成员张大的眼睛（因属业余，没有张大嘴的资格）留神查看。时至今日，已有六年多，是该向丁老汇报的时候了。兹汇报如下：

经六年查看，已发现设备完整的房间一间，那是1988年11月7日至11日，北京国谊宾馆624号房——时在文联第五次代表大会期间。

因为是有意查访，难免吹毛求疵。其实查出的毛病都不大，例如，在东北某市一家旅舍住宿时，发现三个电灯之中，只有两个是不亮的，开关失灵；窗帘拉不动，打不开也关不上；电视机看不清——这些毛病我都会修理。那电视机的毛病出在室内天线上，换一下就可以了，或简单些，用钳子将卡住拉不出的几段拉出来，也能凑合着用，至少能看到新闻联播。只有两次发现毛病比较复杂，记不得是哪个城市的旅舍房间了，有空调设备，通上电，就是不见冷风，这毛病我不会修。还有南方某市一家招待所，除了没有房间内的浴室之外，设备还相当好。那公用浴间里，脸盆下面的水管接不上，用过的水只能流到地上，而地上的下水道又被堵塞，穿雨鞋才能去洗脸，浴盆自然更不能用，这些大毛病我也不会修。

有一年，我住进西南某市一家颇具规模的招待所。房间里设备出的毛病也不大，诸如水龙头失灵，关不紧，换个皮钱就能修好；窗户关不上，找个木工小徒弟也能修好，都不费事。但房旁不远听到哗哗流水声，我去看时，知道是一间公厕水箱出毛病，让水白流，每天得流走几吨或几十吨。水箱很高，须找人登梯上去才能看出毛病在何处。我通知服务员，她说，那项修理工作非她任务所属，我请她向经理报告，她点点头。次日我外出一天，隔日返回，一听那水流哗哗如故。我问那服务员，为什么没修好，她说没见到经理。我又问她，经理来不来查看，回答说："不知道。"

最近曾在一所大学招待所住过，到公用浴室看到，八个淋浴喷水管之中，五个喷不出水，另外三个水出如滴漏，看来不久也将和那五个一样。水倒是节省不少，不由得使我想起"东方不亮西方亮"这句真言，那边浪费，这边节约，两下相抵了。

于是我想，旅行在外的人想学雷锋做好事的话，那是不难的，只要在行李中带上个万宝囊，里面装上一把改锥，一把钳子，一个小锤，一把扳手，几个水龙头上用的皮钱，一截电线，一段细绳，一包针线……住进旅舍，十有八九能找到活儿干。如果肯出点钱的话，必要时在当地可买到电灯泡，使不亮的灯立即亮起来。这等修理工，许多人（包括旅舍、招待所的主管人员）在家里都会做的。

（1990）

从幽默想到油抹

我现在作画写文章投稿，用的都是复印件。这是多年受教训之后采取的办法。我当过编辑，知道当编辑的甘苦。百忙之中难免有时失误，将原稿或损毁、丢失，或修改不当，必须留底稿以防万一。我写文章喜欢曲笔表达。例如我笔名方成，实不姓方，方是我母亲的姓，写文章提及，我写的是“方是我娘家姓”，或“我不姓方，姓方的是我舅舅”。但有的编辑不习惯，会改成直叙，或按他自己认为更适当的写法。我写过自传式的一篇，开头一句是“方成，不知何许人也”，是套用陶潜《五柳先生传》笔法，编辑不知，改成：“方成，何许人也?”幸而给我看小样，才改回来。不久前，我买了两件背心，回家穿上才发现，比过去买的背心短得多，一弯腰便露了背。我从经验悟及，这是变相提价的一种办法：价钱没变但用料削减，正如现在买的一种洗发剂，分量一样，可是稀了。为此有感而画了一幅漫画：画的是一个人穿着短背心向朋友说：“这背心儿没涨价，我买了两件。”投寄给报纸。发表时那对话被改成：“这背心儿便宜，我买了两件。”

我常看幽默文艺作品，也常发现这类问题。在《滑稽与幽默》这本书里我曾举过几个例子，现在还可以举几个。

一则外国笑话是这样写的：

在竞选前的群众大会上，当政治家演讲时，接到了一张条子，上面只写了两个字：“傻瓜！”“亲爱的同胞们！”政治家镇定地说：“我经常收到人们忘记署名的信，但现在我平生第一次接到一封有署名，但没有内容的信。”

这是政治家的幽默，当场巧妙地给反对他的人一个使他哭笑不得的答复。

笑话传播很广，常发生张冠李戴和别出心裁的改造。在另一本集子里，前面的故事就变成：

某牧师收到一封匿名信，里面只写了两个字：“蠢才”。他把这封信拿给别人看，说：“你们看，这封信真奇怪，只有署名，没有内容。”

两者相比，便见高低。

笑话的不同“版本”，产生的原因还可能有其他，而类似不大会讲笑话的人来讲笑话的却常见。我还见到另外两个例子，一出于翻译，另一出于删改。荷兰作家埃·赞特涅夫（有译为札恩特奈夫）的一短篇小说《诚实致富记》（有译为《祖父是怎样发财的》）。从内容看，《诚实致富记》不如译为《祖父是怎样发财的》，因为小说是颇幽默的，标题“诚实致富”就如同讲笑话，先漏了底，自然不如“祖父是怎样发财的”是个悬念，读后有所悟，才有余味。但《诚实致富记》开头译得好：“我祖父是个和蔼可亲的人。可是当初造物主分发智力的时候，他准不在场。”而《祖父是怎样发财的》译的是：“我祖父是个很慈善的人，不过他好像脑子里缺根弦似的，总是半呆不傻的。”相比之下，就觉得前者有味，因为用的是曲折含蓄的幽默笔法，后者是直叙，说得明明白白，不给人以思索余地，无味可品。删改的是我国小说《济公传》第二十三回，秦丞相和济公打赌对对子：

秦相说：“幽斋。”和尚说：“对茅庐。”秦相点了点头说：“开窗。”和尚说：“对闭户。”秦相说：“读书。”和尚说：“写字。”秦相说：“和尚，你输了。我这六个字凑成一处，是一句话，是：幽斋开窗读书。”和尚说：“我那六个字也是一句话，凑成一处，是：茅庐闭户写字。”秦相说：“我给你出个拆字法的对子……”

六十年前我读过这部小说，这两人对对子我记得很清楚。济公对的不是“茅庐闭户写字”而是“草庐闭户演字”。还记得秦相听后说：莫取笑（大意）。济公所对的谐音听来很不雅（“闭户”北方人说话语音如“屁股”，“演”音同“眼”……），但那是很幽默的，至今想起就笑。可新版出书之所以要删改，也许就因其不雅（照此说来《红楼梦》第28回中：薛蟠说的酒令更加不雅，也该删改。清末张南庄著的《何典》，尤其不雅，虽再版时鲁迅曾为之写序推荐，简直无法删改，只好不许再版了）。但最近我从报刊上看到一篇文章，讲的是济公的幽默，举的却是“茅庐闭户写字”这个毫无幽默的对子，我就不明白了。由此联想起老舍幽默文集中的一篇：《当幽默变成油抹》来，就借此为题吧。

（1991）

——这背心儿没涨价，我买了两件。

幽默的保护神

很多行业供有自己的保护神，唱戏的供唐明皇，念书的供孔夫子，理发的供关羽，木匠供鲁班……从事漫画和幽默的该供谁呢？听说相声界供的是东方朔，但我想，现在恐怕不是他，而该是书店里管采购订书的主管。人都知道广大读者喜欢看漫画，喜欢幽默，当然爱看漫画的书和幽默的书，可是您到各地书店去买吧，那真罕见。是没出版过这类书吗？不是的，我知道曾经出版过几十种，可书店里很难碰到。原因是书店订多少，出版社就印多少，漫画和幽默的书，书店订数一向是很少的，书一出来，很快就卖光，可书店总觉得不如《失踪的少女》和《荡妇》那么可爱。

我是深有所感的。近十年来，我编过十几种书出版，漫画集就有8种，印数最多的是1982年上海出版的《方成漫画选》，印12000册，此后逐年减少。最近四川出的另一本《方成漫画选》只印2800册。有趣的是1985年长春出的《方成连环漫画集》，印3950册，许多同行没见过，我在北京书店看过，也没见，跑到长春书店去看，还是没见。有人问我，为什么见不到？我说，大概是保密的吧。

我还出过几本写的书，前几年还不错，1984年出版的两本，《幽默·讽刺·漫画》印33700册，《笑的艺术》印61000册，都是五位数，但1987年出的《挤出集》只印5000册，今年将出的一本《滑稽与幽默》，出版社向书店征订，只得一千多，无法开印。我问姜昆要不要，他说，要500本，后来到南京遇见田原，一问，他要一千，两人加起来比书店要的还多，可见这本书还值得一看，只是书店不感兴趣。五年前，我编了十种外国著名漫画家（也多是世界著名漫画家）的画集，去年才出版三种，每种印数7000册，一到书店，一抢而光，大多数漫画家没见到，想买早已售罄，只好望书店兴叹去。出了书而书店里很难见到，读者想买却买不着，出版社想多印却怕进不了书店，十分为难，中间就卡在发行上。有人说，中国人不像西方人那么幽默，其实不然。我国自古流传的笑话、相声、喜剧和一些文学作品就很幽默，一般群众语言中幽默话多得很，中国人并不缺幽默感，但想出版幽默的书，即使读者不少，也是难的。然而也有例外。去年我在深圳买到一本论幽默的书，广东出版的，作者是美国的赫伯·特鲁，译成中文，发行印数是17万册。没过多久，又买到一本《论幽默》，四川出版的，印数10万册，都是六位数，作者还是美国的赫伯·特鲁，译成中文，内容一样。又过几天，还见到一本，也论幽默，作者又是美国的赫伯·特鲁，是节译本，印数记得也是六位数。早先在北京曾买过一本“五角丛书”，叫《幽默的艺术》，印数42万册，还是六位数，作者是美国的特鲁·赫伯，大概还是那位赫伯·特鲁，因为内容一样，是节译的。几本加起来，印数惊人。比起印数只有4200册，中国学者陈孝英、王树昌的《漫话幽默》，和印数只有18000册，也是中国学者胡范铸的《幽默语言学》来，受宠得多。可见外国（西方的）幽默之深入人心，风流赛过《少女》与《荡妇》。中国幽默和漫画的出版，实在有赖于神的保护，这保护神不是别个，就是前面提到书店订购书籍的主管者，只要他（她）老人家对中国幽默赏以青睐，这类书得以顺利出版，广大读者能顺利买到，出版社不再亏本，而书店也有利可得，功德无量矣。

求　神

手 臭

相士看我的手相。见他脸上的表情，就觉不妙。问他，他沉默一阵，想了想，才缓缓地说出三个字：“不存财!”

常听人说，手指缝宽，有钱就漏掉。我早知道这也算一种相术，其实不过是老人们闲来无事说的家常戏语，就不在意。我确实有乱花钱的坏习惯，那是环境造成的。从学校出来就业，正值抗日战争时期。既不当税官，又不做大买卖，谁个不穷！工资仅足糊一人之口，无财可存。及至50年代，生活待遇好转，工资加稿费，一家六口，两人工作，比原先富裕了。人由穷变富，口袋里有余钱，便觉手痒，见什么喜欢，掏兜儿就买，那是颇得快感的。妻子从不过问，我得其乐，日久天长，成了毛病。家里什么烟什么酒都有，单是烟灰缸就能数出十来样。人总以为我阔起来了，其实除拥有一台价值120元的旧照相机之外，其余只是些零碎小玩意儿。1958年我下放到南方劳动去，妻才发现，我们家存折里只有300元，比两人工资总数多30块。

最近，几件事使我不由得回想起那位相士脸上的表情来。

前几年曾一次买过两盒相声录音带，过几天，发现有新的，再买两盒。平时很忙，都随手放下。待得空时拿来听听，真糟，其中一半是残品。北京生产的一个盒里，有一小段是空白，一段相声只听到一半，没录全；天津生产的一盒里，听来有杂音，像是在厨房里录的。一时又忘了在哪家店里买的，时间也过得久，没法去换，只好认了。

有一年，参加一次文艺活动评选工作，主办单位赠我一台山东生产的大型收录机，通称双卡录音机。我送给孩子了。后来问他这机子质地如何，他说，除了不能录音，还没别的毛病。又一年，参加另一次评选工作，主办单位赠我一台江苏生产的照相机。回家一试，除闪光灯不能闪光之外，也没别的毛病。妻子知道了，指着我的手说："这手臭，过手就出毛病！"我只好拿去修理，花30多元。一试，果然修好了。出差去四川，上峨眉山，带了这台照相机去，在庙里拍照时，只闪了一次，再也闪不出亮光来。回家再拿去修理，又花30多元。再一试，果然又修好了。不料过些时，老毛病又复发。好在病情不太严重，像打摆子，闪一回停一回两回，在弱光下拍照，一卷胶片要报废一半。我不想再修了，自己手臭，只好认命！

今年，和几位同志一起，应邀参加一次美术活动。主办单位赠我们每人一个对号锁小箱子。我们都是读过书的人，看那上海厂家调节号码的说明书，上面的字都认识，图看来也还以为明白，但照此说明来调节锁的号码，谁都没成功，个个弄得满头大汗。大家研究很久，始终没明白原因何在。我拿到的箱子还和别人拿到的不同，两个开关（我不知道应该怎么称呼，就是关箱子上锁的那个东西，姑且称开关）里，有一个是关不上的。妻子见了，又指着我的手说："臭手！"

这手相大概是灵验的。前几天，我去买四个五号小电池。装进录放机里，毫无启动功能，立即送回商店去试，原来三个是没电的。幸亏去得快，换了有电的回来。回想去年在桂林和深圳也曾买过同样的无电电池，都没来得及换，当时没在意，以为事出偶然，现在我明白了，问题就在我的手上。

但是我也有疑问：像我这样手臭的，只我一个吗？中秋时节，一位亲戚从广东来，送我一盒月饼，吃时觉得松软爽口，甜而不腻。又一位亲戚送来一盒北京买的“广东月饼”，我尝一块，好家伙，差点把仅剩的几个牙崩掉！看来，他的手想必也是有点那个气味的。

（1990）

引进杂谈

不久前，我的两本书出版，得了一笔恰好够买一部录像机的稿费，于是便添置了这么一件时兴的小电器玩意儿。老王来串门，见了就喊：“哟嗬！又引进了一大件！”

“你老兄引进的也不少。”我说。

“瞧你说的，我那点儿工资，能引进什么呀！”

“你照照镜子，瞧你身上，哪一样不是引进的？”我和他开起玩笑了。

他果真走到镜子前边，不由得笑了起来，我也笑了。可不是吗，从头顶上边的分头，鼻子上架的眼镜，兜里插着的圆珠笔，身上穿的夹克，裤腿熨着直缝的西式裤子，到脚上穿的洋袜子和皮鞋，没一样属于国粹，都是从西方国家引进的东西和样式。我们谁也不像年轻时穿那对襟小褂、竹布长衫和千层底布鞋了。架上的书也都立着，而不是线装躺着放的。只在画案上还放着宣纸、笔、墨、砚台和国画颜料，那是洋货打不进来、代替不了的国粹。

本来嘛！国家之间总有交往的，有贸易交往，有文化交流。外国传进来佛祖和上帝，我们也传出去老庄和孔夫子。外国传进来洋火、洋油、洋鼓、洋号、洋枪、洋炮，我们也传出茶、丝、瓷器、

通 体 引 进

罗盘、火药，都来得很自然。早年有打进来的鸦片和现在偷进来的艾滋病，都是害人的毒品，我们在严防。我们欢迎的，就花钱出力去引进，引进先进的生产设备和工业制造流水线，引进各种科学技术，为我国社会主义现代化服务。

随之而来的，有名词称谓的引进。进来了硬邦邦的铁甲战车，原名Tank，我们没有这种东西，只好按音译叫“坦克”。进来了一种直冒气儿，度数不高而带苦味的酒，原名叫Beer，最先进到香港、广东，也照此办理，按广东音译为“啤”，又怕人家不知道是一种酒便在“啤”之后加了一个“酒”字，称“啤酒”。这里就有点创造性。这事不奇怪，中国菜是世界闻名的，外国没有，进到外国，人家也用音译：炒的杂碎叫Chop suey，炒面叫Chow mein，彼此彼此。香港人觉得洋的吃香，于是将原有的“商店”加以洋化，改称“士多”，即英文的Store，手杖称“士的”（Stick），邮票称“士担”（Stamp），“再见”叫“拜拜”〔By（e）－by（e）〕。此风也影响到离香港最近的广东。到北方，有所不同，20世纪50年代从苏联引进一种叫“不拉鸡”的女服装，后来加以汉化，叫“连衣裙”；把在广东叫惯了的“的士”（Taxi）改称“出租车”了。但为时不久，“拜拜”逐渐风行；理发馆称“发廊”和带东洋味儿的“发屋”；饼干改称“克力架”（cracker）；商品即使只在国内市场出售，也标以made in china字样，饮料虽非相声，也称“可乐”了。时之所趋，只好随他去。

再有一种引进，一化可变质了。前些年，引进了红包制。外国企业主每年都给职工发“红包”，按功发放，功大，包里多装些钱，功小就少装，无功不发。我们有的企业红包则常发给亲人，按亲发放，越亲包儿越大。后来听说此制已取消。还有尚待修补的是：外国食品要注明出厂日期和食用时限，这是一种先进的卫生的规定，于是我们开始引进了。但我看到的，其中有所不同：外国这种时限印在包装之外，一眼看出是否可食；我们的这种时限则印在小纸条上，封入包装里面，买来打开包装才能发现——此时已是非买不可了；有的只在包装之外印上“年　月　日”，来他个三不知。所以现在买包装好的面包，常是陈周旧货，已是味如嚼——嚼什么呢？让吃过的人去想吧，反正是，按北京说法：“不是味儿！”吃了不闹肚子算是便宜。报纸上还看到吃了过期变质罐头被送进医院和送进火葬场的消息呢！

还有一种，说来真不好意思：我国自古就有的，忽然不见，或不常见了，现在不得不从外国引进。这是什么呢？您到一些公共场所和餐馆里便可看到，都明白坦然地贴在墙上，写的是：“您好，谢谢，对不起，再见！”

（1990）

——我们经理说，外国的都要引进，外国租界的，也要引进。

“少女的吻”

写一本学术性的书出版了，摆在书店卖不出去，那是悲哀的。更令人悲哀的是，书出版了，书店不爱：“本店不订！”读者不爱，是一本书的问题，而书店不爱，就不知是多少本了。

我仿佛摸着点门道。四年前，我出版一本名《幽默·讽刺·漫画》的书，书店订数是33700册。不久收到读者的信，问我哪儿能买到这本书，我回信请他到出版这本书的三联书店去邮购。过后我才知道，邮购的书已售罄。我想，大概“幽默”这个词儿太文，影响书店的订购数，于是再出一本内容相类的书时，书名叫《笑的艺术》，因为“笑”比“幽默”好懂。果然，印数翻了一番。去年，我又出一本书，叫《挤出集》，这书名自己颇为欣赏，以为会引起书店订书人的注意，结果大失所望，订数5000；此外加印500本备邮购之用。我到几家书店巡视，没见到，再去问加印那些，回答说：“卖完啦！”书运来才一个月啊！有位好心的朋友说：倘把书名改为《少女的吻》，印数会翻几番呢！

还是去年，我主编的三种外国漫画家的专集出版了，都是世界幽默画的名作。那时还没想到《少女的吻》，书店的订购数也是只有四位数。我急忙通知漫画界的同志从速去出版这几部书的三联书店邮购，后来得知，备作邮购用的各几百本书又一本不剩了，时间也是一个月。

我的书出版过十几种，一向是只须把书稿送交出版社就行，可今年不同了。新写的一本书送去，这是预订要出版的，因为书店征订印数问题，出版社要求作者设法找人包销5000册，而后立即发排。我感到悲哀了——其实我早已听别的作者讲过他出书时，须自己包销，也就是要作者兼任发行商。这次轮到我了。

老伴常怪我头脑陈旧，赶不上潮流，“工农兵学商”嘛，连工农兵都在学商，你知识分子就不能去学吗！我闷闷不乐地走出门。胡同口外一片喧嚣，各类摊贩排成一溜，卖服装的，卖水果的，卖日杂货的……走到书摊上，被五彩缤纷的封面吸引，便走过去，不由自主地拿起一本《浪女》，翻开扉页看印数，嗬，8万册！再拿一本《婚外恋》，印数15万册！还有《荡妇》、《杀手》、《初恋》之类，可我再也没勇气伸手去翻，头脑里顿时映出四个大字——“少女的吻”。

（1988）

求　签

因幽默价值想起

有外国人说，中国人缺乏幽默。也有中国人说，中国人不如外国（多指欧美）人那么幽默。这看法我不大同意，侯宝林也不大同意，我们都写过文章讲我们的看法。我们有历史根据，因为都看过听过大量的国产幽默：在流传的笑话里，在史书里，在文学作品里，在戏剧里，在相声里……多极了，幽默得很。我们也有现实根据，我们听到过不少人说很幽默的话，连文化程度不高的人也说出幽默的话来。然而不幸的是，改变一些人的看法挺难，现实中就有人不信，他们还是认定中国人是缺幽默的，幽默多是洋货。

我只举我亲身感受的一点。前几年，我在北京买到一本书叫《幽默的艺术》，是美国人赫伯·特鲁所写，译成中文，印数42万册。去年，我去深圳买了三四本讲幽默的书，有的叫《幽默论》，也有叫别的什么幽默的，但作者都是这位赫伯·特鲁先生，内容也都一样，这几种书有全译的，有节译的，印数每种都在15万册以上，六位数！这几种版本的印数加起来达百万之多，七位数！而且没过多少天就再也买不到了，可见其行销之广，可见中国读者之深喜幽默，争购此书。我们出版书，其印数多少，决定于掌握发行权的书店经理人，他要多少就印多少，要一千就能印一千多点，要一万就能印一万多点。那本书印这么多，发行量这么大，可见咱们书店经理人是知道幽默的价值的了。

其实不然，或者不大然。我说这话也有根据。根据之一是，陕西的陈孝英、王树昌写一本《漫话幽默》，新疆人民出版社去年出版，印数4200册，印数少多了。根据之二是，去年我还买一本谈语言的幽默的书，江苏出版，因书不在手头，书名和作者名没记住，但印数我记住了，也不过是四位数。根据之三是，去年我写了一本《滑稽与幽默》，人民日报出版社向书店征订，订数来了，一千多！是起码的四位数，和洋人写的七位数比起来，印数是1000∶1。这还不算，第四个根据是，今年我知道萧乾同志正在译加拿大著名幽默作家里柯克的作品。我很高兴，过后问他何时出版，听到的答话是："出不来啦！""为什么？""书店只订两千多，没法印！"里柯克何许人也？咱们的书店经理人之中，知道的恐不多。如果书名标明是洋幽默，想必订数会多得多。鼎鼎大名的作家和翻译家萧乾译鼎鼎大名幽默作家的书，命运尚且如此，何况其他（此书后来终于出版了，印张6.5……方注）！由此可见，咱们书店经理人所知道的，是洋幽默的价值。他们认定中国不会有什么幽默，所以中国人写的论幽默大概或者一定没什么幽默价值的，比洋人的幽默要差三位数，也就是差百倍十倍之多。和我想的大不一样，和事实也不一样。

《群言》编辑问我，对1990年有何希望？就此我想说：希望我们的书店经理人不要那么深信所谓中国缺幽默之说，也不要那么深信洋人的幽默要比中国人的高百倍千倍，我们的作者们和读者们会感激的。

（1990）

——我问过了。经理说，他不知道幽默是干什么用的，我们不进货。

想出的文章

在本世纪五六十年代，世界上两大阵营对垒，局势紧张以至动武，漫画只执行其“匕首”和“投枪”任务。对于敌方，看到有什么可讽刺的，都可放手抨击，所以那时创作题材多得很。画有关国际问题的讽刺画，须经常储备资料。看到有些问题，用漫画表现难以发挥，就采用幽默对话和杂文形式表达，再配上漫画插图，从此开始写起杂文来。以前不做文字工作，读书不多，像作家那样引经据典广征博引纵情发挥，我不会。那可怎么办呢？好在画惯了漫画，养成一种习惯——多想想，有时能想出文章来。比如，看报上标题：“印度有个‘打夫节’。”我就想：打，竟排上生活日程，一年365天，当妻子的只能在“打夫节”那天允许公然地打丈夫，那么，剩下的364天呢？她只有挨打的份儿了。1比364，为妻的好苦啊！以前曾见报道中抨击帝国主义或什么人“称王称霸”，已成惯语。于是就想：将“王”与“霸”相提并论，都是坏的吗？便去查《现代汉语词典》，看“王”字之下二十个词条里，除了“王八”难听之外，其余全无贬意。“霸”字相反，其下八个词条里，除了“霸王鞭”是植物和舞蹈名称之外，没一个好东西。近来看报更加证实这两个字的区别了。在报道中发现带“王”字的很不少。如外国的有希腊女船王（名叫克里丝蒂娜·奥纳西斯），荷兰“小人书大王”（叫迪克·布鲁诺）。中国的见得更多，有香港的“海运船王”包玉刚，“领带大王”曾宪梓，“景泰蓝大王”陈玉书。我国早年有为出口事业立大功的“猪鬃大王”古耕虞，现今陕西大荔县有号称“灭鼠大王”邱满囤，河北怀安有“养貂大王”李柱，承德有变废为利的“破烂王”唐得胜，安徽安庆有“酱王”胡氏兄弟，山东兖州有“家具大王”姚树信，北京也有个“家具王”孙旭，还有“面包王”王殿双，“天线王”谷深远，广州有养蝎的“蝎王”关永绍，四川彭山有养牛蛙的“蛙王”邹智泉。还有，早年北京说评书的王杰魁，电台广播他说书，能把街上的人都吸引到扩音器下，群众称他“净街王”。京剧名丑马富禄被称为“丑生王”，越剧小丑张小巧被称为“小丑王”，江苏邳县有下象棋的“棋王”王策……这都是报纸上看到的，显然都是美称。英国人大鼻子比赛，托尼·托比亚斯托爹妈的福，荣获“大鼻子王”称号，也还是美称呢。

报纸上还看到不少“霸”。旧上海有“码头霸”、“烟毒霸”、“赌场霸”、“粪霸”等等十大流氓恶霸集团，北京天桥有“四霸天”，都属于人民政府镇压对象。现在，报上又出现一些新“霸”。有“电霸”、“水霸”，看了令人不安。性质虽然和旧社会的“霸”不同，但仗势欺人这一点是相近的——你不给我好处，我就停你的电，停你的水！后来又见有“房老虎”的报道，“老虎”也是一霸，仗有管房地产之权进行讹诈。最近还看到“开展打击‘车匪路霸’专项斗争”的报道。在这些“霸”之外，细想大概还有。例如，一则报道说：“郑州市一商局系统统计：1989 年共支付各种摊派费 24 万多元。摊派和收费项目达三十多种。企业对于各种摊派、收费疲于应付，不敢得罪。”（见 1990 年 4 月 22 日《人民日报》）“这些摊派、收费、罚款，有合理部分（合法吧？——方注），但确有相当部分是属于乱收、多收、乱罚的。”乱收、多收、乱罚都不合法，为什么还得照付呢？报道讲得明白：“不敢得罪!”这里面就沾着“霸”气。山东某县青年登记结婚，“要上交名目繁多的押金和各种费用，少则100元，多则700元，收取的押金不予退还的现象也相当严重。”（见1990年3月10日《人民日报》）也属前述性质吧？人民政府要费多大劲才能整治这些“霸”和“类霸”呢！要清除产生“霸”的根源，谅难除尽，我想。

人们希望在报上多见些“王”，无论是群众封的，还是写报道的记者加冕的，都必是某方面的能人。社会主义国家里产生的这些“王”，都有益于人民，有益于国家，是人民所爱护的，所以讲故事的书还取名叫“故事大王”呢。

但也有的报道不宜多想，如专门报道某掌什么权的干部如何拒收贿赂，某执法者如何依法办事。这样的干部当然很好，令人尊敬。倘多想下去，难免会冤枉其余，好像不少人是可疑的，这就不好了。倘由此推理，画了出来，画一个人荣获“按时上班奖”，一个干部荣获“拒收贿赂奖”，一个执法人获“依法判案奖”，不就是一幅漫画吗？

按时上班
奖

随写随笔

因为画惯了漫画，写出文章就有点像漫画，人称“杂文”，我就算会写点杂文了。《随笔》主编来约我写篇随笔，我是一向没想过写随笔的，不知道这随笔怎么个写法。手边有本《新华字典》，随手翻翻，看这“随”字，除了“随手”和常说的“随便”之外，还有什么解释。一看，有了：①跟在后面；②顺从；③像。恰好刚收到《随笔》双月刊1990年第4期，见施蛰存先生的《古文名句赏析》里讲起“悠然”，觉得很有趣，于是也“跟在后面”，“顺从”着写得“像”他写的那样，从东晋陶老先生的名句“采菊东篱下，悠然见南山”说起。

我在上高中时，在蹇先艾老师教导下，曾背诵过这首诗，可能因为过于偏爱，至今只记得“采菊东篱下，悠然见南山”这一句，其余的，一个字也记不得了。偏爱这一句的人不少，在国画中我见过，文章里也常见这么一句，可见那真是脍炙人口的名句了。鲁迅先生笔下就提过几回。在《病后杂谈》里谈到雅趣，提起阮嗣宗和陶渊明时说：“但是，‘雅’要想到适可而止，再想便不行。例如阮嗣宗可以求做步兵校尉，陶渊明补了彭泽令，他们的地位，就不是一个平常人，要‘雅’，也还是要地位。‘采菊东篱下，悠然见南山’是陶渊明的好句，但我们在上海学起来可就难了。没有南山，我们还可以改作‘悠然见洋房’或‘悠然见烟囱’的，然而要租一所院子里有点竹篱，可以种菊的房子，租钱就每月总得一百两，水电在外……”在《七论“文人相轻”——两伤》里，一开头就写道：“所谓文人，轻个不完，弄得别一些作者摇头叹气了，以为作践了文苑。这自然也说得通。陶渊明先生‘采菊东篱下’，心境必须清幽闲适，他这才能够‘悠然见南山’。如果篱中篱外，有人大嚷大跳，大骂大打，南山是在的，他却‘悠然’不得，只好‘愕然见南山’了。”

这还不算，此名句还深入于民间。在流行于市井瓦舍间的相声里也有。比如单口相声《君臣斗》（现改为《官场斗》）里，说的是乾隆皇帝手下有位大臣叫刘墉（曾任大理寺正卿，左都御史，体仁阁大学士），外号“罗锅儿”（驼背）。相声里是这么说的：

……这刘墉并非罗锅儿，不是罗锅儿。要真是罗锅儿也入不了阁，当不了中堂。按清朝的制度，凡六根不全——有残疾的人，不能当官儿。刘墉什么官儿啊？当朝一品，文华殿大学士、汉中堂。能是罗锅儿吗？真要是汉中堂罗锅儿，那满中堂呢？拽胳膊，皇上没鼻子，娘娘一只眼！那就不是大清国啦，该改“残废院”啦！

刘墉他那么大的官儿，哪儿能是罗锅儿呀！

那么，为什么都管他叫刘罗锅儿呢？这里边儿有来历。是因为皇上封他为“罗锅儿”……

因为刘墉这个人，能写会画，学问好。老趴桌子上念书写字，天长日久，哎，就有点儿水蛇腰啦。有一天哪，他上殿见皇上，往品级台前一跪，乾隆一瞧，顺嘴儿说了一句：

“刘墉，你这么一跪着，不就成了罗锅儿了吗？”

刘墉一听这话，赶紧磕头：

“谢主隆恩。”

皇上一愣：

“嗯？你谢什么恩哪？”

“谢万岁封我为罗锅儿。”

乾隆乐了，说：

“嗐，封你罗锅儿，有什么用啊？”

“有用，臣我每年能多领两万两银子的俸禄。”

这是怎么回事儿呢？清代有个规矩，皇上亲口封一个字儿，每年多领一万两银子。就拿光绪年间的西太后来说吧，她每年得领16万两的胭粉银。16万两银子全买胭脂粉，还不把人埋起来啦？名叫“胭粉银”，不一定专款专用！因为已经封她16个字儿啦，就是：慈、禧、端、佑、康、颐、昭、豫、庄、诚、寿、恭、钦、献、崇、熙。一个字一万，16个字，16万两银子……

乾隆一听就后悔了，想赖账，就拿种种借口想将这封号取消，于是就说：

“刘墉，大清国祖制所定，六根不全，相貌丑陋之士，不能为官。你既讨封为‘罗锅’，罗锅儿乃属有残疾之人，朕当无法再用爱卿，你辞官回乡去吧。”

刘墉用他的辩才，说古来六根不全、相貌丑陋、有残疾的人，如三国时的庞统和东晋时的陶渊明都做过官的。乾隆就问，陶渊明怎么会残疾呢？下面是这样说的，刘墉说：

“万岁，陶渊明有首诗，叫《咏菊》，您可曾记得？”

乾隆说：

“朕当然熟知，还经常吟诵哪——‘采菊东篱下，悠然见南山’……”

刘墉说：

“哎，对！就这两句，便足可证明他是斜眼儿啦。”

“怎么哪?”

“万岁您想啊，他采菊东篱下，悠然见南山。在东边儿采菊，能看见南边儿的山（学斜视状），这不是斜眼儿吗?”

按：陶渊明这首诗，是总题为“饮酒”的二十首中的一首。

借题话旧

上中学时，我是老老实实的好学生，不吸烟，不喝酒，除了一次夜里在宿舍偷偷赌牌九，被训育主任抓获之外，再没记过大过。进了大学，因为画漫画，同艺相怜，交了个刻木刻的朋友，他叫季耿。他留着长头发，一派艺术家风度，既吸烟，也喝酒。两人把酒谈心，渐渐知道他刻镰刀锤子（他叫“镰刀斧头”），刻受苦人，是他在重庆时，王大化教他的；也渐渐使我学会喝酒，酒量也渐长起来。他还是同学中最出名的话剧导演，拉着我参加“抗研会”（全名“抗战问题研究会”，共产党领导的学生组织）的演出活动。有一次，七个同学在一起吃东西，有他在，总忘不了酒。杯酒下肚，谈得高兴，他提议也和别人那样，办一份壁报。这壁报每周一期，每期必有他一幅木刻或是画，有我一幅漫画，一直办到我们毕业才停止。我画漫画的基本功，和喝酒的本事，就是在这两年多时间里练出来的。那时大学生多从沦陷区来，无经济来源，靠学校贷金度日。过春节时，恰遇大家都十分手紧。于是几个人凑钱打了半瓶酒，买一包炒花生米，聚在宿舍里呼五喝六划着拳喝起来。因为酒少，便一反常规，是赢家才喝一口，准吃花生米半颗。那时也怪，越觉寒酸越感有趣，大家又说又笑，兴高采烈地闹了个通宵，其乐也，不下于山珍海味满汉全席，至今使人怀念。我们七个人，季耿在1957年被错划，从北京调去赤峰山区矿里，待再调去邯郸时，他已身患癌症，不久就去世了。另一个也在1957年出事，在“文革”中又被打成反革命，戴着手铐脚镣坐了几年牢，平反出狱后，到大学教书去了。还一位在“文革”中被革掉了性命。又一位上美国留学，贫病而死。其他两位至今不知去向。我们是同学兼壁报和演戏的共事者，还是酒友，但现在想起令我黯然神伤。

1950年我在报社工作，晚间读夜校学俄文，在班里结识了画友钟灵。他经常在下课后，随我到报社，帮我画刊头，写美术字，这是他的拿手功夫。画完常去喝酒。他是货真价实的“酒徒”，但好酒却不使气。在抗美援朝期间，我俩合作漫画，多在他家。一开始，准备纸笔之外，又备酒和肴。作画完成，立即移席摆酒谈心议事，待到微醺，舌头发硬，眼皮发沉，才收拾了去睡，这已成惯例了。现在我们都已年逾花甲而近古稀，他酒瘾如故而酒量却一年不如一年。十年前，我不幸丧妻。春节时，他和丁聪、戴浩、白景晟、韩羽、狄源沧各携菜酒，陪我共度佳节。钟灵才喝不足半斤，便烂醉如泥。我们把他抬到床上仰卧，让他怀抱一张小板凳，放上几个酒瓶，然后列队在一旁垂首站立，请老狄拍了一张未亡人《遗体告别图》。记得侯宝林曾来，因事早离，未参加此盛典。1986年，我们两人为《邓拓诗文集》这本书画封面。他起了个草稿赶来，两人商议改画加工。饭后天已全黑，画是明天必须交稿的，时间紧迫，他却说：“喝两杯再动手。”我说：“喝得晕头转向，可画不好。”他说：“一分酒一分精神，没事！”我只好让他喝两杯，接着还要，再添一杯。只见他说着说着，就溜到地上，躺下了，鼾声阵阵。我无可奈何，叹了口气，把他扶到床上。这画，只好自己动手了。待到清晨

两三点钟，他醒来见灯光通明，忙爬起来抢过笔去。这时他已清醒，两人画了一个多小时，终于按期交稿。

今年七月，我从深圳回来，听说他生病住院了，患的是脑血栓，嘴歪了，说不出话，我和谢添约好同去看望。我先到，找到他住的病房时，只见他正坐在椅子上，和同房病友放开嗓门在说话呢。回头一见我，忙把椅子让出来，推到电扇下面给我坐，高兴得嗓门加大几分。他刚做了一个疗程，嘴已得改正，待谢添来到时，已说了一大车话了。脑血栓，这病非同小可，他却笑着说："栓别人行，栓不住我！"但他也明白，这病对他是个警告：不能再喝了。他曾有几回戒酒的纪录，也几回摔断腕骨和肋条，然而"屡教不改"，足见酒的诱惑力之强，非得把贪杯的嘴弄歪，才使人惊悟。

话说回来，被酒迷得如此之深者，究竟极为少见。酒能醉人，几杯下肚，酒力使人层层卸甲，裸现真心，倘非有诈，这样把人间隔阂化开，距离拉近，却是常情。我在天津遇韩羽，上海见张乐平，都是由杜康介绍相识的。50年代初，华君武是《人民日报》美术组组长，我是他属下组员，两人喜欢夜间跑到报社左近东华门大街旁的小吃摊上喝酒，无话不谈。后来组里人员增多，机构扩大，事情一忙，再也没去了。后来他调到美协，更少见面，但小吃摊上的旧情仍在，有时去他家，往事重提似的，端上酒来，接着谈下去。

有一回，姜昆相邀，到他家吃饭。进门一看，范曾和王景愚已在座，都是我们朝阳区团结湖的近邻。原来有人送他一瓶法国白兰地，听说价值120元，姜昆舍不得喝，便招我们来共享，举行开瓶大典。事情平常，但觉有趣，每人只喝两三杯。酒味如何，早已忘记，但一想起来，还油然为之神往。

在酒席上，中国有许多助兴的游戏。古时行酒令，是文人的习俗，没点旧学是行不来的。我们常见的是划拳、击鼓传花和碰球之类的谁都会的玩法，联句就难一些。最流行的是划拳。现在的饭馆，尤其是高级些的饭店都有明示：禁止划拳。因为划拳喧闹扰人，许多人又常闹得放浪形骸，令人生厌。倘在家里，或其他不扰人的场合，划拳是很有趣的，能使人乐而忘形，倍增酒兴。我是不赞成硬灌人酒的，通由自便，只钟灵无此自由，他喝得差不多，我就会下禁令，所以他在我家吃饭，夫人马利最放心。

老伴陈今言去世后，我终夜失眠。因不愿常吃安眠药，便以酒浇心，趁微醺入睡。久而久之，养成睡前饮酒的习惯，一至于今。现在喝的是度数很低的黄酒，饮量也有限，取其利而避其弊，是合乎养生之道的。

不久前，山西人民出版社惠寄几本《杏花村酒歌》来，集的是古今杏花诗章，其中有我的一句，当然不是诗，仅四个字："人闻酒名。"那是 1984 年 7 月，我到杏花村酒厂参观时，厂党委书记迎了出来，经介绍后，他笑对我说："久闻大名。"我也笑对他说："大闻酒名。"引众人一笑，这四个字就是这么说出来的。书记一高兴，赏我一大杯汾酒陈酿，至今仍留酒香。

我从事造型艺术创作，不善于写文章，要写只限于叙事，毫无文采。祖光大师嘱写以酒为题的文章，不敢有违，写出的无非是因酒引起的一些片断回忆。文中对钟灵兄有失敬处，我和他是三十多年挚友，知他为人宽厚，不会怪罪，才敢放肆挥笔。但我还得先在此道歉。倘他看后能从此滴酒不沾，我给他磕三个响头，也心甘情愿。

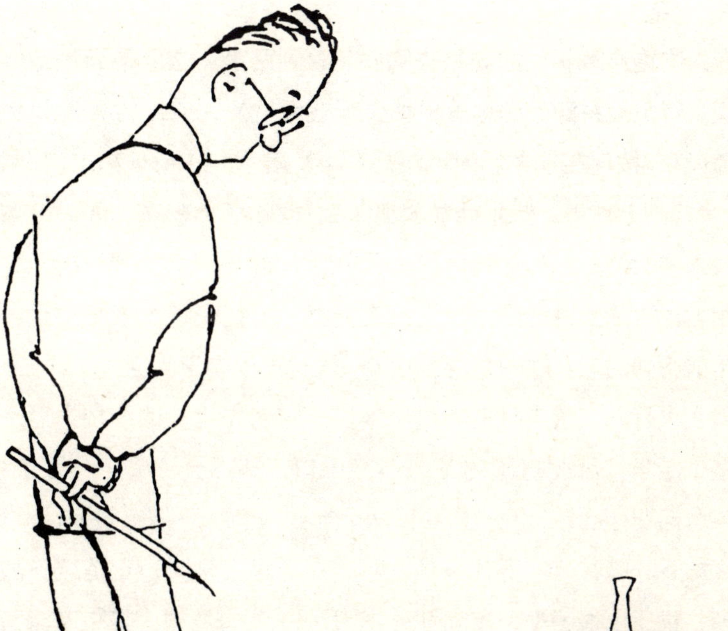

老九和老七

人吃饱穿暖了，才高兴去唱两句，画两笔，这已是天经地义的道理。胃里没东西，谁也没精神去听戏看电影，所以古人说“民以食为天”，按现在学者们的说法是：“物质第一，精神第二。”常言道，“开门七件事：柴米油盐酱醋茶”，吃饱了才喝茶，所以把茶列于最末第七位，正和干精神（文化）工作的知识分子列于老九的地位相当。实际上讲究喝茶的还就是老九，研究喝茶的老祖宗是一千多年前唐朝的老九陆羽，老百姓喝茶谁也没他有学问。

我也行九，童年时期在村里上过一阵老先生教的夜校，后来上的全是西学，因此祖国的茶虽不绝于口，却不会讲究。一进茶楼，服务员问要什么茶，我一向答以两个字：“随便。”但究竟九性难移，茶缘难断。曾在天府四川长居八年，在那里上学时，正是抗日战争时期，物质上很困难，夜间灯火不明，40 瓦的灯泡，其亮度比萤火略强。我原已近视，不敢再加深，无法学习，闲来无事，天黑便结伴出来泡茶馆，如此三年。从学校出来工作，接着又泡了四年。茶翁之意不在茶，而在同气相投作神仙会，川语谓之“摆龙门阵”。在上学时，因泡茶馆聚义，创办一份文艺性壁报；在工作单位，因泡茶馆交心而交了几个朋友，几十年来天南地北，至今音书未断。至于茶呢？只识得花茶、沱茶和雅号“玻璃”的白开水，却由此而对四川的茶馆心向往焉。广东的茶楼食品虽精，又是家乡风味，比起天府茶馆，总觉不够味儿——非干茶事，见景思人之故吧。

来到北京，茶馆不那么时兴了，工作又忙，也想不起泡茶馆，家里有什么茶我喝什么茶，“随便”依旧。有那么一天，北京电影制片厂在拍老舍的《茶馆》。我去看时，导演谢添要我为这部影片画海报，说我画最合适了。我从来没画过海报，不敢应命。他一定要我画，还说我画“准行”！不敢有违，只好奉命，回家花了两个星期，报废了几大张宣纸，终于画成，得60元稿费，邀上钟灵和副导演王振荣夫妇，四家八人下饭馆大吃一顿。没过多久，茶叶公司又找上门来，要我画大幅裱在墙上的画，画的题材自然又是茶。我说，我是画漫画的，这样大幅画我没画过。约稿的同志无意中说了一句：“是啊！漫画不能上墙的。”此话大伤漫画的感情，也许是他的激将法吧，把我激了起来，断然说：“我画！”又花了好多天，报废了好几大张宣纸，居然画成一幅陆羽夜写茶经图。也因本性难移，或许是故意使气，用的是漫画情趣的构图，让它裱起上墙。

两幅大画都是被茶硬挤出来的。在此之后，来挤的越多。参观工厂、机关，被挤着“留墨宝”，当场挥毫；报刊庆典，创刊四十周年以至创刊三周年的都会来要画；画友之间互相挤着，熟人朋友挤的也不少。荣宝斋的同志就觉奇怪，曾问我画漫画成刀成刀的买宣纸干什么？我画成的确实不很多，报废的纸不少，现在用来擦这儿擦那儿的，多用那些带有墨迹的宣纸。最近去了趟杭州，被挤着画了几张，人家赠我以杭州龙井；又去了趟乐山和成都，又被挤着画了几张，人家赠我以峨眉名茶，看来，老九和老七真个是难舍难分的了。

华君武的艺术

常听人说："画漫画，几笔就出来了。"这话不假。看华君武的画，这几笔又少得出奇。还奇的是，不少人学他，可怎么也学不来那几笔勾出人物的神态，更谈不上这几笔表现出的幽默和讽刺来。

漫画的社会功能和影响，读者是深有所感的。可登在报纸书刊上，画面缩得那么小，只看到它的评议效果和幽默，论及漫画的艺术，恐怕理解的人不是很多的。这些年来，华君武的漫画集出版过不少，可惜印制不理想，最清楚显示华君武漫画艺术的要属浙江人民美术出版社新近出版的12开本，印刷精美的《华君武漫画》了。

漫画是幽默的艺术——讽刺和幽默相关，西方国家将讽刺列为幽默之一类。漫画是画，又是幽默的。画属于造型艺术；幽默也是艺术，是以各种形式表现的语言艺术。所以，漫画感人的艺术性，显示在两个方面，一是画面艺术形象，二是表现作品主题思想的幽默手法。从报刊发表的漫画看来，这两方面都具有高度艺术性的作品，实不多见。

世界上各民族的艺术，都带有各自的民族特色，这也是使艺术品增添魅力的重要因素。漫画这种绘画形式，各国自古都有，但形成一种独特的艺术形式，并出现专门的漫画家，则始于17世纪末18

张春桥受审像

世纪初的欧洲。在我国流行，只有几十年的历史，在日本流行也比我们早上百年。因此，我国漫画家开始都师法外国作品，然后逐渐产生中国特色的漫画，但外国的影响，直到今天，从许多作品上仍看得出来。华君武的漫画，其内容、思想感人之深，是广大读者知道的，他的许多作品至今记忆犹新。我这里想谈的，是华君武的艺术。我看到的是：第一，在幽默艺术和造型艺术两方面都有很高造诣；第二，民族特色鲜明突出。这都是漫画艺术中十分难能的。

幽默、讽刺原出于语言，主要也表现在语言里。各国语言相通，翻译出来就听得懂；幽默技法自然也相通，所以人常说幽默是一种“世界语”——便是就哑剧和漫画而言。看卓别林的影片最清楚。所以，漫画创作中，幽默技法运用上，常发现近似甚至相同。即使十分严谨的漫画家，他的作品之中，也会出现和别人作品近似以至相同之处——当然非因抄袭，中国外国都如此，我们的“行话”叫做“撞车”。我从事漫画创作几十年，和别人作品“撞车”的已发现多起。华君武也撞过，但他撞得极少。细心的读者会觉出，他运用的多是带乡土气的中国式的幽默，看他的一些作品的标题就很明显，如“打了再给”、“东风吹残烛”、“叶落而知秋”、“涮羊肉还是涮羊毛”……而且思路很宽，仿佛信手拈来，盎然成趣。前几年，在电视上看审讯“四人帮”时，见张春桥那死硬的顽抗态度，我很生气，立刻想画幅讽刺画，可想了半夜，毫无成果。次日见《人民日报》发表华君武画的《死猪不怕开水烫》，不禁叫绝！去年买来一本讲谚语的书，才见到“死猪不怕开水烫”这句成语。从他的许多作品就反映出他在政治、思想、生活阅历、知识和文艺修养各方面都有过人之处。幽默是一种很难掌握好的艺术语言，尤其运用到文学艺术创作中，须有较高文化、知识和文艺素养，才会善于把握，运用自如的。

公园里的梅派传人　　八七年十一月 作画 武

再看华君武的那“几笔”。这里有什么学问呢？

如以“过关”作比喻，在漫画创作中，艺术造型是极难过的一关。我曾说过：“看我们现在发表的作品，艺术造型感人的很少！”甚至说：“基本上不及格！”这话也指我自己。话说得也许过分，但我看的画较多，确实深有感触。漫画是幽默艺术，立意构思须幽默，艺术造型也须幽默，才能充分发挥幽默趣味和讽刺力来。单凭构思的幽默而艺术形象欠佳，画面必缺艺术感人的魅力。漫画人物造型之难，难在幽默上。和朋友开个玩笑，既要画得像他，还要使人看了发笑，理解那是善意的戏笔。怎样去刻画他的表情动态，就颇费思索；再只须“几笔”画出，用北京话说：“没两下子行吗？”请看华君武画的侯宝林、张天翼、叶圣陶、袁水拍和凌子风；黄裳田的像笔画更简，像极。如今他虽已大事减肥，神态如昔。被讽刺的人物要使人感到滑稽、出丑，要画出他的性格特点和精神状态，还要看出是艺术手笔，这“几笔”怎么下？请看《风信鸡》、《永不走路永不摔跤》和《顺竿爬》中的几位和既像“死猪”又像张春桥神态的那一位。画得有趣而非丑化的人物，如公园里拉胡琴的人和《看操时节》中的练操者，这几笔决非寻常。“没两下子”是想不出要这样来表现的。在细节处理上，看《曹雪芹提抗议之二》中“黛玉葬花之工具”（好重的锄头！）和《愚公宣誓》中“愚公”最年轻的那两个后代（边看电视，边把着孩子撒尿），那叫漫画手法，俗称“戏里有戏”。漫画里的飞禽走兽虫鱼，大都是人格化的生物，而且是漫画式的，造型同样很难处理，因为在变形之中须以原形加上人化了的形态为依据，艺术加工自然分外吃力。华君武在这方面表现出高超的技法。他笔下的猫、虎、兔、蚁等等都画得别有风趣。这都是漫画的艺术手笔。在笔墨技法上，显然看出他传统书画的笔墨功底，

早操季節

这也是许多人学不像的一端；尤其是艺术造型中线的结构、黑白对比效果和画面构图等等，都有形式美的考究，例如《书到找时方恨多》、《“苦哇……”》、《军犬训练》、《十轮大家庭》、《找不到钥匙甭回家》等，运用的也都是艺术手笔。还有画中题词的安排，是循国画传统方式；他的书法和画，风格协调，都为画面增美。有的画还配上打油诗。他自谦称不善此道，但他那些诗我是欣赏的。我国老漫画家如黄苗子、廖冰兄都善打油，丁聪有时也在画上配一首，为作品增色，很值得我们学习。华君武漫画的民族风格之所以异常鲜明，在于他善于运用中国民间熟悉的幽默和绘制上继承中国人民熟悉的传统国画技法；由此还形成别具一格的艺术风采。民族风格不仅是艺术本身的要求，也是使之具有为人民服务、为社会主义服务最有利的形式。

华君武长期从事新闻工作。新闻所需漫画作为评论形式，自然和新闻一样，要求反应迅速，创作势必要求快速完成。在此情况下，有时难免绘制有粗率之处。催稿急了，也会这样。画册中所选作品都是原作，有的画中原来未曾画好的地方和偶出的败笔原封未动。但瑕不掩瑜，他那中国典型风韵的幽默艺术作品，特别是在革命战争期间发表的那些强力的政治讽刺画，早已深入人心，成为我国艺术宝库中的珍品。漫画是以图像与文字相协同表现的。华君武长于书法——一种漫画风味的书法，使文画结合类乎国画形式，也是他作品之一大特色。近几年，有的画里文字过多失当，这本画册没选入。我想他必是听到读者意见认真考虑过的。

他是从20世纪30年代画到今天的老一代漫画家。虽已七五高龄，但手笔不减当年，百忙中依然对种种歪风邪气奋力抨击，真有“老将出马，一个顶俩”之势；闲情乘兴，也开开什么人的玩笑，幽

观赏和实用之矛盾

八六年七月 华君武

默一番，因之作品不断。他多次发誓，终于戒了烟，酒兴也自行约束，而对笑话，其迷之深，情如童稚，使他的“平均年龄”轻了许多，画笔是决不肯这么早退休的。愿他青春常驻，继续再出版几部如此12开本印制精美的《华君武漫画》来，为我国的艺术园圃增添异彩！

米谷的艺术

米谷是现代中国具有代表性的杰出漫画家。

如果可以将中国漫画艺术发展史划分为两个时期，也可说是两个阶段吧——即从20世纪初到20世纪30年代为创始阶段，40年代至今为第二阶段，米谷可说是第二阶段漫画家中一位承前启后的代表人物。

漫画这种艺术形式古来就有，中外著名画家中很多人都画过漫画。16世纪尼德兰画家老彼得·勃吕盖尔（Pieter Bruegel the Elder）就画过不少。15世纪中国皇帝明宪宗朱见深也画过。现在河南少林寺里的一块石碑还刻着仿制这位皇帝的一幅作品，刻于一百年后的16世纪。但那时世界上还未出现发展漫画艺术的条件，漫画未能流行，它的艺术特性和功能没显示出来，不能自立门户，成为独立画种。没有专门的漫画家。直到17世纪末18世纪初，漫画在英国获得发展条件，然后遍及欧美和日本。出现大批漫画专家，使这一特殊画种得到社会承认，广为流行。到20世纪初年，漫画才开始在中国流行，出现何剑士、张聿光等一批漫画家，在报刊上发表漫画。到20世纪30年代，漫画流行于上海，画家增多，艺术上趋于成熟。那时中国人民正处于帝国主义和国内封建、半封建势力重重压迫之下。

他才配是“吃光运动”

漫画是评议的艺术，又和新闻时事紧紧相连，为报纸刊物采用。评议所及，自然首先是群众深切感受的社会问题，如政治腐败和种种压迫等等。所以那时发表的漫画多属抗争性的政治讽刺画，揭露社会黑暗，反对帝国主义侵略暴行。

漫画是生活的一面镜子，反映当时国情世态，也反映画家的思想。在重压之下的漫画家们，挥笔作画对反动势力奋起抗争。当时情势使他们思想上仍处于弱者地位，艺术上多采直笔暴露手法。米谷在20世纪40年代发表的作品有不同的特色。他是无产阶级革命者，有先进思想武装，对社会发展有科学的认识，是革命信心十足的强者，创作上便会更重幽默的艺术技法。米谷善于运用这种技法，使被讽刺对象多方出丑而增强作品的讽刺力，这种特色在米谷的讽刺画中显得分明。

米谷又善于吸收中外画家的艺术之长，在人物形象刻画、构图以及笔墨运用各方面都有独到之处。从他的画中可明显看出英国漫画家大卫·罗和在上海的苏联漫画家伊格斯的艺术影响，但又是米谷自己的独特风格。他画的人物形象是中国式的，其幽默手法也是中国人民所熟悉的，例如“新招牌，旧顾问”、“打肿面孔充胖子”、“狗嘴里生不出象牙”、“老莱子娱亲”，将敌方比成“王小二过年，一年不如一年”……等等，都有鲜明的中国民族特色，读者很容易接受。他作画又十分严谨，不仅使画面精美，人物刻画生动，构思的幽默和讽刺性又表现得充分，艺术效果更加感人。他使用的幽默讽刺技法机巧多变，处处用心，在细节处也不放过。例如将“武松打虎”改为“武松打猫”，“国民政府”写成“括民政府”，“大公报”写成“太公报”（讽刺当时《大公报》的政治立场），“国民政府”的“行政院”将“政”字倒写等等。特别是他对艺术创作的严肃态度，为漫画界的后继者树一楷模。所以说他是漫画家中的一位继往开来、承前启后的代表人物，是当之无愧的。

漫画是幽默的艺术。幽默是一种经过艺术加工的语言。许多人多少会一点幽默技法，但对于幽默认识较深的人却是不多的。幽默是艺术，是语言的艺术。语言关系到人的思想、见解和社会、人生种种问题。人的文化程度、艺术修养不同，幽默的运用，便有深浅雅俗之分。阅历和学识不足，其幽默只能限于粗浅较低层次。尤其用于文学艺术作品中，更需较高的文化艺术修养，才能善于掌握，运用自如。漫画也表现滑稽，画些日常生活中的滑稽事物。但作为社会评议手段，漫画作者还须有对社会问题有敏于观察和分析判断能力，还讲求用幽默和讽刺手法表现出来。幽默和讽刺，艺术相通，不善于幽默，也就难精于讽刺。在日常语言中虽有不少现有的讽刺语言，可借用于漫画，但究竟有限。米谷善于运用幽默讽刺艺术方法，是与他的思想、观察力、生活阅历、文化修养密切相关的。现在看到报刊发表的漫画作品，可知还有不少漫画作者对幽默艺术的认识不深，还未理解这种艺术和思想学识的密切关系，勤学不足，创作上进步迟缓。特别是对画面艺术效果不重视，艺术造型粗简，模仿多，独创性少，难以发挥漫画的艺术功能。许多方面从米谷的作品可得借鉴。看20世纪30年代发表的漫画作品，可见那时我国漫画家们多是注意画面效果的，米谷继承并一直保持这一优良作风。

米谷生活的年代，正是我国革命斗争十分激烈、矛盾重重，形势复杂多变的时期，他的作品便多是政治讽刺画。他的讽刺画给我的印象很深。他对国民党当局讽刺十分尖刻，而又很幽默。在1947年上海报纸（记得是《文汇报》）发表他的一幅题为“他才配是‘吃光运动’”的画，我剪了下来保留至今。还有一幅发表在1962年《人民日报》上题为“胃口越来越大——肯尼迪：再来一个古巴甘蔗刀”的画给我印象更深。那时中苏关系很复杂。我们的报纸评论批评赫鲁晓夫，批得很尖刻，但用漫画进行讽刺，能不能画这位苏联首脑人物，和怎样讽刺法，我们很多人都没把握。一见米谷这幅画，就感觉到他在讽刺艺术上手法出众，自惭不及。有关人民内部问题的讽刺画，在我国曾受到障碍，停滞多年。1957 年后人们心怀余悸，不敢画这类的画。只在 1979 年党的十一届三中全会后才恢复活跃起来。米谷因遭迫害身患不治之症，失去知觉，终止创作活动，所以他画这种讽刺画数量很少。但只这少数作品，也同样显示出他的艺术才能，既幽默，又合分寸，艺术效果动人。现在看他遗留的作品原稿，件件都画得力求精到，这在我国漫画家中是罕见的。他不仅画得精，作品数量也极多，足见他艺术创作的勤奋和对革命事业的忠诚。这是他留给我们最珍贵的遗物——也就是一颗赤诚之心。

——肯尼迪：再来一个古巴甘蔗刀。

胃口越来越大

杰出的艺术开拓者

常看画展的人可能都有那么一种感受，在众多佳作之中，总有一件或几件能使你念念不忘的。在北京故宫一次近代国画展览中，我见齐白石的一幅墨荷，梗画得很长，引人瞩目，其笔力之遒劲，墨色和构图之美，使我看得出神。展品全部看完走出展厅，就像厅里有什么吸力似的，我刚迈步走出门槛，又身不由己地返回到那幅画前凝神细看。再次走出门时，没走几步，又被它吸了回来，又看一遍。另一次是在荣宝斋的藏画展览里，看到高剑父画的一条鱼，便感到画论中所谓“墨分五色”，在这条鱼身上显得一清二楚，使我像两腿被钉在画前，一动不动地看得发呆。还有一次与此不同，那是在北京中国美术馆看湖南的工笔画展。不是哪一幅画吸引着我，而是全部展品使我惊叹叫绝，印象之深，至今不忘。现代画家所作的中国工笔画我看得不算少，其中因时代变迁推陈出新之作，所见却有限，但还未见像湖南画家的作品那么多而又精美动人的。这些作品表现的是现代人的生活、物景，艺术上采用传统国画工笔画技法，又吸收西洋画和我国民间装饰艺术中之精华，使画面呈现出一片清新秀美，民族风格和时代感十分鲜明的特色。今年 9 月在北京的一次集会中，遇见陈白一先生。早已听说他就是在湖南工笔画创作的首倡者，就请他留下家里地址和电话。10 月初我去长沙时，便去拜访，观赏他的作品。他曾在深圳香港各地举行个人画展，展品已收回来，比我在北京所见者多得多，又近在手边，可以一幅幅仔细看个够。如果用一句话评说：我从未见过画得如此精细工整，画面如此秀美动人的现代中国工笔绘画。他画湘西苗族、土家族妇女，由此表现各民族风情和劳作活动。我国古代传统人物画所存不多，工笔人物画更少，而所画的尽是些上层社会男女和神仙之类，动态斯文静雅。许多画里在人物形体、环境和器物的描绘中常取其大要，或以虚传实。看陈白一的作品便觉处处新颖。他运用熟练的传统工笔线描技法刻画劳动妇女，神态优美健康，线结构疏密有致，设色淡雅，使人物更显清秀端庄之美。我笑对他说："小伙子看到你画的妇女，会把他引到湘西来找对象的。"为此我也在所过地区注意看那里女孩子的肤色，是不是和白一画的那样柔美，果然见到一些少女肤色是与之相近的，人也显得秀气。和传统画法显然不同的是白一着力于画中人物周围环境的描画和构图的匠心经营，并采用西画技法，以此环境为背景将人物鲜明地衬托出来，显出地方特具氛围，又增添画面装饰美。画家对细节处处精雕细刻，一丝不苟，并精心加以美化。如妇女的头巾卷曲垂飘如龙飞凤舞；身上的饰物，衣裙和织物上的花纹都细密描画，色彩斑斓，逼真地再现各民族独具的丰采。这正是工笔画的专长，使画面十分耐看。白一有坚实的写实功底。在他笔下，凡人间所见花鸟虫鱼、山石猪犬，画得无不精美。他还善于用写意笔法略加点染表现出妇女温文娴雅的神情，描画出女性柔美的风韵。由此足见画家深厚的艺术修养，手笔非凡。我童年生活在农村，尤其喜爱《小伙伴》这幅画。画中小童正伏在门槛上闷头吃饭。和他并排着三只初生的满脸稚气的小狗。靠近孩子的那一只，呆呆地望着碗里，那馋涎欲滴的神态表现得极其生动喜人。画面展现的正是我国农村中常可见到的俗情，经过画家艺术地再现，使在农村生活过的人，看了会不禁产生忆旧怀念之情。这就是艺术的魅力。那孩子在画上只现不足半身，脸还被碗遮掉一半。他那发型、衣饰，用筷子的姿势和面部神态，看了如见其人，十分可爱。画中情景是我国一般农户生活的写照，而处处显出新社会的气氛，而且表现得含蓄、自然，看来真实感人。世界上什么样的画都有，有看了觉得美的，有觉得丑得难看的，有莫名其妙的，等等。我的欣赏习惯使我认为，作为艺术品，无论表现的是美好的事物或丑恶的东西，总要在艺术上给人以美感引人欣赏。陈白一的工笔画，就是以诱人的美的形式表现生活中的美。他是一位热爱生活，热爱社会主义新时代的画家。

我国传统绘画艺术在世界艺术之林中独放异彩，两千多年流传至今的作品和各种艺术技法极其丰富。现在艺术家都在努力继承这笔珍贵的遗产，并推陈出新，为表现新时代新人新物新生活，为社会主义服务。传统绘画习惯上因画家的专长而主要分为山水、花鸟虫鱼、人物这几种门类，从技法和风格上又分为写意和工笔两种。这只是大致的划分，实际上界限并非件件如此分明的。然而许多画家或只工山水、花鸟而不善画人物；或只工人物不善画山水花鸟虫鱼；或只工花鸟不善画虫鱼之类。从陈白一的作品明显看出，他是属于全才的。他有坚实的绘画功底，该画什么，就画出什么，并且都画得精美。因为时间仓促，我来不及看他的速写。但可想见，他必定在深入生活中画了大量的写生和速写画，否则决画不出如此生动优美的画来。

听说，在他和另一位画家的带动之下，湖南省已出现百多名工笔画家，以新的风格，新的技法，将我国传统工笔绘画推向艺术发展的新阶梯，表现我们的新时代、新生活。

陈白一是一位艺术上勤劳的开拓者。我深信，在今后的岁月中，也还会闯出更新的局面，开拓更加深广，带动更多后继者齐步前进。

（1991）

高峰和我

漫画是一种评议性的艺术，和新闻之间的关系非常密切。因此，我从事漫画工作，就和报纸结下了不解之缘。《人民日报》自不必说，那是我工作三十多年的“家”。此外，还有《大公报》，虽然未曾在那里工作过，但我和《大公报》也算是老关系了。1942年我从学校出来，在四川五通桥镇的黄海化工研究社工作。那是范旭东的三大企业之一，抗日战争期间从天津迁来的。开初，社里订的就是一份《大公报》，所以对报上发表“本报特派员”的报道常看，名字也记得熟。在这些特派员中，和我关系最深的是张高峰，我们是莫逆之交。这里我想写我认识的张高峰，他从十几岁开始从事新闻工作，终生不懈，直到去年离开人间。

我发表在报纸上的第一幅漫画，是1946年高峰替我投寄到北平《新民报》的。后来投稿到上海《大公报》也是经过他的介绍。我和他是中学同学，又是大学同学。他是学校中很出色的话剧演员，我们共同筹办，在一起演宣传抗日的话剧。他读中学时就已开始新闻生涯，那时他名叫张之俊，是《大公报》的通讯员，因此阅历多，见识广，又谈笑风生，谁都爱和他接近。在同学中他的熟人最多，要好的也多。他政治系毕业后，接着读历史系，显然是为了他有志于终身的新闻工作。学校在乐山，他不时走几十里来五通桥找我，访问黄海孙颖川博士——他是我们的社长。然后又去访问范旭东的另一家企业永利公司，我曾被借调来这公司的碱厂任技术员，这时高峰已经是《大公报》记者。从此他就和黄海、永利的学者、工程师们交上朋友。由此又去自流井访问范氏第三家企业久大精盐公司，又和总经理李烛尘等交上朋友。高峰有这样的人缘，到处交朋友。他交友是真诚的，而且是持久不忘的。他重感情，对老师，对同学也一样。解放后他在天津时，常到南开大学看望吴大任老师，到北京来就常去看望朱光潜、杨人鞭、杨东莼几位老师，看望我们几位老朋友。香港唐人（严庆澍），广州端木正来，他知道了，就从天津赶来欢聚。他一来，局面格外亲热。“永久黄”（永利、久大、黄海）的联合办事处在乐山。他为采访有时去那里，和办事处主任（记得是主任）石上渠交上朋友。石退休后住在北京和平里，高峰从来没忘记去看望他。上渠年老多病，高峰常和他通信，还常向我问及他的病情，要我去看望。说来惭愧，我缺乏高峰对友人那种拳拳不忘的深情，至今回想，深感内疚。他对母亲情爱更深。对高峰来说，新闻事业和亲友之情，是他精神生活中不可或缺的两大支柱，少了哪一样他都会非常难过。然而并不限于私情，他有强烈的正义感。在闲谈中他曾提到过两件事——我只记得这两件：一是在西康（解放后划归四川省）采访时，在旅店中见地方军官强占妇女，当地人敢怒而不敢言。他毅然挺身出来干涉，几乎遭毒手；一是在北平得知徐悲鸿一位学生被医误丧生，高峰和他们并无私交，也愤然以《大公报》记者身份出来帮他们打官司，仗义执言。我曾随他一同去访问永利一位高级工程师，交谈很久。事后我问他，采访为什么不在本子上记？他说，若是记的话，对方说话就会过于谨慎，也不大生动，要靠脑子记，回去再整理。他天赋一具强记的头脑，事记得真，人记得清，能长久不忘。头脑像资料仓库，使他的新闻鼻子特别灵敏，也能像老朋友一样和多年前曾会过一面的人叙旧。这都对他的新闻业务非常有利，使他走到哪里都会遇到熟人，找到帮手。他还喜欢和朋友讲采访中的趣事，这也有助于记忆。一次他说，在抗日战争最艰苦的一年，他在湖北（也许是河南）住在一家小店里，夜间到后院闲步，忽觉有异声，他从捅开窗纸的小洞往屋里偷看，吓得他失魂落魄，连行李也顾不上拿，转身就跑。原来这是个《水浒传》中描写的那种“黑店”。靠夜幕掩护，才逃脱追来的人。他是《大公报》战地记者，曾在军中从事编辑工作。有一次，他被汤恩伯怀疑是共产党人，把他和同来的潘、郑两位同学拘捕，严刑拷问高峰。后来潘对我说，幸亏高峰挺住，否则三人都活不了。潘是中共地下党员。

为了他的事业，高峰能吃大苦，耐大劳。他体质不佳，却练出能健步长途跋涉的双腿，四处不停地来回奔波。虽十分艰苦，他甘之如饴，和朋友谈起种种经历来，和说笑话一样。他手中的笔从未停过。长期的颠沛和灯下奋笔，给他带来高度近视和削瘦的身躯。他一生坎坷，工作多变，一时在天津，一时调北京，没多久又调东北安达，去做商业工作。费了九牛二虎之力，才和家人团聚，调往天津，然后被迫迁居郊区。几年后调回市内，从事文史工作。多年来回折腾，身体已孱弱不堪，气喘病使他冬日不敢出门，但笔仍不辍。我看过他写张作霖家史的手稿，厚厚一大摞，还有不少张作霖、张学良、赵四小姐和其他许多人的照片，还没来得及出版，就遇上那个“文革”，被一把火化为灰烬。十几年后，从《人民建材报》看到他写的连载长文《少帅风云漫记》，是后来靠强记和幸存的一些资料写的，还来不及写完，他就撒手去了！他后来当不成记者，但他的心是离不开新闻，离不开记者生涯的。一得机会，便奋不顾身。1987年他为《人民日报》（海外版）采写陈省身教授的一篇报道，那时他已年届古稀，是扶着拐杖，拖着肺气肿的病体去采访的。高峰对新闻事业孜孜以求，万难不变，至死不移的精神，在我国新闻工作者中是罕见的。

1985年冬，我们的挚友老工程师张荣善从美国来，我和他同去看望高峰。那时他已病弱，老友重逢，他异常兴奋，叙旧之间，还不断拿出他为国内和香港报刊写的各种文章报道给我们看，谈天津工商界的一些史料。提起我们在“永、久、黄”的许多老同事，他好像和我们一样熟知，而他一天也没在那里工作过，只因采访而相识的，记得极清楚。谈到天黑，不许我们去住宾馆，强留在家吃鸡蛋挂面，留出双人床给我和荣善睡。记得那天张夫人很晚才下班回家，她是医务工作者，工作非常忙。这是他和荣善最后一次见面，也是我最后一次住在他家。去年3月中旬，我因事去天津，趁便去他家看望，才知道他又住进医院。到医院看他时，病已渐愈，能坐起，谈锋仍健，虽已气虚，话音微弱，但精神还好。不料不到一个月后，就接到他去世噩耗！我们的亲友故交，年龄都在古稀上下，每年都收到报丧的讣告，已知属于自然归期，是想得开的。但高峰的死，使我深感痛伤！难舍的是他那样深情的友谊，加上对他怀才未尽、天不假年的惋惜。还在学校的时候，他最关心的是抗日战争的形势和国家命运的将来。对国民党当局的腐败，谈起来痛恨之情溢于言表。1949年秋，我从香港来北京，经天津遇到他，谈起新社会和天津的变化，滔滔不绝，眉飞色舞。三十多年来，虽几经波折，生活又不安定，而他写作发表的文字之多，在新闻工作者中也是少见的。这也是许多同行深切怀念他的一个原因。他悄然离去了，却非无声息，怀念他的人不知多少！每看到他留下的发表在众多报刊上的篇章，就会在人们心中浮起他那不知疲倦、长年奔波的身影，和幽默动人健谈的风姿。他是令人难忘的。

（1990）

谈《三个和尚》的幽默

在美术电影片中，《三个和尚》在国内外大受欢迎，是有道理的，许多人作了分析，讲了不少。我只想讲讲它的幽默。

这是一部动画片，也就是漫画故事影片。漫画，英文叫卡通（CARTOON），动画影片也叫卡通，可见两者是亲兄弟。其实，把动画影片叫做“活动的漫画”是很恰当的。

漫画讲究幽默，讲究讽刺。但幽默和讽刺并不是那么容易掌握好的。戏剧，特别是喜剧，其中的情节要求“意料之外，情理之中”。幽默和讽刺也一样，而且还要求达到奇巧得引人笑起来，难就难在这里。

《三个和尚》是拿家喻户晓的三句话来做“文章”的。既然家喻户晓，那就一切都在意料之中了。然而这部影片偏偏使人大出意料，这就要善于运用幽默技法了；就是说，用奇巧的手法表达人的思想情感。

影片主角是三个被讽刺的人物，是丑角。丑角上台就逗笑，因为他是被取笑的角色。导演采用的是真人做不出来的漫画表现手法：先出一条弧线，再多出一点，哦，原来是个和尚头，然后自上而下逐步现身，活动起来了。这样出场是前所未见的，出人意料。因为是画的，自然可以这样一笔一笔，或一部分一部分地，最后才达到完整。新奇而合理，怎能不使人感到巧妙而笑起来呢?

滑稽、幽默总含有矛盾：既虚又实，亦真亦假，轻松诙谐而严肃，虚妄荒诞还要合理，奇突又来得很自然……

这是一个漫画故事，正如一段相声，须有大大小小许多逗笑的“包袱”。幽默和讽刺不仅逗笑而已，还要在笑中有所含蓄，有其寓意，并予人以美的感受，这就是艺术。

于是在故事情节中，就要按人物的活动和故事的进展过程，设想可能产生的种种矛盾。《三个和尚》里的人物，都是抽象的三个“人”，不是关羽，不是秦琼，只是“人”的概念。从故事的意思来看，三个人还是有特点的：一是和尚，二是都有私心，生怕自己吃亏，此外，没有了，于是，剧作者就在故事允许的范围内，附加一些特质，把这三个“人”具体化，形象化：一个高的，一个矮的，一个胖的——和尚嘛，自然有高有矮有胖有瘦；还有的精明，有的愚鲁，这也是人性之常。情节中还有什么特点呢？主要是挑水，为了喝，为了用。三个念经的和尚，有高有矮，有胖有瘦，有精鬼，有愚鲁，那么，他们的活动和遭遇就会各有不同。有差异，矛盾自然就产生了。高个子让他腿短些，很不协调（有矛盾)，走路就显得滑稽；胖子怕热，偏让他在烈日当空下赶路（也是矛盾)，他是丑角，就使他出丑。头脑简单的和精鬼的碰到一起，大家都有私心，合作起来矛盾就来了。救火情急容易出错，也产生矛盾：高个子把矮个子当成水桶挑走，还往火里泼去……这许多矛盾组成一系列噱头，都合乎情理，出乎自然，这才可笑。连和尚的光头也不放过：矮个子受了委屈，高个子安慰他，抚摸他的光头，像大人哄孩子那样。然而矮和尚并非孩子，这种不协调的举止令人发笑。和尚念经，全身静止，但念经的嘴却动得飞快，这一静一动的对比，矛盾格外鲜明。挑水时，走路也别致：向前走几步，来个向后转，再走几步，到了。这是京剧的表演程式，一看就懂。但挑水的和尚转得特快，煞似机械动作，那是漫画的夸张手法，虽是异乎寻常，但和画中人物总的风格是协调的，看来就显得自然，有趣。太阳一升一降，不到半分钟，就算过一天了，快得出奇，这也同样是夸张手法，稀奇，但可信。因为夸张手法是人所理解的，人们说话不是常有夸张的词句吗。和尚一口气把两桶水喝个精光，当然是夸张了，显然出于虚构，是假的；但这种只顾自己，一点也不让别人分润，正是影片中和尚的性格，这种性格在现实生活中并不少见，那是真的了。俗话说的是“三个和尚没水吃”，然而非也，三位各有私心的出家人没吃上水，却吃苦头。这苦头把他们逼上同心合作的正道上，换来喜剧的收场。一切合情入理，符合生活的逻辑。看了使人获得愉悦的精神享受，又启人深思，既得休息，亦开眼界，这就是艺术具有的特殊功能。

剧作者、造形艺术家和影片导演合作得很好。怎么能如此合拍呢？有一点是很清楚的，这就是，他们都懂得幽默和讽刺的艺术，并善于运用它。

笑和笑话

自古以来，平民百姓总是受权势者压迫和欺凌的。他们受尽辛苦，求生的强烈愿望使他们即使被剥夺得一无所有，也要尽力保留自然赋予他们的一种权力——那就是笑。自从两千多年前到现在，学者们一直在研究人们之所以要发笑的原因。众说纷纭，道理各有各的。也许弗洛伊德说得对，他认为人心里都有一种“潜意识压抑力”，也就是一种心理抑制力。笑就是冲破这种抑制力产生的。另一位著名的学者也说：“人类自身在世界上已陷入极度的痛苦之中，不得不创造笑，以此来解脱自己。”因此，你无论走到哪里，无论哪个民族，也无论受多么深重的痛苦，都会用笑来使他们备受压抑的神经得到一时的松弛，用笑来发泄掉心中积郁的块垒，于是就产生笑话。

如果把天下的笑话作个大体的分析，很容易看出，有的是“无知百姓”的作品，有的是读书人的创造，有俗有雅，有的甚至很粗糙，然而都是来源于生活并反映社会生活，具有一定文学性的作品。我国的相声是一种高级幽默艺术形式，其中许多作品就源出于民间笑话。各行各业中的幽默家也都少不得从民间笑话里汲取他们需要的东西，获得滋养，在文学、艺术、教育、政治、外交等各个方面发挥妙用。

笑话自然是逗人笑的。在日常生活中，随时随地都可能遇到或听到逗笑的事物，它被人们当作谈笑的资料，便成了笑话。任何国家、任何民族，都有本地、本民族的笑话，反映不同地域不同民族的生活、风尚、思想、文化和幽默感，给这些作品染上一层鲜明的民族色彩，五色斑斓，成为十分可贵的世界文化宝藏。世界上许多著名人士，包括学者、作家、艺术家、科学家、政治家、外交家，例如英国物理学家、天文学家牛顿，作家查理·狄更斯，剧作家萧伯纳，政治家丘吉尔；美国作家马克·吐温，政治家林肯；希腊学者苏格拉底；法国作家伏尔泰、巴尔扎克、大仲马、小仲马，寓言学家拉·封丹；德国科学家爱因斯坦、皇上腓特烈大帝；奥地利作曲家莫扎特，意大利作曲家洛西尼，丹麦童话作家安徒生，挪威剧作家易卜生；中国宋朝文学家苏东坡，他的朋友佛印和尚，清朝的纪晓岚……都流传下来不少笑话。如果把天下的笑话再作个大体的分类，就可发现这些笑话里，有的是无意中闹出来的，例如牛顿在门上为大猫出入开个大洞，为小猫开个小洞的笑话属于这一类；有的是有意创造出来的，例如巴尔扎克对半夜溜进来的小偷说："亲爱的，别翻了。我白天都不能在书桌里找到钱，现在天黑了，你就更别想找到啦！"这属于第二类。第一类笑话是滑稽的，可笑而已；第二类笑话是高级的滑稽，我们叫幽默。一般滑稽是偶然间无意中发生，也有故意表演的；而幽默全出于创造，自然出现的幽默是没有的。虽然会有自然出现带讽刺含义的现象。

不论滑稽也好，幽默也好，都引人发笑，自然也都含有引人发笑的法则，都有美学内容，可用为文学艺术手段，由此产生幽默和讽刺性的文学艺术作品；因此也成为哲学家、美学家和文艺理论家研究的课题。法国哲学家亨利·柏格森（Henri Bergson）发表过关于笑和滑稽的理论，并从喜剧表演研究中归纳出一些产生笑和滑稽的法则。这些法则，可以从笑话中看到。看来产生笑和滑稽的一般法则不难发现，但是这些法则的具体运用，却是十分复杂也颇为微妙、变化多端的，这也可从笑话中感觉出。作为文学艺术手段，人们所关注的，恰恰是笑和滑稽规律的具体运用问题，笑话里能提供具体运用的范例。

文学艺术以形象化的语言反映生活，表达作者的思想情感。以笑为手段，所用自然主要是能表达思想情感的幽默和讽刺（讽刺一般也是幽默的），而不会停止在逗笑的滑稽上。但幽默（和讽刺）究竟离不开滑稽法则，所以，笑话不论滑稽的或幽默讽刺性的，都有各自的美学价值。人们欣赏笑话，还可从笑话中了解各国各民族的生活与思想情感，有助于不同民族之间的相互了解，成为不同国家和人民之间彼此沟通的媒介；而且不是一般的媒介物，是以笑作为使者，以最受群众欢迎的形式出现的。我国出版过很多笑话集，其中介绍过许许多多世界各国的笑话，广为传播。前面提到那些世界著名人物的笑话，就是从笑话集里传来的。报纸刊物也参加笑话的传播工作，传播范围更广。许多笑话已成为家喻户晓的了。我国读者像接待外国友好使者一样，热情接待外国笑话。现在中国文学出版社将出版中国的笑话集输送到国外，作为笑的使者进行回访。这些笑话是用连环画形式表现的，为的是使之带有更多感性内容，更多艺术欣赏性。

从外国笑话里知道，有些民族还流传着极受人爱戴的幽默人物的故事。像土耳其的霍加·纳斯列丁和阿拉伯的朱哈，他们的故事滑稽可笑，成为具有浓郁民族特色的笑话。中国是个多民族的国家，也有这样的幽默人物故事流传在民间，如新疆维吾尔族家喻户晓的阿凡提，他的故事在新疆其他民族中也流行很广。这种可爱的人物，也许实有其人，说不定也有群众为了笑而创造出的虚构人物。他们的故事正如许多神话和传说那样，会有不少是编造出来的，那更明显是属于文学作品了。平民百姓正是运用这种文学形式来创造笑，以此求得精神上的解脱的。他们会创造受人喜爱的笑话，自然也会创造出受人喜爱的人。

笑话还是培养人的幽默感的教师。有这样的教师，会使人生活得和顺而又高尚。仅仅这一点，就已成为人们迫切需要笑话的原因。笑话集的出版，正满足这种需要。

《陈茶新酒集》序

说起韩羽，使我想起黄苗子老兄的幽默。那是在1988年的一天，同乘赴会的交通车上，我们谈起漫画的艺术造型问题。我说：漫画人物变形很难掌握好，我就觉得自己画得太老实，不够味。一听这话，苗子说："潘天寿讲得好，做人要老实，画画不能老实，方成相反。"逗得同座的人大笑。

如此说来，韩羽和我相反——做人老实，画画真不老实。他写文章也不老实，正是写杂文的"材料"。我看（不是读）过不少杂文，一看前言，不须读，便知后语，粗览一过大致不爽。韩羽又相反。他写文章，总爱东拉西扯，而言之有据，引得读者一看前头，就如鱼儿上钩，被牵着一直看到底，以明究竟。他是戏迷，又是书迷，书店里见不到的杂书野史他都爱读，读了存起来便成了他拉扯的材料库。举例来说，他看京剧《贺后骂殿》，便扯上皇帝赐的一堆官衔；接着拉出《我的前半生》里溥仪皇帝戏封"镇桥侯"的故事；然后又扯上《辍耕录》"伯颜所署官衔计二百四十二字"；再拉出《池北偶谈》所载明朝太监魏忠贤列衔"至二百许字"，扯到末尾，顺便带出杂文的刺来了。

夫子曰："学而不思则罔"，而韩子见事每多思。世事纷纭，他常在一般人不甚留意的一些事物中思出，也就是发现矛盾，又能从矛盾中发现同一。再说看戏吧，看了《萧何月下追韩信》，便想到这位被萧何所荐的帅才，恰又是被同一个萧何献计丢了脑袋的，于是写出《韩信月下追萧何》——找他算账去！看了《失空斩》诸葛亮挥泪斩马谡的刑赏“不宜偏私”，他又想到《华容道》中这位军师对犯了军法的关羽法下留情。“四人帮”号称尊法反儒，把李斯捧为大法家，韩羽又想到他的宗亲法家韩非正是被李斯非法杀害的。看《玉堂春》，他又拉扯上托尔斯泰的《复活》，为此编排出一幕苏三在车上巧遇叶卡捷琳娜·马丝洛娃的小喜剧。看这两位天涯流落人的对话，能把人笑痛肚皮。

几家刊物有韩文占的专栏，报上也有，有文有图，可见他作文材料库里存货相当丰盈，取之不尽。中国人口众多，库存雄厚的饱学之士不少，但到用时，想提就能从库存里信手提得出货来，已是不易；又能东拉西扯，皆成奇文者就不常见了。

像韩羽写的这类篇幅短小，貌不惊人，却有点近乎不正经的文章，里面有什么学问呢？说它深奥，看来不像，人也不信。然而，满肚子学问的大家，未必写得出来，这倒是真的。

读者品得出，奇文见巧，那是幽默动人的。但他未必了解，幽默是很难于掌握的一门学问。富于幽默感才写得出幽默文。世上文学作品浩如烟海，其中幽默的不多；戏剧成千上万，其中幽默的喜剧很少，不信到书店里看看去。自古以来，中外大文学家，大艺术家够多乎哉的了，大幽默家有几个？卓别林的表演，看来也有点近乎不正经，可谁有这种本事？幽默可说是一种矛盾的艺术，所以幽默的头脑善于在人们尚未察觉之际发现矛盾，在矛盾之中发现同一；且善于运用矛盾作为艺术手段，创作出奇而又巧的幽默作品来。

前年（1989年）夏天，他的一本《闲话闲画集》出版了。书店老板识货的不多，使出版社只敢印3000册。朋友得知消息，因买不到书，便央作者奉送。现在又出版另一本了。如果书店老板头脑灵活些，会多订许多，有钱可赚的。听说，香港出版家已经打过招呼，这类书他打算要。别看香港人口只有我们人口的二百分之一，但书一出版，就起码印2000册呢。

（1991）

“快手韩”变戏法

《爱情漫画集》序

老子和庄子说：无中生有。说万物是从“无”发生出来的。别的我不清楚，但我知道，人就是从这个“无”里产生的。听说在仙界有个叫亚当和叫夏娃的。他们俩不老实，犯了大罪，受到上帝的惩罚。他们犯的是什么罪呢？是“爱情”。正因这个“爱情”才生出了人类。所谓上帝用泥造人，不过是一种托词，正如大人回答小孩子的话说：人是送子娘娘送来；从母亲胳肢窝里冒出来的，等等。

“爱情”是什么东西？多大？多重，什么颜色？是圆是方？会不会动弹？谁也说不出；看不见，摸不着。空间无此物。人类不就是从这个“无”里生出来的吗？

爱情除了生出有形有重有色的人类之外，还生出无形无重无色，看不见也摸不着的，属于“无”的酸、甜、苦、辣来。无又生有。我们的文学家艺术家又从酸、甜、苦、辣生出看得见也摸得着的小说、戏剧、电影、绘画等等作品，使人生悲，使人乐，使人叹息，使人欣赏，玩味。

漫画这种艺术则与众不同，不管你爱情产生什么酸甜苦辣，在漫画中都是逗人乐的。如若不信，请看这本爱情漫画集。

（1990）

新　房

回忆我的学生时代

为了给孩子们解决住房问题，我发过牢骚，说：“早年当爸爸省事，我却在当儿子；现在当儿子省事，我却当了爸爸。”这话是十年前说的。最近听别人诉说，我才知道，现在当儿子也不那么省事。当小学生的，课外作业一大堆，弄得个个愁眉苦脸，想去玩玩没时间，考试成绩被追得非靠近百分不得安宁。一听这话，我就纳闷，逼这么紧，要这么高分数干什么？前几天，一位初中学生问我当年上学时是怎么过的，我说，上高小和初中很轻松，可说玩了六年，上高中才和现在的小学生那样，紧张得连愁眉苦脸都顾不上了。

我上的是西城礼路胡同一家教会小学，“只记得上图画、手工、体育、唱歌是很用心的，其他记不清，下课怎么玩却是很用心的。我刚从广东来，北京话不大会说，引得同学好奇，都来问这问那，格外友好，处处照顾，爱得比自己弟兄还亲。所以直到现在，好几位同学的名字还牢牢记在心里。下午放了学，便一哄儿到操场去踢皮球，玩得一身汗，才背起书包回家。在路上还左顾右盼，见墙根前剃头的，街上吞大卵石乞讨的，也会站住旁观一番，后来才学会弹球儿，斗蛐蛐儿（蟋蟀）。课外作业不多，晚上在父亲监督下一会儿就做完。他只要听不见我们说话，眼前摆着书本，此外是不管的。星期日查问我们学习情况，问得也很简单，问完就去看他的报去了，很省事。上了初中，情况也差不多，课外作业少，所以有充裕时间看小说。在这三年里，我把《西游记》、《三国》、《水浒》、《说岳》、《七侠五义》之类，凡是有打仗的，都看遍了。还常上西安市场和西单商场去听相声和唱鼓书的，看变戏法，看皮影戏等等。第一学年只有两门功课不及格，没再出毛病。上了高中，就不同了，因要准备上大学，就使劲用功，忙得电影、京戏都不看。但在课余之暇，也和同学一起唱京戏，打球，练双杠，练长跑，演戏。我读的是男校，没女生，演戏我扮女角。在运动会中，我参加啦啦队。我童年时体质不算好，瘦弱，摔跤（北京叫掼跤、撂跤）摔不过人家。在高中三年里才靠体育运动练出一身好筋骨。在“文革”被监督劳动期间，我是最强的劳力之一，那时已五十岁出头，能背动 180 斤一袋的大米包。

上高中时，父母全家都迁回广东，我住学校宿舍。毕业后，学校不能住了，便和同学郭世琦（后改名高天辉，曾在解放军总参任领导职务，1977 年去世）同住西城一家公寓里，准备考大学。当时北京有许多公寓，实是旅馆，但住的都是长年住客，租金便宜，包伙食，对单身汉很方便，许多来京上学的青年便以公寓为家。青年是闲不住的，晚上喝酒、打牌、唱戏是常事，引得卖油鸡的（熟鸡，可抽签行赌，赢了多给鸡肉）和其他小贩进来吆喝，所以有的公寓是不大安静的。我们住的这家公寓，因住的有很多等考学校的学生，没那么乱。考上大学，我就离开北京（那时叫北平），时为1936年夏。

上小学主要是识字，学点算术，背会九九表。教会学校还教英文，除此之外，就是课余之暇中的见闻。初中三年课外最大收益是看那么多古典小说。高中三年课外收获是练强了身体，和因参加体育文娱活动而习惯于群体生活，从中学得书中所无的许多知识。1935年参加“一二·九”学生运动的宣传工作，画宣传画，也开始画政治漫画。作画是从小时开始，读初中高中时也未中断。在高中时画得没那么勤，就是因为功课太紧的缘故。但功课再紧，课外活动并不因此而停止或大为减少。年轻人总是好动的。课外在生活中学习，十分重要，对于以后从事文艺工作的人来说更是如此，这一点我是深有所感的。有的人在学习和工作上缺乏灵活性和创造性，往往和缺乏生活知识有关，许多生活知识在课堂和书本里是学不到的。高天辉和我住同房，他课外常看进步书刊，政治觉悟比我高得多。他很聪明，上课不像我这么用心，可大考前借我的笔记看，毕业考试他名次在我之前，记得他考第一（或第二），我考第二（或第三）。

（1990）

在西安市场听相声

答客问

从事文艺工作四十多年，总会有点成绩，参加了中国美术家协会，被称为画家。人们会想，成为画家可不容易，一定有天才。说来惭愧，我看有些画家确实有天才，可我总觉得自己说不上有的。上小学，也和许多小学生那样，偏爱图工体（图画、手工、体操）。上初中，头一年就大考两门不及格，差点留级。上到高中，才知道用功，那是怕考不上大学，捧不到大一些的饭碗。但因此却养成用功的习惯——所谓用功，是用在课本上，只此而已。从学校出来参加工作，这才省悟在学校里学得的不过是些基础知识，单靠这些书本上的学问是难以应付具体工作的，还须边干边学。好在基础知识学得还可以，再学就方便了。

人自然会问，我学的是理科，做科研工作，怎么会改行干起漫画来呢？说起来，那是许多偶然因素造成的结果。很多人从小爱画画，我是其中之一。那两门功课考不及格，就和画画有关系——上课不专心听讲，都专心在本子上画这画那的，连讲课的老师也画上去。上了高中，知道靠画画谋生之难，不打算学画，三年里很少动画笔。1935 年，北京（那时叫北平）爆发"一二·九"学生运动。我们学校学生会在学联中分担宣传工作。同学知道我会画，我就干

“一二·九”学生运动时画的宣传画

起画宣传画的事来。学生运动起因是反对国民党当局对日本侵略妥协，从华北几省撤出军队，实行所谓“华北自治”。画抗日侵略的宣传画，正是漫画题材。我也和别人一样喜欢看报纸刊物上登载的漫画，便学着画起来。这些可说是我的漫画处女作了。上大学期间正是抗日战争年代，学校迁到四川。上课之余，参加学校里话剧演出活动。一次偶然机会，夜间演出后几个同学回宿舍，路过小饭铺去吃夜宵——吃碗担担面，就着花生喝几口酒。我们几个人，有会写诗，有会木刻，有会作曲，有会画的，物以类聚，说话投机。酒酣耳热，那位充任导演又能木刻的老季提议：“咱们也办个壁报吧，办文艺性的。”于是就办起来了。每周一期，各负其责，我专画漫画。如此这般办了两年多，我画了上百张漫画，创作经验积累下来，练会了一些漫画基本技法，也长了信心。抗日战争胜利结束后，还在几个城市举行过漫画展览，终于决心辞去干了四年的科研工作，跑到上海画漫画去了。

我的原工作单位是国内有名的，对工作我也很感兴趣，有成绩，和同事们的关系很好，至今没断过联系。跑去中国漫画的摇篮上海，那是我没在那里生活过的地方，孤身前往，吃住问题全无着落，是带冒险性的。单位领导为我担心，说万一困难无成，可以让我回来。新中国建立后，我从香港回到北京，就“回来”过。那时单位已从四川迁到北京，我是“探亲回家”来小住几天叙叙旧，我已是以漫画为业的一员了。

人自然也会问：从小爱画画的人成千上万，可终于以作画为终身职业的人并不多，这里又有什么缘故呢？说来也简单：一是人的爱好多样，小时候爱画，长大了会爱上别的什么，不再沉迷于作画了；二是和我曾想过的一样，靠画画吃饭难，不如干别的，只好割

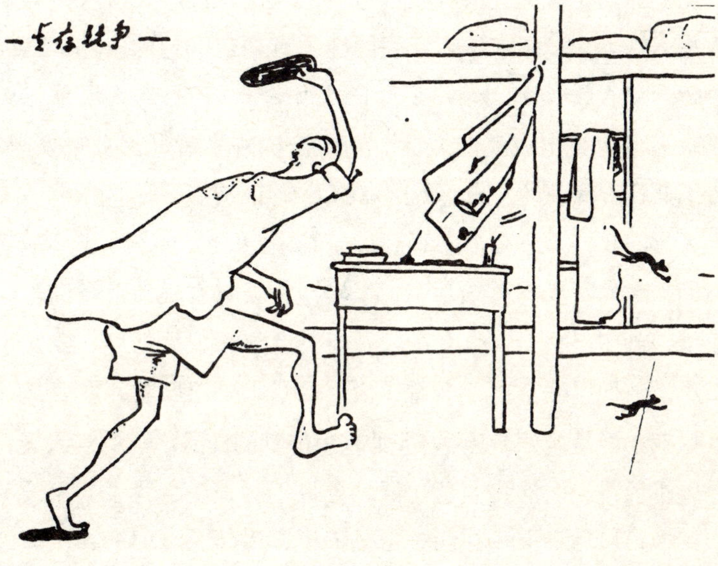

（墙壁漫画）

爱；三是发现自己缺乏作为职业画家的条件，忍痛放弃。多年观察使我感觉：上大学，学工科、理科，学经济、法律等等，毕业出来工作多年，就会成为工程师、研究员、教授、经济学家……学文科、学艺术、学体育就不一样，毕业出来，当教授、研究员、理论家……是可以的，成为作家、诗人，艺术家，体育健将，可就不容易了，因为除了学得的知识之外，还须有其他条件——其中有各方面学识阅历等等，还涉及个人天赋条件。以体育运动来说，打乒乓球、羽毛球都要求反应很敏捷。对诗人来说，就需有诗人特具的才情才写得好。文学作家、艺术家同样须有各自一定的条件，正如杰出的政治家、数学家、发明家、工程师那样，不是人人所能，单靠勤学未必可达突出成就的。世上勤学苦练的学者、艺术家多得很，像爱因斯坦、卓别林、梅兰芳这样的人有几个？

人常问我，为什么爱起漫画，而且爱得干一辈子？我是似乎有这方面天赋的。我有自知之明，老实说，天赋有限，至今仍苦于眼高手低，创作上吃力，少有所成。但机遇给我很大帮助。我父亲从不看小说。他见别家孩子会看小说，便买一部给我看，意思是让我学。这部小说是《西游记》，那是充满幽默的作品。我看得入迷，一得空就不放手。他怕我误了功课，再也不买小说给我了。我没有多少零用钱，可巧我家住在西安市场附近，里面有个旧书铺，可以和老板换书，我就用这部《西游记》换一部薄些的小说看。看完这部，再换一部更薄的。实在没可换的，便多少添些钱换同样厚的书。其中我最爱看的是《济公传》、《徐文长故事》之类逗笑的作品，还爱看打仗的。在读初中的几年里，我把这家书铺里所有我喜爱的旧小说都看个遍。市场里还有曲艺表演，有皮影戏。曲艺之中常有逗笑的情节和表演，连说评书都有“无巧不成书”和“无笑不成书”的

在西安市场书铺里买书（小说）换书

谚语。相声表演更逗笑。我是这市场的常客，还常跑到离此不远的西单商场看相声表演。漫画和相声都属于笑的艺术。我从事这种艺术所需的幽默感，就是在这市场里熏陶所得。所以我说过，我是“市场文化”出身的。

有人也会问，你在学校壁报上只画了上百张——也许将够一百张漫画，就练出了漫画的基本技法，是不是能在壁报或板报上发表一二百张漫画的人，也可以参加到美协，成为美术家中的一员呢？

当然有可能，但还要看条件。漫画是笑的艺术，是以幽默为艺术手段的，这幽默，就是漫画的一项不可少的基本功。幽默是一种很难于掌握，须有一定文化艺术修养才能运用自如的艺术。对幽默艺术所知有限，艺术手法也有限，创作难以达到较高水平。漫画又是评议的艺术，对社会、对人、对事进行评议，自然须有一定的观察和判别是非，以及发表适当见解的能力。如果仅知评议有关违反交通法规和随地吐痰之类的事，创作题材未免太窄。漫画又是造型艺术，须有一定艺术造型能力。如此等等，都是条件。总之，需要勤学。我没学过绘画。学过的仅只有在小学和初中上的图画课，画个苹果，画个茶壶那么一点点。我靠的是平时写生，靠速写，靠在创作实践过程中逐渐改进。知道自己天赋不高，多下点功夫就是了。也体会到幽默是和学识与修养同步的，早年因是隔行，看文艺作品很少，不得不急迫。常逛书店，见好书就选购，特别留意有关幽默讽刺性的作品，所以家里书橱装满中国和外国古典的、现代的这类书籍。见到笑话、相声、喜剧、漫画和有关幽默理论的书，是必买的。我家最体面的家具就是书橱。

有人说，他家孩子缺乏绘画才能，只好去画漫画。有些漫画确实画来容易，学习也易于上手，哪怕画得不大好，只要有趣，报刊会采用发表。有些画多出于模仿，也可能采纳。漫画本来就是以谐趣动人的，画得是否看来像艺术品，读者并不介意。但是，要充分显示出漫画的艺术性和社会评议功能，画得像杜米埃、大卫·罗或库克雷尼克塞的作品那样动人心魄，那是另一回事了。有人问：为什么曾在美术院校深造过的画家之中，画漫画的那么少呢？原因自有种种，其中之一是画不了，或是画不好，因为漫画的特性和美术院校所教的其他绘画不同，创作思路不一样，没有一定实践经验是画不了或画不好的，特别是那个“幽默”实在不容易学。从这点说来，漫画学来也不易——就是说，想画好是不易的。其实，学习什么也常是这样。例如写文章，我们上初中就有作文课，学生都会写点文章，写“假日郊游”，写“我的妈妈”等等，但要写好，也同样不易的。

因为画漫画，又写文章，有人来约稿，整天从早忙到晚，没多少时间让我读书。只好尽量利用工作间歇的空子来读一点，可说每日不断，以此维持自己的艺术生命不至日趋衰老，就和吃维生素药丸那样。

画漫画是很费神吃力的，但很有趣，也于公于私都有用，能使人乐此不疲，所以我还要干下去。

（在2003年10月之前，我所居宿舍很窄，整天忙着画，忙着写，星期日一样）

我和新闻漫画

漫画和其他绘画不同，它是评议性的画，是一种讲理评说的艺术手段，但不像一般论文那样用逻辑推理，抽象思维方式来评说，而是用艺术手法，主要以形象表现的。所以它既有情理说服力，又有艺术感人的效果。它的寓庄于谐的表现方法很能引起众多读者的兴趣。因此，各国报纸纷纷采用漫画作为评论形式，取其强烈动人的评议效应和艺术形象对读者的吸引力，使新闻传播更加深广，又利于销行，增加经济收益，漫画便和报纸结下不解之缘。

我是1946年开始从事漫画工作的。投稿到报纸，第一幅发表在北京《新民报》上的就是政治讽刺画，讽刺国民党政府的官僚。后来在上海《大公报》、《文汇报》等发表的漫画，都是和新闻密切相关的讽刺画。我为《观察》半月刊主编漫画版，又兼特约撰稿人，画的也都是从新闻取得题材的政治讽刺画。期刊的新闻性比不上报纸，但我这些画都是对时事的评议，有一定的新闻价值。

1948和1949年我避居香港，继续画政治讽刺画投稿到报纸上。那时正值解放战争后期，时局变化快，解放战争胜利消息天天有，看到报纸上的新闻，立即选题作画送到报馆，次日见报。

在朝鲜战争初期，我在北京《新民报》工作，和钟灵同志合作，投稿到《人民日报》上发表。《人民日报》范长江社长常亲自组稿，夜间派一辆车，把张光宇、张仃、丁聪和我们两人接到报社，向我们讲解抗美援朝战争形势和新收到的消息，我们就此作画，很快在报上发表。我调到《人民日报》工作，作画都是根据报纸新闻和编辑部的需要而为。在援越抗美战争期间，我正上中班——从下午到午夜。白天上班做漫画方面的编辑工作，看报纸和文件。晚上看不断收到新华社发来的新闻稿，参加每天21点举行的国际部夜班的编前会，根据新得来的消息、评论和部里的要求作画，午夜交稿，次日和消息或评论同时发表。这种与新闻报道紧密配合的漫画，实质上和文字评论同功，是新闻评论的一种形式，阐发报纸编辑部的观点和主张，也是反映广大群众意见的社会舆论。报纸的评论有的与新闻密切相关，有的是对某一时期众所关心的社会动向和社会问题所作的时事评议，两者都是新闻评论。其他与新闻有关的评议形式的漫画也与此相同，都属于新闻漫画。

英国著名漫画家大卫·罗于二次大战期间在报上发表的政治讽刺画，许多国家转载，影响很广。他的工作情况是看了当天报纸消息后动手作画，次日发表，和新闻跟得很紧。但并非每幅都是即时新闻的评议，而常是对时局一般的见解，如讽刺希特勒的狂妄，讽刺张伯伦（当时英国首相）对希特勒的绥靖主义政策等等，这也是与众所关心的时事问题密切相连的。前些年越南在侵略柬埔寨时大批驱赶越南难民，西方报纸对此发表不少漫画，经久不断，仍不失其新闻性，有它的新闻价值。美苏裁军谈判历时数十年，报纸发表的评论和漫画也连续数十年。国内许多社会问题，例如干部工作态度问题、卫生问题、婚姻问题、官僚主义作风问题等等，报纸常发表消息报道和评论，也发表与此相关的漫画，都是时事评议，有它的新闻价值。还有报道性的漫画，例如在运动会期间的一些情景、

奥斯汀："我们是多数。"

马立克："看谁是多数?!"　　　　方成　钟灵

灾区见闻之类，属于新闻报道性质。

许多国家报纸的新闻漫画一般登在新闻版，副刊则登载非新闻性的连环漫画和幽默画，很少登新闻漫画的。我国报纸则常将新闻漫画和非新闻性的漫画合登在漫画版或漫画专栏，类如副刊。这样的处理，反映出许多报纸编辑对新闻漫画的性质和作用认识不足，或不了解，因此不甚重视。有的编辑将漫画看成“活跃版面”的作品。漫画很醒目，确实起着活跃版面的作用，然而它主要作用并不在于此，却被当成新闻的附属品和装饰性的东西，可有，也可无。但有了漫画稿，不能不登，就干脆另辟一块版面，给主张登漫画的美术编辑，于是新闻漫画就和非新闻漫画共处了，结果使新闻漫画难以充分发挥作用。一幅有关长白山森林大火的漫画和新闻同时发表，要比过几天之后在漫画版和非新闻漫画一起发表，其新闻效果自然强烈得多。

许多报社有漫画家任编辑，但并未被看成评论人员，而是当成一揽子美术工作人员，时间多用于画刊头，写美术字等报面美术工作上，没有文字评论人员那样的条件，也缺乏如记者那样的采访报道条件。漫画既是一种评论形式和报道形式，又是艺术品。漫画工作者当然也需有一定的艺术创作条件，才有利于创作，这一点更不易为报社领导人员所理解。这都是对新闻漫画认识不足所致。

我在《人民日报》美术组，安排的任务是专管漫画方面的工作，这使我有充裕的时间和精力集中在评论业务和创作上。也有利于组织漫画稿和处理漫画稿件，比许多同行处境优厚得多。倘无此工作条件，会遇到不少困难的。

如果问我，在新闻改革中有什么建议的话，我就想提这一条：充分认识新闻漫画的性质和作用，更好地运用它，并注意培养能胜任的新闻漫画家。

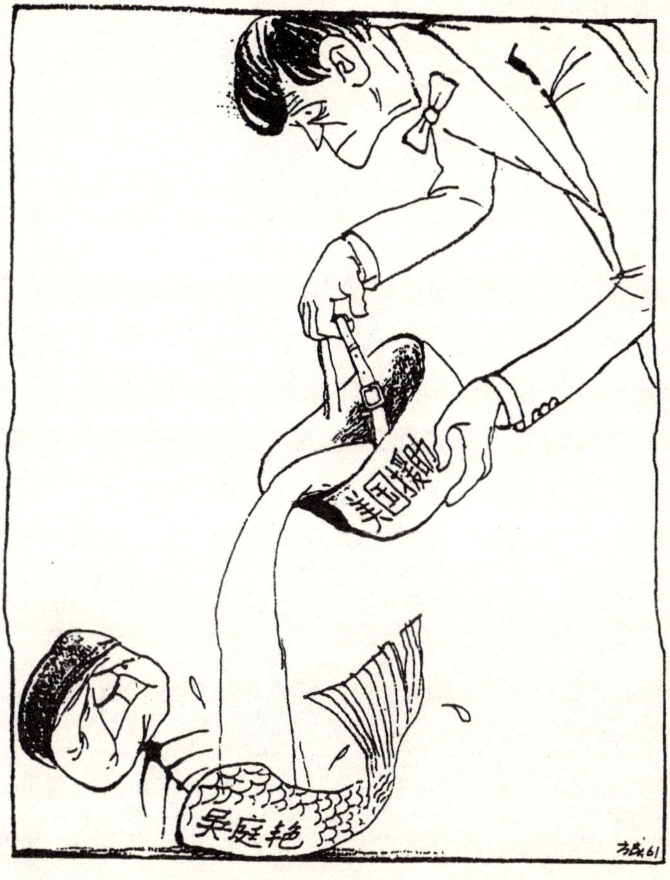

——越南南方反动政权败局已定，美国总统肯尼迪力图挽救。

圣水?

刻闲章记

书法家自号“大康”的康殷先生和我是老朋友，见我有时也画张国画人物，闲章仅有一枚，就要给我再刻一枚。我知道他精于篆刻，当然喜出望外。但闲章上刻什么词，一时想不出合适的，便请他暂缓，等我想出词儿来再动手。传统中国画上有题词和名章之外，多数还盖有一个以至两三个闲章，章上刻的是画家表心志或其他含义的词句，如“天道酬勤”、“学到老”之类。最近见詹志峰为书画家们刻的闲章，有刻创作年代的，如董寿平的“寿平八十五年后作”，范曾的“四十以后所作”。有的刻居所斋名，如白雪石的“何须斋”，李可染的“师牛堂”，何海霞的“双榆结屋”。有刻画家原籍的，如关山月的“家住漠阳江畔”，王子武的“长安人”。有的刻艺术观、创作态度的，如杨之光的“借鉴古洋寻我法”，何海霞的“知不足”。画山水的亚明刻的是“山河壮丽”，李可染刻的是“为祖国山河立传”。崔子范画花鸟，刻的是“花鸟天趣”，王玉珏刻的是“草木关情”，等等。还有别出心裁带幽默感的，如刘炳森闲章刻的是“幼年自号刘五先生”，杨延文刻的是“疙瘩延”，林墉刻的是“不食龙肉”——我也不敢吃，如果指的是蛇，倒还可以。可见这闲章上刻的词，是颇有学问，也大有文章可做的。

令我最佩服的，是侯宝林的一枚闲章：“一户侯”。十几年前我发现在他书法幅中盖的这枚章子，就忍不住笑起来。那真是艺术杰作，和这位相声幽默大师的艺术特色完全吻合，现在一想起来还觉得余味无穷。在闲章刻词上我是用过心思的。我那唯一的一枚闲章，刻的词是“挤而后工”。我想的是，我有不少的画和文章都是被人硬挤着画出来、写出来的。因为来约稿的大都是熟人或朋友，我被挤得不能不写，不能不画，为此写得多，画得多，就越来越熟练越顺手了，便想起这个词儿来。大康为我刻的这一枚，因急着想要，我不断在思考，终于在四年之后想出个比较合意的词：“我画我的。”这是由《毛泽东选集》里“你打你的，我打我的”所得启发。我没画过传统中国画，所画人物是按我用惯了的漫画式的简约画法，和常见的传统国画画法近似而不全一样。我想今后还要再添增些漫画风味，使之更具特色，所以表白“我画我的”。我还想刻一枚和这种画法相谐和，带点漫画味的闲章，便仿照国画家的办法，刻上原籍，这就是后来请朋友刻的“中山郎”。有人见了曾发一笑，看来有点效果。

画上闲章虽小，刻字不过三五个，但这么小小的一点红彩，在画面构图上既有平衡和美化效果，又为作品增其意趣，看来很像一种最短的小品形式。刻词不妨称之为“闲章文学”，是中国艺术中的一大特色。我没研究过中国画，不知道曾否有人研究过闲章中的“闲词”，倘有的话，说不定会出现一种“闲词学”呢。

从吃说起

在南方听到这样的话：“北京人敢说，上海人敢穿，广东人敢吃，东北人敢干。”我是属于敢吃类，狗肉蛇肉那算家常菜。吃过船上捉的老鼠肉，小时候还吃过烧烤蟑螂——吃这东西须有点技术，现在，打赌我也不吃了。但不会做饭菜。“文革”一来，先把我家保姆革走，后把我相处二十多年的爱人革没了，剩我一个人带三个男孩，不得不亲自下厨房。几年来，吃的是炖的，煮的，炒菜嫌麻烦。但我的豆制品炖肉还不错，待客时少不了它，侯宝林管它叫“方家菜”，意思是说比他的侯家菜差得多。现在人老了，报上说，老人缺钙，须常吃骨头汤补一补。骨头汤自然是美味，街上卖的馄饨汤就是骨头熬的，很可口。我就常买排骨或腔骨，高压锅煮烂，汤倒出来，骨头软得我那老而还没掉的牙能嚼烂。肉捞出来放佐料加加工，变成类似肉酱，冰箱里放着能吃几顿。那汤呢？把上面的油去掉，煮萝卜就是排骨萝卜，煮白菜就是排骨白菜，都是肴中珍品。只须二十多分钟，加个生拌莴笋或黄瓜就开饭，很省时间。

更大的好处是得劳逸结合之效。“文革”革掉了我十年光阴，得抢回来。一早起床就往书桌那边奔，手脑不停。虽已离休多年，可干我们这一行的只能离而不能休。干着干着，觉得头发涨了，抄起菜篮子奔市场，头脑立时松弛下来。或是奔厨房，做菜吃饭，不仅放松了头脑，也活动了筋骨。人常问我，平时练不练功，我说用不着练什么功，我手脚常活动，也是一套功夫。我的老乡刘工程师爱烹调，又勤于内务，腿脚可灵，精神饱满，乘车没人给他让座，谁也看不出他年逾古稀。钟灵也是烹调爱好者，客人一来，他就抢着围裙进厨房，爱猫协会会长的老伴只得当下手。至今他还保有乌云般的头发，倘非因嗜酒如命——今已改过，可惜迟了些，脚比现在更野。他已年届古稀，宰鸡褪毛还是挺麻利的。

习惯成自然

1. 上了年纪的人，谁不想省点力气？可我性子急，宁可爬几层楼梯，也没那耐心等那玩意儿把我提上去。

1

2. 骑车自由自在，又不挤，他乘汽车，我行我素。

2

3

3. 我不戒酒，可不像他那样豪兴不减当年。

4

4. 这是更有效的休息。

5

5. 谁能没有点窝心的事？反正事已如此，看段相声表演，也就过去啦。

6

6．夏日炎炎正好眠，我是既眠之，也泳之，两不误。

7

7．这是休息。

谈好处

实在不大想向《老人报》投稿，因为一投稿就显得自已确实老了，但不敢违希晨老弟之命，只好写来。回想二十年前在王府井大街，一个外地青年问路，敬了我一声："老大爷"，使我心中为之一震。"大爷"虽说好听，入耳却不受用。那时我刚年过半百，自觉离"老大爷"还远着呢，却被那不知趣的小伙子喊老了。现在，照照镜子，头发没染，尚未显灰，还看得，可中年人也喊起"方老"来，孩子们更是扯着嗓子叫"爷爷"，不得不听，听惯了，渐渐耳顺，虽说我早已过了耳顺之年。事到如今，只好认了。

其实，说良心话，老也有老的好处。看别人家，女婿给老丈人拍马屁，献这献那的，很是心羡。我命中无婿，享不到这份乐趣。但我们究竟生在文明古国，敬老之俗未泯，而送礼之风看涨。人家知道我是酒烟之徒，由是家中存酒日积月累，看着就开心；烟也能抽上买不起的洋货，生活改善了。此外还有专供敬老的人参，和我叫不出名字那什么兽的肚脐上的东西。看来不似可口之物，一直不动它。因眼睛耳朵须加保护，遵医嘱吃些维他命来维一维，也泡些枸杞子酒，意不在补，主要爱它爽口好喝。对补品我没在意，广东人最讲究补，可补来补去，个子还是瘦小的多。有人劝我戒烟，我戒了一半。有人劝我戒酒，那是因为他还不知道我喝酒乃雅好而已，没瘾。少饮无害，这是医生说过的。

我颇性急，不过急也有急的好处。走路急急忙忙，速度快，有时不免撞人，但养成快步走的习惯；为抢时间常骑车，都锻炼了腿脚，还可防止头脑反应迟钝的毛病。洗衣服急于求成，在院子里洗起来，水花四溅，行人远避，无形中练了双臂，即使比我小一二十岁的人，掰腕子能赢我的人是不多的。

至今离休近三年了，实离而未休，工作不止，天天在忙。但忙也有忙的好处，没工夫去想那些伤脑筋的闲事，少生闲气。当年住“牛棚”期间，我荣任众牛蛇之长，比其他众神要忙些。动作勤快，“老三篇”也背得烂熟，获造反派宽待，最后被评为“玩世不恭”，而体质反而比入棚前显得粗壮一些。人越忙，事越多，因而常有机会免费远行，工作之余见见世面，会会朋友。

年轻时曾患失眠，至今不时重犯。失眠是病，当然不如不失为好。但我想，既失之，则安之，也会有好处。一睡不着，立即翻身爬起，走向书案，拿起笔来，或写或画。这些年有几篇文章几幅画便是在失眠之夜完成的。一完成或尚未完成，就渐渐眼乏脑倦，往床上一躺，便入梦乡。只须起床时悄悄地，莫动醒老伴，否则她会下令：“躺下！”后来才想出应付办法。她说：“躺下！”我说：“我上厕所。”一去不回，她便不再问，只顾打鼾了。

（1989）

和田原比腕力

挤出的诗

我在报社当了几十年美术编辑，任务分配到漫画工作上——约稿和创作。在新闻工作中，漫画主要作为新闻评论的一种形式，为新闻传播服务，所以创作总是和新闻步调相合，出于有感而发的。还经常受其他报刊之约撰稿，创作就与此不同，往往是被催着画出来，而且也常不想画，又碍于同志情面，不得不挤时间找题材去画的。这样的作品，我说是挤出来的。写文章更是这样，挤出来的恐怕占多数。所以我出了一本文集，书名就叫《挤出集》。因为常常被别人，或是被一时情势所挤，我的画和文章也就不断在报刊上发表。发表越多，被挤的机会也越多，使我日夜老是忙个不了。累是累的，可时间久了，也觉出挤的好处来——本事见长。这挤，确是一种创作动力。原本以为难办或是办不到的事，一挤也就办成了。俗话说："人急了上房，狗急了跳墙，兔子急了敢咬人。"这急就是挤出来的，挤出平时不觉不显的一种很大的潜力来。

近年来，我被挤着写起诗来了。我哪里会写诗？但为形势所迫，也就是所挤，不得不写。这种挤法和挤画挤文章不同，且听我道来：

话说有那么一天，书画界的朋友相约，来一次笔会，在一起写的写，画的画。我画的一幅，刚画一半，就觉没画好，打算撕掉另画。旁边一位小姐手快，抢过来说：“我要，给我吧？”我就当废纸给了她。不料过几天，她来到我家，拿出这张废了的画稿要我签字盖章。这种东西当作品送礼，多丢人啊！可姑娘家是不好对付的，怎么办呢？于是想起打油诗来。这是一种颇为滑稽，可用白话写的诗，我没写过，就学着来吧。便在画上写这么几句：

本来打算撕掉，无奈小姐想要，
只好签字盖章，看了请勿见笑。

说明这是一张打算撕掉不要的东西，是硬被要去的。这才敢于签字盖章。

又一次，老朋友作家单复介绍一位先生来信，要我写个条幅。单复的情面是不能驳的，不得不写。我哪里会什么书法？毛笔字写出只能算涂鸦，在为难之际，使我又想起打油诗来。我写的是：

平时只顾作画，不知勤习书法，
提笔重似千斤，也来附庸风雅。

写完下面配一个小插图，说明我是书法不行，硬写出来的。

文艺报包立民有个珍贵的册页，请许多画家画自画像，还配上诗文。他请钟灵画的那张像，指定要我配诗。钟灵是我几十年艺术合作的老朋友，更是非写不行。写他，对我来说还算不那么难，因为我最熟知。我写的是：

曾和主席下过棋，城墙书法挨过批，

白石门下称弟子，《黄土地》里充司仪。

这里需要加上注解：他是老延安干部，在《毛选》里《反对党八股》一文中，毛泽东同志批评城墙上写的“工”和“人”这两个字，就是出于钟灵老兄的大手笔。他曾拜过齐白石为师——虽然没来得及学他的画。在电影《黄土地》里，钟灵扮演结婚仪式中的司仪。

有时我也被挤着画个国画式的人物。画面单是一个人，看来总感不足。我国传统国画上多有题诗题辞，特别是文人画，都是诗画相配，借画抒情的。我也得学题些字，想的自然还是打油诗。画花和尚鲁智深大闹五台山，脚踢庙门，题的是：

原本是将才，被逼上五台，
佛门关不住，一脚踢开来。

画一幅猪八戒背媳妇图，画上题的是：

西天拜佛祖，凡心难去除，
今天你有意，明天我还俗。

在漫画上配诗，别有风致。廖冰兄善于打油诗词，使漫画的表现手段更加开扩。我早就想学，一直没学会。如今被人一挤，挤出点门道来，不妨多试。朋友老李的册页上，我画的是一位歌星在唱。我刚看过几次歌星表演，特别是看卡拉 OK 中的歌，觉得许多歌词写得内容雷同，词又不美，唱起来曲调也差不多。在画中就配上一首我的所谓打油诗：

绮丽绚妆红粉黛，腰肢摇摆美姿态，
轻吻话筒启莺声，哥哥妹妹我的爱。

因为见过几次长幅国画，画的是百兽、百禽之类。这也是国画的一种形式，这种形式须用得适当，但我见过用得不当的，由是有感而画了一幅漫画，画的是我自己画了一幅百蛋图，图上题的是：

百鸟百兽百禽雏，绕壁千尺长画幅，
巨作煌煌气宏伟，效颦画张百蛋图。

形势越逼越紧，写打油诗已觉不足用了。这是最近发生的事：一位同志来索画，我刚画一幅花和尚，就送给他。他是行家，就说，画面太空，得题些字才好。题什么呢？想来想去，就想起廖冰兄的“打油”词来。我不会填词，只好照猫画虎，硬填一阕“长相思”：

肉也罢，酒也罢，照样吃喝不算啥，当和尚是假。

天不怕，地不怕，跟宋哥哥打天下，拉皇帝下马。

今年初，在石家庄，住在韩羽家里，应《杂文报》之约，和韩羽两个合作，填一阕“西江月”：

杂文不是漫画，说来本是亲家，别看篇幅都不大，人们偏爱看它。

一个圈圈点点，一个勾勾画画，一样菜两样做法，味道酸甜苦辣。

下面画红的绿的两个辣椒。

人是有惰性的。从小就显出来，先是不肯洗脸，连哄带逼才老实让洗。长大了不爱上学，连说带劝才噘着嘴背书包走。长大成人，参加工作了，倘非怕犯纪律，决不肯按时上班，按时下班的。有什么办法呢？只好逼，也就是挤。挤得他学习，挤得学点本事。说实话，倘非是挤，我是什么本事都不会的。

想不到的好处

我有个绰号，叫“运动员”。不是开玩笑，是在文化大革命时期的批判会上“造反派”当众这么叫的。

这么说，也合乎事实。几十年里，一来什么政治运动，倘有目标，“众望所归”的一定是我。因为早先受过大学教育（那时一致承认是资产阶级教育）的，是我；解放前避居香港住过几年的，只我一个，有海外关系而且不少的，还是我。首当其冲，是没说的了。

实际上，我真算得是运动员——体育运动员。从上小学起，我就好玩球：岁数小，个子不大，玩的是在地上弹的玻璃球儿——手指头运动。上初中，个子大些，玩乒乓球。上高中，身高 1.7 米还要多，打排球。要不是怕碰坏眼镜，篮球、足球也会玩的。上大学，打网球和排球。到年逾“不惑”，大球不能打了，还打乒乓球，曾一度荣任人民日报社乒乓球代表队的队员。

我常说，上大学理工科，只要用功，拍拍脑袋就是一个，大小准能成个材。文学和艺术就比较复杂，要成材还需看其他条件。矮胖子多么用功也学不成芭蕾舞。大学理工科毕业，工作若干年，参加个什么诸如“工程师协会”之类的组织，不算新鲜；文学系学生毕业后工作若干年，要成为作家协会会员，就得看谁有能耐了。后来我凭自己的经验得知，体育运动也和文学艺术一样，成材也得需要看其他条件。弹玻璃球，我的技术还可以。别的球类，哪样我都下过苦功，可哪一样也练不好。在乒乓球正式比赛中，我是保持着不胜纪录的。学游泳，我学自由式，教练看着就觉得奇怪。教别人，个个都游向前进，唯独我，游起来是倒退的！终于学不成，只会学仰泳和蛙式。虽然也参加比赛，名次总是排倒数若干名。

我还练过跑，练过双杠，练过溜冰，结果和球类运动一样，都离成材十万八千里。论体型，论气力，我敢和差不多的运动员比一比。说我笨，更不服气。倘说我不够体育运动员的材料，我服！

但我之所以亲近体育运动，是因为运动有益健康，这已是小学生都懂的真理。多年的运动，使我赢得了“你越活越年轻”的赞语。这说明体育确有延年益寿之功。

但还有一样好处，是人们仍不大注意，我自已也没想过的。

那是在“文革”期间，我被“造反派”揪了出来，始则“勒令”劳动，干体力活去。继而赶入“牛棚”，再而“发配”千里之外的农村，仍在干校“革命派”监管之下劳动改造。执行监管的多是年轻小伙子和姑娘们。一见他们，我就不那么担心了。因为其中有打乒乓球的球友，有游泳池中一块儿“煮饺子”的池朋。他们在训话时，自然是正颜厉色，背后却暗讲交情，大概是过去乒乓球台边和游泳池里结下的交情起了点作用。

这一切似乎和体育无关，但细一研究，却有因果。是体育把生人变成了熟人，亲近了人与人之间的关系。在工作单位，各部门大都有我的球友。在编辑部不消说，在行政、出版、发行、工厂等各部门里的干部、排字工、印刷工、厨师、勤杂工等等，到处都有。俗话说，熟人好办事。我到哪个部门办事真的就比较好说话，大家都和和气气的。连副总编辑见了我也不好意思摆架子，他也是咱球友。

只要留心观察，在不少单位里总有几个这样的人：走路目不斜视，面无表情，碰见熟人也像在大街上见着生人那样。我敢说，这样的人多半是不参加体育运动的，或者参加了也没尝到在体育运动中“找熟人”的甜头——他总和人家“犟劲”。只要他下决心进运动场所活动活动，有意识地注意一下，就能有所改变。谁若不信，可试试看。

在“牛棚”里

毫不新鲜话读书

古人说："书到用时方恨少"，我的实感却是"书到用时始觉多"——多得看不过来。我从事艺术工作，是"半路出家"，该看的书，都是在而立之年方开始过目，起步已是很迟，再加"文革"革去我十年从文的时光，现在只有拼命追补了。

我是漫画工作者。人到中年，自然全在画上下功夫。人到老年，就想在告别之前，给后来者留下点什么，便写写经验，讲讲艺理。要写，就须多看书——不仅是讲艺术和漫画的，还有和漫画沾亲的相声、杂文、喜剧以及一些诗文和小说。

离职休养了，但离而未休。许多事不能不做，既要编书，还少不得应约画画写写。遇到什么周年纪念，开幕志庆也少不得随喜动动笔。再有什么座谈会，上讲堂，开画展等等，还有各式各样想不到的事，不得不急着去办，结果日夜忙得把读书时间挤到墙角上去了。在报刊上常可见到讲什么人如何在忙中读书的介绍。说来说去，不外乎在吃饭、如厕、睡前、马上——也就是在旅途中，挤时间去看书。和我一样，常人也多如此，毫不新鲜。讲到方法的更多，但我不大注意，所知也就是如何细读、通读、批注之类。于五柳先生的"不求甚解"，众说纷纭，公婆都有理。

戏法人人会变，读法各有不同。我刚上初中，家父教训说："瞧人家的孩子，没上初中就会看小说了！"于是给我买一部线装《西游记》。我越看越上瘾。他见我看得茶不思，饭不想，怕误了功课，就再也不给我买了。我的零用钱很少，买不起书。我家住西四牌楼，附近有个西安市场，那里有各种小吃摊和曲艺、杂耍，还有个买卖旧书的小书铺。我和那掌柜的商量好，把看过的《西游记》换他一部薄些的书。看过后换一部更薄的，到无可再薄，便添几个钱换一部厚的。如此这般，两三年里，这家书铺所有线装的，一折八扣影印的，凡有武斗打仗的小说，如《三国演义》、《水浒传》、《说岳全传》、《七侠五义》等等，都看个遍。那时是看故事，章回小说每回前一阕"西江月"，回后"有道是……"和"叹曰……"等等，人物出场头戴什么，身穿什么，腰系什么，足登什么，还有形貌的大段描写，一概越过不看。不识的字也学五柳先生的不求甚解，把"措手不及"读成"借手不及"，"居心叵测"读作"居心巨测"，这就看得快，看得多，随之长了不少知识，鼻梁也架上知识分子标志的近视镜了。

干上漫画这一行，因性相近而看幽默讽刺性的文艺作品，凡小说、相声、喜剧、笑话之类，见了就掏钱，买回来就看。这些都是轻松有趣的书，与我有同好者不少，此事也不新鲜。不同的是，或许因多年科研工作的积习，养成爱抄书作笔记的习惯，看有什么喜爱的词句、段落，便抄下来，连报纸杂志上发现的也抄。我的办公桌和家里书桌上都常备个杂记本，有时听到有趣的话也记上一笔。来不及记的，就在书上作个记号——当然是自己的书，等有空时再抄。"文革"期间，在牛棚里唯一读物是宝书《毛选》四卷，在改造或劳动之余，便做这部书的索引。"文革"后期，虽出牛棚，暂离干校，允许上班了，而工作仍属改造性的，体力多于脑力。为免乱想乱动，也就为官定可读的《鲁迅全集》作索引，按自己所需做的。例如，有一篇文章里有这么一句“在我的后园，可以看见墙外有两株树，一株是枣树，还有一株也是枣树”。在我做的索引“枣”字中，便可查出这句话是在第2卷157页里。再如这一句：“那时候，只要从来如此，便是宝贝。即使无名肿毒，倘若生在中国人身上，也便‘红肿之处，艳若桃花；溃烂之时，美如乳酪’。”一查“肿”字或“乳”字，便知这话在第1卷395页。正规索引没这样做的。有一次，见《羊城晚报》一篇文章，说鲁迅曾创造两个字，一个是“猹”，一个是“从”，并说“猹”字已入词典，而“从”字没收入。我写道：鲁迅还创造一个“婎”字呢，并说“从”和“婎”与“猹”不同，不能纳入词典——至少目前入不了。因为在我做的索引里便有个“婎”字，在第3卷87页。

1978年，和侯宝林谈起幽默问题，引起我的兴趣。写了五万字的论文，其中引用了中外作家的一些话语，都是从我几年前的笔记里抄来的。有些原作内容已无记忆。读者看了，总会有人以为我是博览群书、博闻强记的博学家，其实是靠抄书来的，并无所博。可话说回来，我也真有点像博览群书——把书都展览起来，没那么多时间去逐一阅读。我有的书，装满了五个大书柜。缝纫机上、饭桌上、窗台上、箱子上、床上、地上，到处是一摞摞的书。并非买不起书柜，而因屋里再也找不出可放书柜的地方，群书只好大面积博览。

对于卫生，我是个折中派。说戒烟，我戒一半；说戒酒，也戒一半。说吃饭戒看书，我看不费脑，不影响消化的那种书——也算戒一半；说不要躺着看书，我半躺着看，看不影响睡眠的那种。上厕所，医生没说什么，我就无所顾忌，只要没人敲门，尽兴看下去。出门乘火车，一个来回能看一两本理论性的书——自然是粗读。其实这都属于一般读书人的常事，算不得新鲜，一个活人能在忙中利用的时间，不过就是这些。除了病中之外，决无睡中也看书的。

现在苦的是，不想买的书到处可见，想买的书常买不到。伏尔泰的作品，书店里已多年没见了，老舍的文集最近也不照面。在"文革"中被抄几次家，所失的书，有许多再也买不回来。各城市街头书摊小贩甚多，我每摊必看。诸如"奇案""失踪少女"之类的书，印数常达数十万册。新近出版的《中国漫画史》这样重要的书，印数仅三千多本，不够全国图书馆收藏的。北京买不到，上天津去买，最后上武汉才买到。再过两三个月还想买呀，没门儿！我出的书更不用提起，在北京最大书店里也没见着。新近将出版我主编的十种外国著名漫画家的画集，国内少见的，三联书店范老总还要亲自设计，印出宣传介绍单，由我向各地分发，以使需要者都知道怎样去买，可以方便地去博览群书。形势逼人，总会逼出办法来的。这已是题外话了，是从自己看书难而联想到别人看书难。这事其实也不新鲜，人家几年前就叫喊过。照目前情况看，还得叫喊几年。不信看华君武在1978年发表的一幅画，画的是上书店买书，须用望远镜才看得清楚。今年是1987年，这幅画仍不过时。照此看来，你现在买个望远镜，带着去书店买书，保险还能用个十年八年的。当然，希望我估错了。

（1987）

书刊发行
这位老爷爷还可以！

笑的艺术

人高兴就笑，急了要骂，这是常情，连“乳臭”小儿也会，算不得什么本事。后来发明了文字，写出文章，又出了种种技艺和表演，笑和骂也讲究起来，成为艺术。

笑和骂是两回事，而且互相矛盾。高兴就不骂，骂乃因为不高兴。可说来也怪，笑的艺术和骂的艺术却是一家弟兄俩，二者相通。笑常常表现为幽默，骂常常表现为讽刺。幽默家笑里常带刺，讽刺家刺里常带笑，讽刺家实际也是幽默家。

单纯的逗笑，这谁都会，不识字的老头老太太也能逗孩子发笑，但这种逗笑不能叫艺术。艺术要予人以美感，这不是一般逗笑所能达到的。艺术是人的智慧的结晶，那些可称之为艺术的逗笑，都是创造性的产物。相声作品有一种“包袱”（笑料），叫做“外插花”，指的是由离题太远以至不沾边的笑料所构成的包袱。这种包袱即使也逗笑，却不易产生艺术效果，太多反而使人厌烦，称之为“耍贫嘴”。原因就在于它和段子的内容缺少有机联系，显得生硬。譬如：

“你这手，挺好。”

“哪儿好？”

“指头分得开。”

“分不开我成鸭子啦!”

还有：

“你这五官好，耳、目、口、鼻……”

“都不错。”

“都单摆浮搁。”

“长到一块儿成包子啦!”

听着感到有点生硬，这种包袱多了，越听越没味。而《相面》，同样也是这类包袱，感觉就不同，听多少遍也笑。为什么呢？因为这些包袱用在相面这一具体情节上很合适。给人相面就得对脸和手加以评说，包袱来得自然，成为这段子的有机部分，无生硬之感。所以，把什么情节编进作品里，都有一个艺术处理的问题。

笑本是和顺、畅心的，而笑的产生却往往是由于种种矛盾和不协调。鲁迅说：

“丑态，我说，倒还没有什么丢人。丑态而蒙着公正的皮，这才催人呕吐。但终于使我觉得有趣的是蒙着公正的皮的丑态，又自己开出账来发表了。”（《答 KS 君》）

何以有趣？因为明明是丑而装成美的模样，被人看穿，自我暴露。这互为矛盾的东西凑在一起构成那么不协调的统一体，那才有趣逗人笑。婴儿拿起某些东西往嘴里塞，未必好笑。如果拿起个烟斗送到嘴里，看着就可乐了。因为烟斗是成人特别是老年人用的东西，婴儿那么小，含着烟斗，显得很不协调，年龄大小和习惯上的矛盾现象集中在一起了。视觉和听觉的矛盾也好笑，如开玩笑把胖子叫“瘦猴”。

编笑话总是把不协调的矛盾，使之成为统一体，既矛盾，也和谐。4 加 3 等于 7，谁都知道。老师问小学生：“4 加 3 是多少？”学生答不出。

教师："比如，我给你4只兔子，后来再给你3只，你一共有几只兔子？"

学生想一下，回答说："8只。"

"不对，是7只。"

"我家里还有一只呢。"

说4加3等于8，那是错了，可学生的回答有他的道理，符合小孩心理逻辑，听着就有趣。

矛盾，还得有理，说得通，可理解，才逗笑。我把它称为矛盾中有协调。

还有一则笑话，说的是一人假充斯文，拿本书在看，因不识字，书拿倒了。对面一人告诉他"书拿倒了"，他说："我是拿给你看的。"

外国也有一则类似的笑话，写的是：

一人不识字，却装模作样在认真地看一张带图像的报纸，可报纸拿倒了。一位知情人故意问他：

"先生，有什么好新闻？"

"又出事了，您看，火车轮子都朝天啦！"

这两个笑话里，我喜欢后者。它写得很含蓄，一句话就把这位不懂装懂的先生那可笑的神态刻画出来了，话说得很自然而意味深长，比前者有趣。

嘲笑念别字的笑话很多，最令人难忘的是《嘻谈录》里记的一则：一人在看书，朋友来了，问他看的是什么书，他回答道："木许。"

"木许？没听说过，里面有什么人物？"

“多着哩，有一个叫李达。”

朋友不解，他解释说：

“他手使两把大爹，有万夫不当之勇。”

把“水浒”“李逵”念成“木许”“李达”，虽也逗笑，最可笑的还是把“大斧”念成“大爹”，把爹当武器，这矛盾才显得滑稽有趣。

可以看出，把矛盾的、不协调的事物简单地统一在一起还不够，还需要加上精巧的构思，才能触发出笑来。所以我把这种构思称之为奇巧。出人意料谓之奇，奇中又合情理或言之成理，这就巧。笑的艺术便是以奇巧方式表现思想情感的艺术，奇巧手法是一切笑的艺术所通用的。

相声和漫画与日常语言最为接近，因此和笑话之间的关系也最密切。相声可以把笑话直接移植过来。单口相声《慈禧入宫》是从《笑得好》（清朝石成金撰集）里的“黑齿妓白齿妓”改编的。侯宝林的《醉酒》借鉴了一则外国笑话。漫画经常配以幽默对话，很像笑话。英国早期的社会生活漫画简直像幽默对话（即笑话）的插图。

笑的艺术是充满矛盾的艺术，又是奇巧的艺术。现实生活中存在的滑稽现象是出于偶然。文学艺术作品中的幽默和讽刺，是笑的艺术的具体运用。创造性的构思，须依一定法则来编排，才会产生艺术效果。这法则是从众多实例中归纳来的，是抽象的道理。在具体运用中，其效果就有强弱、高低、雅俗之分，能取得良好效果打动人心的才显奇巧。认识了逗笑的法则，未必会用，未必用得好，正如上述念别字的例子，一连念错几个字，而其中最令人难忘的是把“斧”念成“爹”，这就是奇巧处。漫画看了不感人，相声听了不发笑，这就因为是违背了笑的法则，或艺术加工火候不当。引人发笑的，一般是那些轻松别致和显示智慧、大出意料的细节。矛盾越尖锐，不协调程度越明显而又能使人理解、可信，既越使人感到奇巧有趣，其艺术构思也越显聪慧动人。所以幽默和讽刺文学艺术作品常取大幅度夸张和集中的手法，使矛盾格外突出，甚至几近荒诞的程度。相声《珍珠翡翠白玉汤》讲的是一位皇帝让乞丐用厨房的泔水大宴群臣，天下不会有这等荒唐事。但由于故事编得符合笑的法则，所以观众、读者，就能发笑。也有的作品利用事物本身的矛盾，不加夸张也同样取得十分奇巧的艺术效果。例如相声《买佛龛》（参阅另文《以子之矛　攻子之盾》），这是因为矛盾本身就已非常尖锐，是非鲜明。

运用曲折含蓄手法，目的也是为达到轻松别致并显示聪慧以取得奇巧效果的。例如《买佛龛》里有这样一句对话：

“灶王是一家之主。”

“可户口上没他。”

如果改一种说法，如：

“灶王是一家之主。”

“其实哪儿有这事！你能看见他吗！”

后者效果就差多了。前者是含蓄的说法，越想越有味，话里并没明说“实无此主”，而意思却很明确，语气也轻松有风趣。后者则是通用的直白，不给人留点深思玩味的余地，淡而无奇。

土耳其作家阿吉兹·涅辛写了一篇小说。用夸张又曲折的手笔虚构一位企图自杀者的故事，几次自杀都因上吊绳子不坚实，服毒而毒品是假货等等而没死成。后来放弃短见，到饭馆大吃一顿，反而中了毒，写得轻松别致而讽刺十分尖刻。幽默和讽刺的语言多是曲折含蓄的，我们还时常见到一种“要吃甜加点盐”的手法，如事关重大反而轻描淡写，讲无足轻重的小事却用了十分郑重的言词，以及用赞美的语言来表达反对的态度，等等，都能产生奇巧动人之妙。

如果平时留意，就能发现处处都有笑的艺术的具体运用。日常语言里有不少俏皮话，文学艺术作品中尤为精美奇绝。文学家艺术家又各具自己的风格，艺术手法各有特色，这都是极好的借鉴资料，听得多，看得多，才能深入领会这种特殊艺术语言的奥秘，学会使用方法。

相声，如《扒马褂》、《买猴》、《如此照相》等等，都有很好的情节编排。漫画也同样，不仅连环漫画，即使单幅画，也往往注重情节，情节曲折才更有味。李滨声的一幅画，画的是病人进医院看病，其中一人抱着只猫。别人问他为什么，他回答说："这里耗子多。"这就是曲折手法。看病哪里有带猫来的？看他回答的话，就觉可笑了，这是讽刺式的批评。曲折的语言之所以使人感到"有味"。因为它是启发式的，有让人自己思考和判断的余地。现在有些漫画和相声，其质量之所以不高，原因之一是因缺乏奇巧的构思。

奇巧构思要靠深厚的生活和广博的学识，需要一定的文学艺术修养和丰富的想象力，笑的艺术难就难在这里。

笑的艺术颇为微妙，手法变幻无穷，许多妙处不易讲清楚。有关的理论，国内研究者不多，我的看法是否有当，说法是否准确，有待进一步研究。

（1983）

祸 从 口 入

也谈“笑之研究”

法国哲学家昂利·柏洛森在八十年前写的一本书，我国有两个译本，解放前出版的叫《笑之研究》，近年出版的叫《笑——论滑稽的意义》，这是西方一本著名的美学著作。书中所称的“滑稽”包括了一切可笑的事物和方法。英国和法国一样，把逗笑的统称为 Humor，我国译为“幽默”，也就是法国那本书译的“滑稽”。其实他们所谓“滑稽”和“幽默”，含有可笑、滑稽、幽默和讽刺四项内容。把四者区分开来，有便于探讨幽默讽刺艺术的创作规律。

许多现象自身看来是可笑的；有意逗人笑则是滑稽。用逗笑的方法表达自己的思想、感情、见解、态度或某种想象和机智，那才是幽默；其中意在批评和贬斥的就是讽刺了。所以，幽默和讽刺是艺术手段，属于美学范畴。但四者区分不是绝对不相容的，例如幽默中常含有轻微的讽刺，也不完全排斥滑稽。我们看到一些漫画和相声，虽也逗笑，也有所批评，但感到没味，缺乏美感，这是因为逗笑的仅是一般的滑稽，甚至是并不高雅的滑稽；或者想运用幽默讽刺而不得其法。

幽默和讽刺这种特殊艺术语言一般不平铺直叙，而是采用曲折迂回的、启发式的方法。传说美国前总统罗斯福当海军军官的时候，一位好友向他问美国新建潜艇基地的情况，罗斯福问他："你能保密吗?""能。"罗斯福说："我也能。"这是幽默。朋友一听就不再问了。有个和尚很有名，常出入高官卿相之门，有一天他向人诉苦说他忙得不可开交。那人说："你何不出家?"这是讽刺。这都是利用矛盾做"文章"的艺术手法。前者，罗斯福曲折地暗示不要以保证自己保密来促使别人泄密，方法是使对方用自己的话封自己的口；后者嘲弄那和尚名曰出家而实未出家，妙在劝和尚去当和尚。幽默讽刺中都含有矛盾而又协调的因素。这里讲的矛盾包括不协调，出乎常情、常理、常规、常态，自相矛盾，误谬以及种种巨大差别等等。在文学作品中，许多奇思妙语的运用能明显看出这种矛盾而又协调的关系。像鲁迅著作中"自从流落江湖以来，灵感卷逃""'孔子，圣之时者'，'亦即圣之摩登者也'"之类，用法出乎常规，使人感到不协调（即矛盾），但又言之有理，并表达特定的含义。他在论战中利用矛盾进行讽刺的例子也多得很，如"就是笑人需要稿费的高士，他那一篇嘲笑的文章也还是不免要稿费"（《"商定"文豪》)；"《自由谈》所载的《登龙术拾遗》上，以做富家女婿为'登龙'之一术，不久就招来了一篇反攻，那开首道：'狐狸吃不到葡萄，说葡萄是酸的，自己娶不到富妻子，于是对于一切有富岳家的人发生了妒忌，妒忌的结果是攻击。'这也不能想一下。一想'的结果'，便分明是这位作者在表明他知道'富妻子'的味道是甜的了。"（《"滑稽"例解》）老舍在《善人》中写道："穆女士最恨一般人吃的太多，所以她的早饭很简单：一大盘火腿蛋，两块黄油面包，草果果酱，一杯加乳咖啡。"钱钟书的《围城》里写的："他端详着壁上的钟，踌躇满志，对儿子说：'……这只钟走得非常准，我昨天试过的，每点钟只走慢七分。'"马克·吐温的《赤道环游记》

里："我们乘的是一条相当舒适的船，吃的是一般航海的饮食——上帝供给了充分的食物，做饭的却是魔鬼。"这些，都运用了矛盾法。在漫画中通过矛盾揭示问题（实质）和借用矛盾作为曲折表现手法更是常见。例如画什么人口喊"和平"，手行杀戮；一面叫"裁军"，一面真扩军，在西方大量失业现实中宣传西方社会如何繁荣；墙上贴满"热情服务"的标语而办事人员面冷如冰，穿着高雅美服，唱的低俗滥曲；口称欢迎批评，手持报复大棒；标题"任人唯贤"，任用的却是贤妻贤弟贤甥……诸如此类。矛盾越尖锐而又能协调（合情理或言之成理），艺术效果越强烈。所以漫画、相声经常采用大幅度合理夸张的手法。相声《珍珠翡翠白玉汤》里，皇帝至尊用乞丐的泔水菜汤大宴群臣，《连升三级》里，目不识丁的糊涂蛋赴京赶考，居然名列前茅，而且论功连升三级。情节荒谬之极，但构思都合情理，对封建官僚讽刺十分尖锐。一般仅博一笑的滑稽，好的可供娱乐，使人解除疲劳，其效用是无法和幽默讽刺艺术相比的，当然艺术水平亦有高低之分，那是另外问题了。

（1983）

请批评

从杂耍到艺术

常听人们议论相声，工人，干部，学生，街道老头老太太都议论。我接触干部、知识分子（包括高教干部和知识分子）多，连大学教授、总工程师们也议论起来，说了些好话，也表示不满。可见听相声、看相声表演的人多了，喜爱相声的人多了，相声真正成为雅俗共赏，人民喜闻乐见的艺术形式。

相声从前叫“杂耍”，是天桥、商场、庙会这种地方“撂地”（摆地摊的意思）表演供人取乐的“玩意儿”，有幸能登台上演的，那台也就是设在茶园里的，观众一边喝茶一边看，他们多是拉车赶脚做小买卖的那些所谓“下等人”和青、少年，有身份的人是不去的。

现在，相声不叫“杂耍”和“玩意儿”了，称之为“艺术”。以前“说相声的”，一解放称为“艺人”，现在名正言顺地叫“演员”、“艺术家”，属于文艺界人士，“人类灵魂工程师”。

相声是怎样由杂耍一变而为艺术，这是很值得研究的。

有人说，这是因为共产党是工人阶级政党，是劳动人民利益代表者，它掌了权，劳动人民地位提高了，他们的劳动成果自然得到应有的尊重。

这话对不对呢？对的，但不那么简单。相声并不是自然而然地由杂耍提拔为艺术，“说相声的”也非自然而然升级而为艺术家的。

在过去，相声确实是杂耍。杂耍里不是没有艺术，也并非没有高水平的艺术。相声是民间艺人谋生的一种技艺，以博人一笑，换取微薄的报酬。逗笑是表演的目的，把人逗笑才有饭吃。但用来逗笑的却不尽是艺术手法，所以它“杂”，而且也有“耍”，就被人视为“玩意儿”。

社会主义制度把相声搬上曲艺舞台，是经过推陈出新的改造和加工的。相声主要特色的逗笑不再是它的唯一目的，旧相声里那些以人的生理缺陷来取笑，互讨便宜，混打俏骂为戏耍等种种低俗的滑稽被抛弃，内容和表演中的糟粕被清除，这才逐渐闪耀出它的艺术光彩。

相声源远流长，但它成为独立完整的艺术形式，历史不算很久。见诸文字记载称为相声艺人的如穷不怕（原名朱少文），是清朝咸丰时人，那是在19世纪中期。著名相声艺人叫穷不怕，孙丑子，万人迷，阿刺二，醋溺膏，韩麻子（鸭儿黄），盆秃子，张傻子，大面包，等等，从这些艺名可想见其处境和一般文化水平。观众的欣赏水平也是不高的。在那时的历史条件下，相声的内容和表演技法自然受文化程度的限制，封建糟粕和低俗趣味也充斥其中。另一方面，有几千年文明史的我国劳动者和艺人，以他们的聪明才智反复锤炼，有时还得到一些文人（多是落魄文人）的帮助，至今流传下来许多有艺术价值的段子，略事改造和提炼，便成为艺术精品，如《珍珠翡翠白玉汤》、《连升三级》、《关公战秦琼》、《戏剧杂谈》、《扒马褂》等等。

世界上逗笑方法很多，趴在地上打个滚，学两声娃娃叫也能逗笑，但那不是艺术。作为艺术手段的逗笑，是幽默和讽刺产生的效果。幽默和讽刺是艺术手法，它们的共同处是以奇巧出人意料，使人不禁笑起来。常用的技法是以曲折含蓄、往往是用夸张的语言（包括艺术语言）来对话，表达思想，抒发情感，以此使人感到美的愉悦。许多相声段子，如《珍珠翡翠白玉汤》、《买猴儿》、《夜行记》、《戏剧与方言》、《买佛龛》等，二三十年来可说百听不厌，百看不腻，一直受广大群众欢迎，显示出茁壮的艺术生命力。现在人们对一些相声表示不满，主要问题一是浅，二是平，三是俗气。浅是认识问题，平是艺术技法问题，俗气是趣味问题，三者都和思想、文化以及艺术修养密切相关。幽默和讽刺的艺术，没有一定的思想、文化和艺术修养是难以掌握的。奇巧不足，便觉平淡乏味，无动人之力。旧时有许多相声所以被人轻视，不登大雅之堂，一个很重要的原因是很多段子趣味不高以至低俗不堪。相声讲究雅俗共赏，这俗指的是通俗，易于为广大群众所理解，不是俗气，不是庸俗。俗气、庸俗自然和内容有关，也涉及表现方法。雅俗共赏，所赏的是艺术，因为艺术有美感。对相声而言，是欣赏其语言和表演的幽默和讽刺的艺术美。以前面提到的几个段子来说，它们有奇巧的故事结构和语言，表现的人物也有鲜明的个性，更重要的是逗笑的“包袱”大都是环绕主题揭示的矛盾所产生的艺术效果，而不是为逗笑而逗笑的。有一次看侯宝林的表演，那时干部都在学习《矛盾论》，他就讲起矛盾论来，可讲的不是哲学。他说：“什么是矛盾？矛盾就是相声。”听着离奇可笑，实则有理。幽默和讽刺就是利用事物间种种矛盾获致奇巧的艺术效果的。《夜行记》中提到一辆自行车说：“除了铃儿不响，它哪儿都响。”为什么逗乐呢？该响的不响，不该响的偏响，矛盾得可笑。谁一听都明白，这辆车破旧得够可以的了，

《夜行记》

可话里没说一个“破”字。这种曲折含蓄的语言，其奇巧予人以美感。骑这辆破车走得太快出了问题，“通”一下子，把老头儿给撞药铺里去了。一下又把人逗乐了。如果撞进别的什么地方，如油盐店或戏院，效果就差得多，这里有艺术。人都知道老人是常吃药、常进药铺的，被撞进药铺，就使人感觉巧。进药铺买药哪里有撞进去的？可笑就在这意外反常和巧劲上。特别是《买佛龛》，几句大实话把矛盾挑出来：

甲　把他那份儿神像一烧，愣说他“上天言好事”去啦。

乙　上天去啦？

甲　还得等他“回宫降吉祥”。

乙　他还能回来？

甲　不买他可不能回来。

这不是大实话吗？接着：

乙　买呀？

甲　买还不能说买，得说请。

乙　噢，请。

甲　可是不给钱人家不让拿。

逗得人大笑的还是一句大实话，并无夸张，就把老太太尊而敬之的灶王还原为一张毫无神气的废纸。这是很高明的艺术技巧。

今年春节电视播出的春节晚会，有一出由相声演员客串的京剧《萧何月下追韩信》，用的就是幽默和讽刺的艺术手法。萧何出场，道白说到“以角书为凭”时，演员不慌不忙地摘下髯口（胡子），向观众解释道，“这角书啊，就是咱现在的介绍信。”然后又戴上髯口继续演唱下去。这一出人意料的插科把人逗得哄堂大笑。然而表演十分严肃认真，一丝不苟。这一退出所扮演角色的旁白，显示了他的相声演员身份，这正是相声的艺术特点，看来诙谐，又使人意会这出别出心裁的京剧表演含有以今论古、以古喻今的深意。演到刘邦上场，念到“……也曾命张良先生寻访兴汉灭楚元帅，至今未到，张良先生又无音信，叫孤口干舌燥，好不忧烦也”时，扮演检场的演员上来递上茶壶，这位汉王抢过茶壶咕嘟咕嘟一口气喝完，抹抹嘴说：“还喝!”检场说：“没啦!”引起人大笑。这一插科似与主题无关，实则另有含义，也是相声的一种艺术手法。人在日常生活中会以互相矛盾的双重姿态出现的。帝王在大庭广众之中必须一本正经地摆出至尊的架势，但实在渴急了，也会不顾一切抢着要水喝的，这里就有扯掉帝王外表一层皮（至尊龙袍）的讽刺意义，所以观众看了，表示欣赏。这就是艺术。若不善于运用幽默讽刺手法或根本不懂幽默，仅用并无美感的滑稽当“包袱”硬塞在相声里，自不免于浅而又平；饥不择食地以戏耍弄笑，便易流于低俗；忸怩作态以出怪相逗乐，更会令人作呕了。

相声中的浅和低俗显然是由于文化修养所致。传说早先著名相声艺人穷不怕、阿彦涛、春长隆和恩培的表演文雅出色。他们和一般相声艺人不同，肚子里都有文墨，有的还精通吹拉弹唱，艺术修养比较高。平则是对幽默讽刺艺术不大精通的表现，对艺术家来说，也和文化程度有关。

相声是说给人听，演给人看的，它是语言和表演的艺术，说、学、逗、唱都靠演员表演才出效果。相声演员和话剧演员、京剧演员不同，在舞台上可随时扮演进入什么角色，又可随时退出来“现身说法”，因此演员的个人气质直接影响表演的艺术效果。人的气质是思想作风、文化修养种种因素决定的。从前听旧相声有时感到粗野、贫气和低俗，这不单是段子内容和表演技法问题，和表演者的个人气质很有关联，这是旧社会给艺人造成精神创伤的表现。在旧时代，相声艺人处于社会底层，所受压力最大。为求生存不得不四处奔忙，一有风浪，所受颠簸也最大，所以他们见多识广，对人情世态感受很深。我看过的旧相声表演，段子内容多是从社会人情世态中找寻逗趣的题材，所描绘的情节和人物，特别是下层人物，那是细腻生动的。现在的相声不同，作家和演员是以评论员姿态，对一些社会问题、思想问题、新人新事发表自己的见解，用艺术手段表现出来，不仅使人得到艺术欣赏的满足，还发挥艺术的教育和陶冶身心的社会功能。所以，从题材的选择到表现手法都比往时的相声难度大得多。现在科学技术发达，国际上各方面交往广泛，社会政治经济文化等各方面遇到许多新问题、新知识。科学文化普及工作使群众见多识广，相声艺术家如果仍和往日那样，只会一点诗文，有一些历史、地理、算学知识，仅知道“地心吸力”、“盲肠炎”和分子原子，懂得些医卜星相、一十八般武器，会唱几段戏曲……就很难适应今天的创作和表演的要求。相声是语言艺术，力求语言的优美精炼，在旧时代著名相声演员如马三立、常宝堃、侯宝林都在文学方面下过功夫。现在我们听到《夜行记》里如：“噢，打算让我躲开，你开过去跑哇？休想!”《戏剧与方言》中六次重复说：“那屋房门一响，这屋发觉啦”，就是经过加工的文学语言，才显得精美，所以想提出相声的艺术性，没有较高的文化艺术修养是难以胜任的。

有人会问，侯宝林是老演员，在旧社会生活很苦，哪里有什么文化，艺术不是也很出色吗？是的，他原来文化是不高，只上过三个月小学（免费的），大概就认识小学课本第一册前半本上的字。但问者却不知道他早已学会看些古文，阅读了大量中外古今有关幽默和讽刺的文学著作和典籍，近几年又和学者合作写了几十万字有学术价值的理论著述。几十年来他下了多大苦功啊！再看经他整理和他创作的那些脍炙人口的相声作品中，以传统相声居多，改写和与别人合作的新作品虽不少，但显然逊色，为什么呢？正是因为新作品要求高，很难写好，又因后来生活面窄些，再加工作和社会活动多，创作时间有限，困难更多些。现在他已退出舞台，专事写作，艰巨的创作和表演任务，需要后起者来担承，学习就成为当前十分突出的问题了。

我感到现在相声研究空气还不足，评论太少，很不利于艺术提高和演员队伍的成长。如果能在适当条件下逐步建立之研究小组，认真有效地从事学术探讨和评论，对相声的发展会起推动作用。有些相声段子构思很好，但仍有所不足。像《多层饭店》这样的段子，如果有研究小组；加以评论，指出优缺点，在演出中继续改进，很可能成为精品。相声的改进提高，不仅能更好地发挥自己的艺术功能，为社会主义服务，还会帮助观众对幽默讽刺艺术加深理解，提高欣赏水平，也会消除一些可能产生的误会，从而使相声艺术得到迅速健康的发展。

（1983）

以子之矛　攻子之盾

——谈相声《买佛龛》的奇巧手法

1980年夏天在北京召开的相声创作会议上，我在发言里提到《买佛龛》这个段子，认为是讽刺艺术运用得最精彩的一篇。现在谈谈我的看法。

讽刺运用得好，在于手法的奇巧，使讽刺对象一刹那间跌落到卑微的低下地位，成为众目睽睽下的笑柄。其中常用而最有效的技法是“以子之矛，攻子之盾”。《买佛龛》使用的就是这个技法。下面加以分析。

甲：真有一种迷信老太太，到初一、十五买股香还烧哪。

乙：信佛嘛。

甲：还磕头哪。年轻人就爱说：“您烧香有什么用啊，您有那钱买冰棍儿吃好不好？”

乙：真是。

甲：老太太不愿意听啦：“有什么用？求佛爷保佑！我这不是为我，我这么大岁数还活几天？我这是为你们。求佛爷就为保佑你们。”

乙：你瞧！

甲：实际上老太太保佑谁啦？

乙：保佑谁啊？

甲：老太太保佑那卖香的啦。

乙：干吗保佑卖香的？

甲：她要不烧香，香店就转业啦。

老太太烧香，说是保佑家里的孩子。这里抓住“保佑”这一话茬儿，给予反击；承认烧香供神是为保佑，但实际上保佑的不是别人，而是那卖香的。有理有据，把老太太心中的神灵对祈求者所施的神力，一下转变为老太太对迷信商贩的扶持，“保佑”的崇高含义，骤然化为毫无价值的笑柄。这是“以子之矛，攻子之盾”的一种战斗方式。

甲：老太太说啦，灶王爷是一家之主啊，咱一家人没有个灶王爷，一家人没头儿啦。

乙：灶王爷是一家之主。

甲：可户口上没他。

“一家之主”是承认有这么个灶王爷，并把他列入一家成员的地位。“户口上没他”，一句大实话又把这成员化为乌有。这还不算，玩笑继续开展下去：

乙：户口上没他。

甲：你多会儿看见警察来查户口，说：“大娘，灶王爷在家吗？请出来我跟他谈谈。”

听了不笑才怪！这是顺着“一家之主”的逻辑，以喜剧手法推演到荒谬的程度。警察找灶王爷谈话，岂不滑稽？但又合乎情理。你说他是“一家之主”，警察找一家之主，这不是合情合理的吗？“一家之主”之说，立时化为笑料。

说到腊月二十三祭灶时：

甲：把他那份儿神像一烧，愣说他"上天言好事"去啦。

乙：还怎样哪？

甲：还得等他"回宫降吉祥"。

乙：还等他回来。

甲：可是不买他回不来。

又是一句大实话，把灶王从神的地位猛然拉了下来，成为一张毫无神气的纸。

甲：买还不能说买，得说请。

乙：噢，请。

甲：可是不给钱人家不让拿。

还是一句大实话，把恭而敬之的"请"，变为一手交钱一手拿货的"拿"，又把灶王爷从神座上拉了下来，神变为货。

老太太又到纸店买一份新佛龛，很尊敬地抱着，碰见街坊小伙子，说话了：

甲："大娘，出门儿啦！哈……买佛龛啦？"这不是好话吗？

乙：是啊。

甲：老太太不愿意啦。

乙：怎么？

甲："年轻人说话没规矩，这是佛龛，能说买吗？这得说请。"

乙：啊！

甲："噢，大娘，我不懂，您多少钱请的？""嗐，就他妈这么个玩意儿，八毛！"

矛盾达到高潮。老太太因为心疼钱，她骂上了，无意中用自己的话否定了自己。这正是"以子之矛，攻子之盾"最出色的运用。

这个段子是评述性的，完全是说理。一般说理、评论用的是以概念推理的抽象思维，这段相声用的是艺术语言，即具有生活形象的感性大实话。它把握迷信思想和现实之间的矛盾，就此虚构喜剧性的情节，处处设法把人们头脑中的灶王爷从天上拖到地下来，让它大出洋相。情节里的对立面人物是那位迷信的老太太，然而讽刺对象却是她头脑中的灶王，也就是那不正确的思想，而不是她本人。

相声，尤其是传统相声中，一般都有一些与主题关系不大和毫无关联的，仅为逗笑的小包袱。这种小包袱《买佛龛》里是没有的，所以整个段子显得十分精炼，结构十分严谨。语言不多，人物性格却很鲜明。

这个段子原是《一贯道》中的前半段，经过艺术加工，又糅进了一些很幽默的插话。如：

甲：……到腊月二十三，那是个大典。

乙：腊月二十三，那是祭灶啊。

甲：祭灶，就是给灶王爷送行。

乙：送行。

甲：灶王爷在他们家呆了一年啦，把他们所做的事情都记下来，作了总结，到玉皇大帝那儿去汇报。

把祭灶、上天解释一下，说是给灶王爷送行，灶王爷作总结，上天去汇报，这都是幽默又带讽刺性的说法。其所以幽默，因为“送行”、“总结”、“汇报”，大都是解放后流行的语言，用之于神佛，那是闻所未闻，但又言之有理，就显得出人意料，奇巧可笑。其所以是讥讽，因为这些说法都是人的日常用语，用之于神佛，无异将人所崇敬的天上神灵，拉到地下来，使之与人处于同等地位。按俗话说，就是降级了，这一降级，使人感到这位灶王爷和人一样，仙气没啦。一语之间，先把灶王爷从天仙贬到凡俗的人界，然后一笔抹消。用语曲折、含蓄，这正是幽默和讽刺共有的特色。

神是人们照自己的模式制造出来的，并依自己的愿望赋以神奇伟大的精灵。唯物主义者不承认他的存在，这就是矛盾。《买佛龛》是以解决这矛盾为主题而排演的小喜剧。按相声的艺术特征，矛盾双方均由演员一人扮演，迷信老太太是一方，作为评论者的演员是另一方。老太太把灶王视为神圣，演员反其道而行之，当作嘲弄对象。人们把想象中作为观念的神赋予在物质实体的一张纸（佛龛）上，自然矛盾百出，这段相声就是利用这种矛盾做文章的。神灵虚无缥缈，佛龛是张纸，却实实在在。你说灶王“回宫降吉祥”，可是“不买他回不来”；你说“请”神，可是“不给钱人家不让拿”。几千年来在人们头脑中视为崇高敬仰的神，被一句似乎出于无心的极普通的大实话化为乌有，还原成一张看得见的不值钱的纸，怎能不使人感到奇巧呢？

幽默和讽刺中都含有各种矛盾因素，可说是运用矛盾的艺术。讽刺艺术不仅通过事物矛盾来揭示问题真相，表明作者对是非曲直的见解，还运用矛盾作为讥讽的艺术手段。《买佛龛》抓的是唯心虚幻的观念和生活现实之间的矛盾，先假定神的存在，然后一句大实话把矛盾挑出来，暴露了真相——原来所谓灶王爷，不过是寄附在一张纸上的一种虚妄的东西。用现代口语解释敬神和灶王爷升天的神话，把祭灶说成“送行”，上天称为“作总结”、“向玉皇大帝汇报”，这种新语言与旧观念之间不协调，显现出滑稽感，也是曲折含蓄的讽刺。这种技法在幽默和讽刺艺术中是常用的。《找舅舅》和《新桃花源记》用的就是人的某种旧看法、旧观念和新社会、新事物之间的矛盾编演出的幽默的喜剧情节。《如此照相》中最动人的一段对话是利用极左的所谓“革命”语言和正常用语之间的矛盾暴露其荒谬。夸张是讽刺艺术常用的技法，而《买佛龛》里却毫无夸张，一切出乎自然，顺理成章，就显得格外奇巧。

传统相声中的精品，都是经过许多人表演，不断加工而定型的。目前这种做法少见了，新段子出来，便各有所属，别人不再采用。这很不利于创作，也不利于演员间的互相学习，互相促进。《一贯道》这个段子有很多弱点，但一经剪裁写出《买佛龛》，就成为十分出色的一段。这种方法是值得推荐的。

对相声我很感兴趣，但所知有限，这里提出的看法是否有当，望相声艺术家们指教。

（1982）

名家·文画

方成自选集

下

方成 著

文化艺术出版社
Culture and Art Publishing House

1986

侯宝林的艺术

我是喜欢到侯宝林（我们常称他为侯公）家去串串门的，可因为都忙，路又不近，去的时候就不很多。即便如此，去时不断遇到登门采访和拍照的来客，中国的、外国的都有。有一次，采访者问我对侯公艺术上的评价，我说，我只是相声爱好者，一个普通观众，能讲出什么高见呢！就说一句吧：他把相声从杂耍提高成为艺术了。这话是否准确，我还没把握，感觉如此而已。

我自小爱听相声，那时常去看著名相声艺人高德明、绪德贵、汤金成、张傻子和朱阔泉的表演。朱阔泉是侯宝林的师傅。解放后，我看的并不很多，但电台广播的相声我是不放过的。听得多，就分出高低来。有的段子听一遍就够了；有的不行，听了还想再听。特别是侯宝林的表演，总觉百听不厌，我就把这类段子称之为艺术了，因为我想，只有艺术才有这样的魅力。

侯公常说，相声是语言的艺术。然而相声最初并不就是艺术。

以目前所知道的传统相声段子来说，大多只能说是杂耍，是作为街头艺人博人一笑以资糊口的谋食手段，所以多是滑稽逗人，其挖苦笑骂也只为引人发笑，而精于运用幽默和讽刺可称之为艺术的还不多见。我看英国的百科全书是将一切滑稽可笑、插科打诨、讽

刺等等都称之为幽默，其实一般仅博人一笑的滑稽打诨和我们现在通称的幽默虽有许多共同之处，但还是有质的区别的。一般的滑稽以逗笑为目的，而幽默则是有意识地用来表达思想情感和对某事物的态度的一种技法，它给人以美的感受，这就是艺术了；讽刺和幽默有着密切联系，因此也是艺术。

侯宝林现在的相声段子，包括自己编写的和改编的，都是运用幽默、讽刺手法经过艺术加工而成的，加上他高超的表演技巧，使相声成为完整的艺术作品。在1980年的相声创作会议上我曾把他表演的《买佛龛》推为相声中最杰出之作。这个段子不长，通过一个生活情节，几句极其风趣的对话，把老太太头脑中的灶王从神的地位还原为一张废纸。语言生动自然，合情合理，逻辑性强，因此既动人又极有说服力，三言两语就把剧中人物的内心世界刻画得活灵活现。如果细加分析，这段相声语言中所采用的技法，可以作为幽默教科书的范例。他表演的其他相声段子，诸如《夜行记》、《戏剧与方言》、《改行》、《关公战秦琼》以及像《妙手成患》、《醉酒》这类小段子，都具有鲜明而完整的艺术特色。传统老段子，经他一改编就焕然一新。

提起解放后的相声改造工作，侯宝林真是下了苦心。但他始终念念不忘老舍、罗常培、吴晓铃这几位文学和语言大师对他的热情帮助。我曾多次听他提到他们，特别是老舍先生。他说过，如果没有这些同志的合作，相声的改造不会有今天的成绩。侯宝林可贵之处也在这里，有了成绩他并不居功自傲，而是念念不忘任何出过力的人。他的老师朱阔泉先生的表演我看过不少，由于当时的条件，不可能有现在侯宝林的造诣。有一次我问侯公说，他比老师技艺高。他肃然回答说，老师有些本领他还没有学好，他举某些唱功为例，话里流露出对自己师长由衷的尊敬。老艺人把尊师看成必须严守的道德，推而广之，也就很自然

地把在技艺上有助于他的人以及赋予他优厚条件的社会制度永远铭记。

相声是幽默的艺术，相声演员是幽默家。在我所认识的人里，被推崇为幽默大师的，我只知道一个，那就是侯宝林。的确是的，和他在一起不能不使你感到这个称号他当之无愧。有人以为他喜欢打哈哈，那就错了。如果不是在讨论问题，或是朋友间谈兴正浓之际，他并不大开口的，而说出话来，仿佛字字斟酌，十分简练，又毫无造作斧凿之痕。也许是职业上的习惯吧，甚至朋友取笑时也是语言不多，把人逗得直不起腰，他还若无其事地保持着他那长者的风度。可惜我是个马虎人，事情一过就忘得一干二净。有一家杂志要我写一篇介绍他的文章，这才使我想起一件趣事。那是在吃饭时候闲谈，讲到人怎样发胖。钟灵叹气说，他就是光喝水也照样胖的。侯公笑道："这玩意儿好养活。"听了真有人把饭喷了一地。去年在扬州，我到收藏家季之光府上做客，他收藏的火柴和火柴盒图案是国内有名的。他还收藏有名家字画，其中一帧是侯宝林写的字，挂在墙上，写的是"季公火佛"，一看便知是从家喻户晓的"济公活佛"演变而来的，这奇巧手法好像只有这位相声大师才想得出来。前几天我到他的住所，见他正在挥笔写字，写完就题款盖章。一看他的闲章把我逗乐了，那是三个字："一户侯。"李白"生不愿封万户侯"，他哪里想到这里还有个一户侯呢。机巧未必是幽默的，但幽默总有机巧；巧得出人意料，能不引人发笑吗？我想，他的头脑是时时刻刻在活动着的。也许还是职业上的习惯吧，他干什么都十分认真，什么都想弄懂。就说玩扑克牌罢，玩法他知道不少，不仅知道，还真有两招。我们几个人和他玩牌，要想赢他可办不到。就连骑单车走路，他都要拣最便利的路程，还告诉你为什么这样走最便当。《矛盾论》是一部哲学著作，有一次他的演出，讲的就是《矛盾论》。"矛盾是什么？矛盾就是相声。"观众大笑起来。但他讲得头头是道，所讲的当然不是哲学，而是滑稽和幽默的道理，

言之有据。可不是吗?滑稽和幽默之中,确实蕴含着事物矛盾的。过去他和郭启儒搭配,一个精明智巧,一个老实憨厚,舞台上这两种截然相反的性格,恰好是一对矛盾,为他们的艺术表演增色不少。

侯宝林穷苦出身,因家贫被送给人抚养,自己生身父母是谁,他不知道。只念过几个月书,识字很少,解放前是在贫困和屈辱中挣扎着成长的。现在不仅是国内最杰出的相声演员,而且著书立说,洋洋数十万言,并以教授身份在大学里讲课。在这巨大变化的过程中,他要花多大功夫,付出多少劳动啊!他看了很多书,包括笑话、喜剧,历史等以及和艺术有关的其他著作,又涉猎各种典籍杂学,诸如医、卜、星、相、货币、陶瓷之类的书。他还善于"拿来",《醉酒》这个相声段子就是从外国笑话"拿来"的。

侯宝林说,什么艺术都离不开美学。他的相声段子从结构到语言都使人感到奇巧洗练,给人以美的感受。他的说、学、唱以至于表演时的形体动作和表情,都有美的考究,在技艺上见功夫。据说他平时很重视练口齿、发音和调嗓子练唱,像京剧演员那样练各种基本功。从几年前退出舞台后,便集中全力进行写作,常戴上老花眼镜长时间地伏案看书写理论性的文章。"我要给后来者留下点东西啊!"这是他常说的一句话。为了保持健康的身体,酒喝得不多,烟也戒了好几次了。出门照常要戴上墨镜,免得被人认出来受包围。有一次在南京夫子庙,不知怎的被人发现了,不多时,就把他围得水泄不通,引来警察维持秩序,靠他们的协助好容易才突出重围,人幸无恙,可汽车玻璃却被挤碎了。

他今年65岁,嗓音还是那么洪亮清晰,可见其功夫之深了。

(1982)

一戶侯
請柬

舞台下的侯宝林

挨揪斗自戴高帽　无其事以讹传讹

文化大革命期间，曾经流传许多关于著名相声演员侯宝林同志的故事，“版本”还很多，共同的基本内容是：一群人闯进侯家，要揪斗侯宝林。一开门，只见老侯头戴高帽、颈挂黑牌，迎了出来，全是自备的。一见来人，他把帽尖往上一拉，又高出一尺。有人刚喊“打倒——”，他早已趴在地上，说：“不用打，我自己趴下啦!”揪斗的人笑弯了腰，谁也不去斗他。

“四人帮”被打倒后，我跑了几个省市，几乎处处有人问我：侯宝林自备高帽、自戴高帽的故事，是真的吗？我回来问了老侯，他说：“没那回事，全是人们编的。”

为什么要编这样的故事，自有各种猜测。有一点，我看是一致的：把侯宝林作为这故事的主人公，最能使人信以为真。因为他的技艺是高超的，风趣而幽默。似乎只有他，才能做出这样的事——尽管并非事实。

舞台上妙趣横生　生活中严肃朴实

侯宝林演的许多相声段子，经过十几二十年反复演出，至今仍然显示出强劲的艺术生命力。像《夜行记》、《关公战秦琼》、《戏剧与方言》、《戏剧杂谈》、《婚姻与迷信》（这个段子最近我听过，有几处已删改，反倒感觉逊色了）、《醉酒》、《医生》（又名《妙手成患》）等等，听了多少遍还想再听。有的传统老段子经他表演也别具风格。

这位幽默大师在舞台上语汇丰富，妙趣横生。说、学、逗、唱，无一不精，表演也极出色，看了非笑不可。有人认为，他下了舞台，大概也是这样活跃。其实不然。和他相处不需很久就会发现，在语言上，他确实讲究，用语简练精确，注意修辞润色，往往很幽默，健谈。但平时话并不多，生活上完全是一位普通的、朴实而严肃的艺术工作者。即使和很熟识的朋友，也不是随便开玩笑的。

联欢会上编相声　张口就来笑煞人

1958 年，诗歌满墙。当时提倡诗歌下乡，北京一批诗人到红星公社去和农民聚会。同去的还有曲艺界的同志，为的是带几个联欢节目，侯宝林、郭全宝也去了。先是参观，然后联欢。会上诗人朗诵自己的诗篇，接着是曲艺节目，内容也要求配合诗歌下乡的主题。相声哪里有这样的节目？老侯只好现编了：

侯：刚才去参观，你往南边去了吗？

郭：去啦！

侯：往北边去了吗？

郭：也去啦。

侯：我做了一首诗。

郭：哦，你也会做诗？

侯：会。“全宝往南不往北。”

郭：这也叫诗啊！

侯：你听着啊——“转回头来就往北。”

郭：是啊……

侯：“往南往北多费事。”

郭：费事也得去。

侯：“不如当初就往北。”

郭：什么话，这也叫诗啊！

侯：牛奶场你看了吗？

郭：看啦。牛不少，挤奶工人忙着挤奶呢！

侯：挤奶干吗？

郭：给人喝啊。北京多少人喝牛奶啊！

侯：我又做了一首诗。

郭：噢，又一首，你念念……

侯：我朗诵。

郭：噢，朗诵！

侯：“挤奶工人挤奶多。”

郭：不错，挤得多。

侯：“挤出奶来为人喝。”

郭：唔。

侯：“挤奶人喝多费事。”

郭：费事也得挤。

侯："不如趴那（儿）大伙（儿）嘬。"

郭：嗐！

这就是他灵机一动，照民间流传的打油诗格式现编的。原诗是："天上下雪不下水，下在地上化成水，下雪化水多费事，不如当初就下水。"临时现编，要有应变的"急才"。老侯是有锻炼的。有一回，朋友们边吃饭边谈笑。有个胖子说："我就是光喝水也这样胖。"老侯插嘴说："这玩意儿好养活。"笑得人把饭喷了一地。

中外友人高朋座　养鱼考古兴趣广

侯宝林的艺术吸引着广大群众。他家里座上客常满，杯中茶不空。来者多属文艺界人士和记者，包括许多外国人——有美国人、英国人、加拿大人、日本人、法国人，真是忙得很。

有忙就有闲。"闲"的时候，他研究历史，有关相声的历史。还阅读文艺作品，看演出。他在生病休养时还研究陶瓷、货币、书画。家里的坛坛罐罐和出土陶瓷，把侯夫人愁坏了："这些玩意儿往哪儿搁呵！"有时朋友来，还谈谈考古哩。侯宝林解放前只读过三个月书，现在要看古文线装书，这要下多大的苦功啊。

他买了破旧硬木家具，会整旧如新。他养鱼、种花、下棋、跳舞，打扑克……，相面、卜卦的说词也会一套。他交游之广是许多人知道的，文艺界之外，有党政高级领导、干部、战士、工人；有空还陪代销店的老太太聊天儿……这一切，在相声演员来说，都是和业务相关的。所谓"闲"时他并不闲着！他的夫人更闲不了，她不在家，老侯是招架不住的。所以他说，他的事业是两个人担负的。

舞台生活告结束　著书立说传后代

侯宝林今年63岁，他从12岁开始学艺，到今年整整过了五十一年。最近他对我说："我已正式宣布结束舞台生活，把有生之年用来做些研究工作，给青年们提供一点相声资料和工具书。"他还说，"现在，相声在外国越来越引起人的重视。英国、德国、瑞典、美国、加拿大、澳大利亚……这些国家就有人在研究中国的相声，想了解中国相声的发展史，也有人在写书。我们再不认真系统地研究自己的东西，再不写书，可不行啦!"

现在，老侯正专心从事相声艺术的理论研究工作。他写了一部相声词典，相声史已写了15万字。他计划近期出三本书：相声《再生集》已出版，另两本是《侯宝林相声选》和《相声溯源》。看他的一张照片，他真像个学者，戴上老花眼镜，正聚精会神地在读、在写呢!

（1980）

姜昆和我

有人轻轻敲门。

门开了，迎来电视上常见的一副带着童稚气的笑脸。那是姜昆。

这位小朋友，像老朋友样的往沙发上一坐，没等茶来，就讲开有趣的新事来了。讨嫌的是他管我叫“老师”，可对他说来，我倒也不大介意。他呀，见老年人都那么诚心实意地叫“老师”，侯宝林是“侯老师”，郭全宝是“郭老师”，李文华是“李老师”，成习惯了。有一次演出后吃饭，饭后姜昆不见了，原来被服务员们拉进厨房“来两段”。我想，他见了老厨师，大概也是叫“老师”的。几次见他从剧场出来，观众都爱和他打招呼，有的青年还很失礼地喊：“给我们说一段，行吗?”他也不恼。听说，他买什么东西，售货员特别热情，另眼看待。别的相声演员可能也同样受青睐。如果我还年轻，也会喜欢他的，因为怎么看他都像个同学。

他写的相声不少，表演了，有的很好，大受欢迎，有的也不怎么样。但家里大人孩子看电视都爱看他的表演，哪怕是不怎么样的，也还高兴看下去。听人评论说，姜昆的气质好，与众不同。我有同感。

评一个艺术家的作品和表演，总是论其思想、技术和风格。谈到气质，我也讲不清楚，但实在有这感觉。

观众对现在的一些相声段子和表演，是不大满意的，相声界的艺术家们也不满意。有人说是“没意思”、“不够劲”、“贫气”、“格调不高”等等。相声拥有的群众最多，影响大，爱之愈深，所求愈烈，这也是人之常情。人们欣赏侯宝林的技艺，许多相声段子，拿来和《买佛龛》、《夜行记》、《戏剧与方言》相比，确实相形见绌。他的段子结构严谨，意味深长，表演又是那么出色，人物性格鲜明，语言精粹，不求哗众取宠的廉价逗趣。我看姜昆的表演，是向这方面追求的。他站在舞台上，像个调皮的大学生，捧哏的“李老师”是个憨厚而幽默的老街坊、老工人。他模仿官僚主义者或极左思潮影响下的“造反派”时，着重表现这些人物性格和语言、表情的特色，没有显然造作的姿态和腔调，也不去多余地丑化。那种不适当的过分的丑化往往会流入粗俗。

人们爱看姜昆、李文华的表演，不仅是喜爱他们写的段子，也喜爱他们的表演风格。为什么还讲到气质问题呢？依我看，相声演员和戏剧演员不同。戏剧演员扮演什么角色，就得把自己化为那个角色，扮演骆驼祥子，上了舞台，他就是祥子。相声演员的表演则是说、学、逗、唱。就论学吧，那就公然申明演员是在学什么人。演员在舞台上就是他自己，或者既是自己，又是所学的那个角色，或者一会儿是自己，一会儿是别的什么人。因之演员不仅有他表演的艺术风格，有他所扮演人物的气质，也有他自己本人的气质。一个话剧或电影演员，假定他有点油滑不大庄重的毛病，若扮演林则徐，他就得完全像林则徐，不能有任何油滑不庄重的表现。但作为相声演员，自己有什么毛病，多少会带出来，因为站在舞台上他本身就是他自己。

那么，相声演员可不可以把自己塑造成为一个和本人很不相像

的人物呢？我想是可以的，也应该如此，因为那是艺术，艺术家在舞台上需要塑造各种人物的典型形象。对相声演员，自然也包括艺术家自己。他在舞台上是说学逗唱的主角，就是说，也是某种人的艺术典型。塑造一个带有某种人的气质的艺术典型，是需要较高艺术修养的。我看到的一些相声演员，上了舞台，大体上还是他自己。

姜昆还年轻，和其他青年演员一样，要向老演员学习，不断提高艺术修养，在吐字、表演以及其他方面的基本功，都应该继承、学习许多老演员的长处。

也正因为年轻，是在新社会受教育成长起来的，受旧社会旧风习影响少，有我们新一代青年的气质，显得纯朴、真挚，有革命朝气。

有一次，他讲起自己在内蒙欣赏歌手的表演，一首是民歌，一首是新编的满是套话的歌儿，使我惊奇的是，他学那套话，一口气背了好几十句，熟练得像自己的段子一样。他的记忆力无疑是很强的，但我想，这不仅是天资问题，他在研究，在推敲，在有意识地往自己头脑中的仓库里填充创作资料。经过反复思考，不断重复，使他记得真切，背得烂熟。

他写的《诗歌与爱情》和《谚语谈》一听就知道是下了很大功夫，经过深入研究和学习才编写出来的。《如此照相》也一样。在我为他这个段子出版画插图时，他出了个好主意：在新婚夫妻的结婚照片上，以一条当时很流行的语录为背景，那语录是“要准备打仗”！

只有懂得讽刺艺术才想得出来。

他既是相声演员，又是相声创作家。这是青年演员很可贵的素质。

我有一种看法，不知是否偏见，认为造就科技工程人才，只要能按部就班上中学、大学，或专门学校，什么人都行，拍拍脑袋就是一个（要成为极出色的专门人才又当别论）。但要造就艺术人才却不行，特别是讽刺艺术。因为从事艺术活动者，各有必需具备的某种条件，需要适于此道的天资，对所从事的艺术的酷爱。因此对它有所追求，有韧性，即使在很不利的条件下也能持之以恒。我知道几个人，画了几十年漫画，很勤苦，很用功，甚至坚持不懈使人为之感动，但画出的画就是缺少漫画特点，按俗话说是老敲不到点子上。与此相反，有的人确有漫画创作天资，但无恒心，追求不力，学习不勤，结果只能“玩玩票”。但我所知的学理工科的朋友，大学毕业，参加工作几十年，就是一位专家。再看全国相声作家和演员真不少，真正出色的却不多。为此，我对于艺术界的青苗，是怀有格外珍惜之情的。

鲁迅告诫过，一个人可以打杀，也可捧杀，把人捧得晕头转向，不知所以，直至变为废料。但我相信，对姜昆，打杀还不至于，捧杀可不可能呢？一时说不准，看看吧。最担心的还是恐怕像登山，以为前面没有人，或人不多，就坐在半山腰，往下一看，果然一览众山小，虽离山顶还远也心满意足了。

此文看来颇有倚老卖老的口气，但我一向把他看做小朋友，他也一向把我看成大朋友，无话不谈，毫无拘束，我想，他是不会挑眼的。

（1982）

姜昆　李文华

谈袁水拍诗的讽刺特点

诗，我读得很少，因为画讽刺画，性之所近，也就读了一些。特别是袁水拍同志的政治讽刺诗，我很喜爱，乐于一读再读，好好地欣赏。

诗写得怎样才算好，那要诗人和诗论家去分析。我是门外汉，讲不出什么道理。但如果有人问我为什么喜爱他的讽刺诗？我就要说，因为那实在是讽刺诗，讽刺得有力而深刻。进行政治斗争和思想斗争，讽刺艺术是得力的武器。它使用起来灵活而及时，在斗争中起着其他艺术形式所不能代替的作用。讽刺诗更是短小精悍，锋利动人，能发挥很大的战斗威力。但是写的人并不多，写得好更不易，可见这门艺术是不大容易掌握的。这里，我想借袁水拍同志的讽刺诗来谈谈自己对讽刺的一些感想。

讽刺诗、讽刺画、讽刺小品、讽刺喜剧、讽刺小说、讽刺相声等等，虽然形式和表现手法有区别，但有共同的特点。其中有一个特点，那就是掌握矛盾。这在袁水拍的政治讽刺诗里显得很突出。诗人总是从许多复杂的事物中找对立关系，找对比，找矛盾。在国民党统治时期，中国人民遭受帝国主义、封建主义和官僚资本主义的重重压迫和残酷剥削，生活非常痛苦，到处掀起反剥削、反迫害

的斗争。而作为三重压迫者总代表的国民党当局，对外奴颜婢膝，假抗战；对内一面进行血腥镇压，一面讲什么“民主”、“自由”，搞些“还政于民”、“新生活运动”等等欺骗人民的勾当。诗人怀着无比的愤慨，写了许多暴露反动统治黑暗的讽刺诗。因为越能掌握住尖锐的矛盾，就越能突出对比的效果，更鲜明地暴露出事物的真相，强烈地表达出爱憎之情。诗人很理解这一点，而且总是运用夸张和集中的手法把矛盾强调得十分突出。从《万税》这首诗，我们可以看出诗人如何运用这种手法。在国民党统治之下，经济破产，民不聊生。当局为了应付财政危机，不断加重对人民的剥削，苛捐杂税层出不穷。另一面，那些官僚资产阶级和他们的代理人却一味营私舞弊，拼命搜刮。诗人就当时宣布的赠送礼品要抽税这件事，写了《万税》这首诗：

这也税，那也税，
东也税，西也税，
样样东西都有税，
民国万税，万万税！

“万税”听来似“万岁”，讽刺尖刻。“样样东西都有税”，这是一般的夸张的说法，但诗人依此再加以引申，接着写道：

最近新税则：
又添赠予税。
既有赠予税，
当然还有受赠税。

贿赂舞弊已公开，
不妨再来贿赂税。
……

这显然十分荒唐可笑，然而引申得完全合乎逻辑，因为国民党当局在剥削人民方面实在是有令人难以估量的“创造性”。下面诗人按同样的逻辑加以发挥，把新添税则的荒谬可笑强调得格外分明，显出其税之苛且奇，到了无以复加的程度：

印花税，太简单，
印叶印枝也要税。
交易税不够再抽不交易税，
营业税不够再抽不营业税。

接着，再进一步作了个对比：

此外，抽不到达官贵人的遗产税和财产税，
索性再抽我们小百姓的破产税和无产税！

语义深长，这样的讽刺，实际上是恨极了的控诉。

《发票贴在印花上》有异曲同工之妙。当时因为通货膨胀，印花的票面价值大大贬低，印花票要贴得很多，有时就让人觉得简直不像是贴印花。诗人抓住这个现象，并且从这种真实的感觉出发，加以夸张，形象地揭露了国民党当局的滔天罪孽：

发票贴在印花上，
蔻丹擦在脚趾上，
水兵出巡马路上，①
吉普开到人身上。

黄浦氽到阶沿上，
房子造在金条上，
工厂死在接收上，
鸟窠做在烟囱上。

演得好戏我来看，
重税派在你头上，
……
廉耻挂在高楼上，②
是非扔进大毛坑。

民主涂在嘴巴上，
自由附在条件上，
……
脑袋碰在枪弹上，
和平挑在刀尖上，
……

---

① 指美国水兵。
② 当时上海国际饭店上挂“礼义廉耻”四大字。

诗里从一件反常的事，引申开去，步步深入，把一系列的倒行逆施都端了出来。每一句诗，都道着了当时的一件重大社会事件，而且都说得那么明确、离奇而又逼真。诗人又模仿说反话的儿歌写了《人咬狗》这首诗：

忽听门外人咬狗，
拿起门来开开手。
拾起狗来打砖头，
反被砖头咬一口！

三岁孩子也理解，这是颠倒的说法。诗人接着写道：

忽见脑袋打木棍，
木棍打伤几十根，
抓住脑袋上法庭，
气得木棍发了昏！

看来可笑之至。讽刺总是以笑作为武器的。讽刺的笑，意味着轻蔑和否定，把被讽刺的对象贬得一钱不值，显得狼狈之至。笑的产生往往是矛盾强调的结果。依据一定的逻辑把矛盾强调得使人感到一反常情，十分不协调，但又感到强调得合理，可以理解，自然就引人发笑。《一只猫》这首诗很精彩，统共才五行，三十五个字，把反动当局刻画得入骨三分：

军阀时代：水龙、刀，
还政于民：枪连炮。

镇压学生毒辣狠，
看见洋人一只猫，
妙呜妙呜，要要要！

矛盾鲜明，对比强烈，而最精彩的是后两行，把猫的叫声含蓄而很明确地表现出它特有的涵义。比拟显然很夸张，“要要要！”是出于诗人的虚构，是假想的，然而一听就知道是蒋介石向他的美国老板要钱。不过表达得很含蓄，给人以联想的余地，就显得充实，耐人寻味。

掌握矛盾和运用夸张、集中的艺术手法，是讽刺艺术的一般规律。当然，讽刺不是纯技术问题。艺术作品打动人心，从来就不是专靠技巧的。立场、观点、思想、感情，对事物的敏感和理解的深度，都起着决定性的作用。读袁水拍的诗，就感到一股烈火似的激情和对旧社会反动势力怀着不共戴天的仇恨。这些诗所以动人，不仅在于严密的逻辑力量，也不仅在于讽刺的艺术技巧，首先是诗的字里行间饱含着的革命的战斗精神，深深地打动人心。没有昂扬的革命精神，是写不出战斗性强的诗的。其次是语言的口语化，即使文化水平较低的人，读给他听也能够欣赏，在多次朗诵会上也都大受欢迎，这是袁水拍的讽刺诗的突出的特点。这又与他的讽刺和幽默总是带有深厚的民间气味和民族色彩有关。

关于讽刺艺术，我没有作过系统的研究，自然提不出什么深刻的见解。袁水拍同志的诗，在政治上有很大的影响，在艺术上有很高的成就，作全面而深入的分析和估价，不是我力所能及。写这篇文章的目的在于希望引起同志们研究讽刺作品的兴趣，写出更多内容丰富、形式多样的讽刺艺术佳品，为打击敌人、建设社会主义服务。

（1963）

讽刺的诗和诗的讽刺

——一本诗集的序

我上过十几年学，至今课本上还能背得下来的，只剩两门：一是九九表，再就是诗词。九九表常用，忘不了；诗词美，又琅琅上口，记得住。可是我不会做诗。什么是诗？课本上说："诗言志。"这是言其要旨，和说"阿斯匹林治感冒"那意思差不多，所以我仍然不懂。但还喜欢，尤其是讽刺诗，性相近也。讽刺像拿放大镜看疮，一目了然。讽刺诗和讽刺画都如此，所以为讽刺诗配画，或为讽刺画配诗，都能很快捉着要点，顺理成章。

讽刺是一种语言的艺术，是艺术的语言。写成诗文或形之于画，形式虽然不同，艺术手法却是相通的——讲究的是奇巧、曲折，有美感。一句话的说法不同，效果就不一样，你说她"身上打扮得挺美，可家里又脏又乱"，这是家常话；倘说她"出于污泥而不染"，就成讽刺，是旁敲侧击，奇在似褒实贬，巧在二者互不相干却有似处，人一听就明白这不是夸赞，联想到冒出泥塘的荷花，相形之下，妍媸分明。若再推想此人脸上那么白净，时髦外衣里裹着的是多日没洗的一身泥，就更可乐了，被讽刺的人成了笑柄。

幽默和讽刺都因奇巧出人意料，令人不禁笑将起来。讽刺的笑自是贬意的嘲笑。事物运动总有常规，人世生活中亦有常情常理。

人的思想一般是按常情常理来推断事态的发展变化的，一有差异，便觉意外生奇，这是主观预计和客观现实之间的矛盾。奇而又巧产生的意外之感往往引人发笑，笑话就是以突来的意外逗人发噱的。善于讲笑话的人常是自己不笑，而且态度越显超然肃穆其效果越好，幽默讽刺家知道其中奥秘。这种超然静态为的是将情节进度捋平，使最后矛盾发生时，显得事态变化起伏的幅度加大而感突然，更出意料，激起笑的爆发。相声和连环漫画都运用这种手法，在讽刺诗中也有，但我看到的还不多，其实道理是相通的。当然这不仅仅是方法问题。讽刺是批评、抨击的一种方式，是以谐趣形式表达庄重的内容，它的轻俏不是减弱，甚而是强调了矛盾的尖锐性。讽刺采用大幅度夸张，便是这个道理。它的妙处在于不用正面冲击，而用迂回战术，以此启人深思，易于为人理解，也活泼有味理能动人，而不是像鲁迅提到金圣叹的传说时讲的“将屠户的凶残，使大家化为一笑。收场大吉”的那种油滑。

讽刺操的是迂回战术，所以用语曲折含蓄，启人会心。李绅的《悯农》：

春种一粒粟，
秋收万颗子。
四海无闲田，
农夫犹饿死！

是直言抒怀感叹。刘禹锡的《戏赠看花诸君子》：

紫陌红尘拂面来，

无人不道看花回。
玄都观里桃千树，
尽是刘郎去后栽。

和后来写的《再游玄都观》：

百亩庭中半是苔，
桃花净尽菜花开。
种桃道士归何处？
前度刘郎今又来。

那则是曲折讽刺，用的是迂回战法，使那些“道士”和“桃花”们下不来台。曲折奇巧，矛盾突出，是讽刺艺术的显明特色。

正因用奇，讽刺除作大幅度夸张和似褒实贬，声东击西等种种曲折语言之外，还凭想象纵情发挥。大幅度夸张也多出于奇思异想。看来荒诞而言之成理者，经常会取得更加动人的讽刺效果，如鲁迅提到的咏知县老爷公余探梅的一首七绝，就是一例：

红帽哼兮黑帽呵，
风流太守看梅花。
梅花低首开言道：
小底梅花接老爷。

我在上中学时听人讲过颇为滑稽的十七字诗，因为好笑，至今还记得几首，如某人嘲其舅盲一目：

发配黑龙江，

见舅如见娘。

两人同流泪，

三行。

这首诗内容不大好，是嘲笑生理缺陷的。它想得奇，连诗的格律都特别，五言诗句句都是五个字，最后忽而变为两个字，就使人有意外之感，因其出奇，也会觉得滑稽。解放前《马凡陀的山歌》有几首读来印象很深，如《铁丝网围在四周》，共七行：

铁丝网围在四周，

卫兵们分列在门口。

刀出鞘，

枪在手，

威风，庄严！

高墙深沟，

大亨在里头喝酒。

《万税》中的诗句来得更奇，如：

印花税，太简单。

印叶印枝也要税。

交易税不够再抽不交易税，

营业税不够再抽不营业税。

这是借题发挥强化矛盾的大幅度夸张手法，看来荒诞可笑，却真情动人。

音韵相谐本是诗的一大特色，在讽刺诗中还产生诙谐效果。从这本诗集里的许多作品看得出来，其中也是以奇巧动人的。谐韵就是一种巧。相声和漫画也常采用音韵相谐的手法。

讽刺性的文学艺术作品，早已显示出它独特的艺术功能。讽刺诗画相配，有如锦上添花，倍增风采。它又短小泼辣、谐趣逗人，极受群众喜爱，因此便成为锐利的战斗性的文艺武器，广泛用于进行政治斗争思想斗争，用于批评和战斗。由于它短小通俗，创作易于入手。但要写得好却是不易，因为用的是迂回战法。创作思路也是迂回的，是绕弯子说话。这是一种特殊的艺术方法，缺乏幽默感的人是绕不来的。我们的诗人很多，但讽刺诗发表的就很少，足见要写好是真难。

幽默和讽刺是互相渗透，紧密相连的，都以奇巧为工。幽默逗笑；讽刺也逗笑，但未必都逗笑。有的因怨怒情激，盖过形式的轻俏；有的讽义深沉笑不起来。也有直诉过于讽刺的。如同自然科学各门类之间的互相渗透、互相交错，文学艺术形式也有互相渗透、互相交错的。有的宣传画采用漫画技法，诗中还有散文诗，都是例子。内容不同，形式便会有差异。至于没掌握讽刺技法，写得平淡无奇，又当别论了。

有人会说：你不懂诗，怎么敢论起讽刺诗来了？诗我不懂，可讽刺还懂得一点。我想讲的不是讽刺的诗，而是诗的讽刺。听说爱斯基摩人吃烤海豹肉，这东西我没见过也没尝过。但我烤过白薯，吃过烤牛肉，能体会他们大概是怎么烤法，味道估计也和烤牛肉差不多。

讽刺诗人和讽刺画家可谓同行。希望常合作，还希望有更多诗人写讽刺诗，让诗画配得更好。

我所知道的米谷

常有人向我打听米谷。我知道的，他的住处离我家不远，每年春节我都去看望他。如今他正仰卧床上，是睡，还是在想，谁也不知道。他不讲话，他讲不出。

这位杰出的漫画家已有十几年没有作品发表了，人们怎能不挂念？不仅漫画界的同志，大凡三十岁以上的报纸读者都不会忘记他，不会不想念的。

我和他同龄，而在创作上他属前辈，30 年代他已发表了许多作品。1946 年我开始走进艺术界，他已是著名漫画家了。

1948 年，白色恐怖加剧，上海的漫画家纷纷跑到香港；余所亚、丁聪、沈同衡等都去了。米谷到港比我晚些，林默涵同志把他送到《群众》杂志住所，以后他到香港文汇报社工作。那时香港有进步美术家组织“人间画会”，我们都参加了。会长是年高望重的老漫画家张光宇，实际领导工作由黄新波和特伟两位副会长主持，米谷一来也任副会长，他们三人都是党员，在中共香港文化工作委员会邵荃麟、夏衍、林林等同志领导下工作。画会团结了大批进步美术家如关山月、王琦、廖冰兄、黄永玉等三四十人，阵容强大，旗帜鲜明，活动很引人注意。当时香港报纸上的漫画都是社会生活题材以及形形

色色的滑稽画。而从内地来的漫画家，发表在《华商报》、《文汇报》、《大公报》、《星期报》等报刊上的漫画主要是针对国民党反动统治，拥护人民解放事业的政治讽刺画，气势为之一新。米谷的画十分生动，讽刺尖锐，在报纸上地位很突出，吸引了不少读者。记得那时米谷还画了一本连环画叫《少年毛泽东》，销路很广，我亲戚家里大人孩子都爱看。香港居民对共产党及其领导人很不了解，反动宣传的恣意歪曲，使他们对共产党和社会主义心怀疑惧，这本通俗的“小人书”在政治上的作用不能低估。米谷初到香港，人生地疏，语言不通。我曾来过，自然成了他的向导，带他各处游览。他也热情地帮助我修改画稿，因而，交往多起来，逐渐熟识。我喜欢他那胸怀坦荡，对人推心置腹的性格，因此见面我是无话不谈的。除政治讽刺画之外，我们还画连环漫画在报纸上连载。他画的《上海小姐》登在《文汇报》，廖冰兄的《阿庚》在《华侨日报》，我画的《康伯》在《大公报》，各据一方。《上海小姐》有时拿康伯开心，《康伯》也出《上海小姐》的洋相。《星期报》是画刊，整版漫画都由“人间画会”包办，组稿便在画会内进行，常是米谷主持，分配任务。画会不仅指导会员的工作和学习，还要关心会员的生活问题，作为画会领导人，米谷一直是繁忙的。

1949年全国大都解放，会员们一一返回内地工作。我在北京，米谷回上海，仍经常联系。后来他主编的《漫画》杂志，编辑部迁来北京，见面更多了。我常到他家去。他工作十分忙碌，创作仍然勤奋。他的作品日益精进，风格鲜明，在我国漫画界独树一帜。直到现在，外国朋友提到漫画总要问起他的。不幸的是十年浩劫中他受了重灾，“四人帮”的诬陷和残酷斗争严重地损害了他的身体。我常去看望他，见面时，两人吸着香烟，却相对无言。他天天还在画，

然而画的却是鸭子，张张是鸭子，天天画鸭子，他画了成百上千的鸭子，画室也取名为“千鸭堂”，日与群鸭为伍，像在梦中似的。谁也问不出所以然。苏联习惯以鸭子象征扯谎，代表谎言，漫画里是常见的，我国漫画也借用过。他画鸭子是否有此含义，只能猜测了，我想多少会有的，寓意也许更为深远。他送我几张，任凭挑选。我求他复制一幅他的漫画旧作，他却死也不肯，逼急了才冒出一句：“我不画漫画！”我还能再说什么呢？一个无产阶级革命斗士，用以奋战多年的武器突然被人缴了械，几十年的作品，分明幅幅记录着他的革命战绩，自己却莫名其妙地被打成敌人，现在要他再复制这些画幅，这脑神经的触痛如何能忍受！“四人帮”被扫除，使他苏醒，冤情平反了，但久病的身躯经受不住骤然的兴奋，血压猛升，他倒下了。同志们为他请了多少名医，都无法使他恢复，只能成天躺着，话说不出，每见同志来看望，便潸然泪下，却动弹不得，如今连表情的力量也失去了。亏得他夫人张笑英同志不辞辛劳，默默地细心守护在身边，使关心他的同志们也感到安慰。他不能继续战斗了，但他的艺术是属于人民的，因而富有生命力。

（1981）

下 海

我这几十年来，经过上调下放，上山下乡，到如今，听说要上台阶下海了。台阶我怕是上不去的，下海嘛，我还没想，人家已经在劝我了。说是：“你这知识分子就是放不下臭架子。人家当教授的能在大街上摆摊卖馄饨，作家不就是自己上街卖自己的书吗！你呀，老脑筋，不肯下海！”所谓“下海”，照他们的说法，翻译过来是三个字：“捞钱去。”我认识一个孩子，初中毕业不久就开始下海做生意，刚过而立之年，已经是腰缠百万，买了新楼，买了汽车，出门在外住高级宾馆。我自己摸摸口袋，一个月的工资加各种补贴，大些的宾馆也许空着肚子够住一宿。好在我有外快，那是稿费。提起稿费，我真想下海有理了。

稿费是脑力劳动报酬。说白了，就是脑力劳动值多少钱。于是我想起几笔账来。

漫画家江帆出版了一本他的画集，是有英文译释的。漫画标题、对话字数不多，其他译文也不长，但页数上百，而且幽默文字不易翻译，须请精通英语的专家任翻译工作。我问这位专家，译这本书，稿费多少？他说：“七十块！”相当于现在一条（十盒）进口香烟，或三人上饭馆吃一顿家常饭的费用。这是1992年的事。

再谈编书。1981年，江帆和马克编了一本外国幽默画集，印数35000册，两年后再版，又印65000册。稿费共计160元，两位编者各得80元。所编的作品资料，全部是他们自己收藏的，免费供应。这些资料从何而得来，所需时间和费用，不得而知。

1990年，我编的两本外国漫画集出版了，一切过程是知道的，不妨说说。一本是美国漫画家奥托·索格罗的作品，一本是阿根廷漫画家莫尔迪略的作品。先说第一本。资料来源一是从上海《西风》杂志中复印，二是上海朋友从中国和日本报纸转载中剪下寄来，三是请在英国的朋友代购《纽约客》（NEW YORKER）合订本，从中复印而来，四是北京朋友从拉丁美洲国家报纸转载中剪下借给我，还是带彩色的。除此之外，还有香港朋友寄来一些。从朋友借来是免费的，但那本美国出版的《纽约客》，定价14.95美元，按现在报上公布的汇率折合人民币74元多，是我出钱买的。从报刊上将作品复印下来才能编辑成书，每幅画大都复印两次，因为原件印在报纸上，很多处不清楚。复印之后，必须将漏掉的线描清，黑色块印出是灰色的，也要用墨色加重。修补好再复印一次，编成后才送出版社。复印费每张至少0.25元，每幅画印两次需0.5元。全书作品共一百二十五幅，复印费共计62.5元。写信请许多朋友代为收集作品，邮费不多，可不计。

时间用多少呢?《西风》杂志是从图书馆里找来，借去复印。请朋友协助，要写很多信，作品复印后也须原物奉还，时间就难计算了。最费工夫的是将一幅幅画加以修补，有时修补一幅需半个多小时甚至更长些。封面是我设计的，序是我写的。再加译一些画中的文字（不多，有日文、英文和西班牙文），编排，一共用去多少时间，无法算清。我用了几年时间才将资料收齐编成——几年时间当

然不是全部用在这上面。

第二本的资料来源，一是在香港买英国出版的一本作者的画集，书价港币83.3元。一是德国朋友送一本在德国出版的画集，一是昆明朋友送给我的一本画集。还有我从报刊上转载作品中复印下来的。封面也是我设计，序也是我写的。所费时间没有第一本那么多，但也不是一年可完成的。

书出版了，稿费（即编辑费、资料费和稿费）每本600元，两本共收报酬1200元。

如将已知成本除去，几年来所花费的劳动时间，每天值多少钱？准比不上卖馄饨的。

然而，我们还算得是幸运者。人们知道，许多著作的作者，不仅分文未得，还要自己掏钱出版，做赔了夫人又折兵的"买卖"呢？

怪不得人家劝我们"下海"，摆个小摊吆喝："馄饨——开锅！"

（1993）

下海
暮暮朝朝
薄利多销
一才多用
能者多劳
九三年夏
方成画并题

岸边絮语

早先听说：言菊朋原是京戏票友，后来“下海”当了演员，成为一时名角。因此我知道，从业余玩票转为正式职业演员，称为“下海”。由此想见，那“海”是施展才能的广阔天地。现在也听说，而且报纸不断鼓吹“下海”之妙，但这“海”已改为市场经济的大海，是经济人才——企业家、商贾们施展才能的阔海长空。我国有名的民族企业家范旭东是大学化学系毕业的，先在财政部工作。后来“下海”在天津办起盐业公司——久大精盐公司，继而又拉也是学化学的侯德榜、李烛尘下水，创立在当时亚洲也算得庞大的化工企业集团。建国后侯德榜、李烛尘上岸当了部长，指导“海”上的工作了。

文人，大抵指经济基础之上的上层建筑中哪些人物，不仅指文艺工作者吧？也包括如教授、秘书、一些政治工作者、理论界人士、编辑、记者等等。不消说，其中确有不少经济人才。春秋末年越国大夫范蠡不是后来改名陶朱公，“下海”做生意发了大财吗？也有不行的。西汉司马相如把卓文君小姐拐跑，“下海”开个小酒铺，没干多久，还得上岸作他的《子虚赋》、《上林赋》，才发了起来。有个相声叫《改行》，侯宝林表演迷住了观众。说的是在“国孝”期间，

号称鼓王、唱大鼓的刘宝全“下海”卖粥，京剧名角号称金霸王的金少山“下海”卖西瓜，结果都成了令人心酸的笑话。在抗日战争期间，许多大学从东往西迁之后，有的教授因家累把家里东西拿去摆小摊“下海”，我印象很深。现在从报上看到有作家、教师出版自己的书，还要自己在大街“下海”摆小摊去卖，还有人在报上写评论称赞放下架子“下海”卖馄饨的教授。这几位与其说是“下海”，我看不如说“跳河”更切合些。我也被算在文人之列，在“文革”时挂的牌子是“反动文人”。画画、写字混了几十年，比其他干部多了一笔稿费收入，又出了二三十本书。有人问我：“你是几十万元户了吧?”我请他算算，按目前稿费标准，要画多少幅漫画才收得了1000元？花几年时间写一本书，稿费2000元多一点，还要当成一个月的收入来纳税。又花几年精力收集世界名家的画，前年复印编辑出版一本画集，得稿费600元，如此这般，问离万元有多远？但骆驼再小也比马大，我知足了。去年在深圳遇到那里的朋友，也个个劝我“下海”。在他们眼中，我是应该“下海”的。我那口子还说我死脑筋，跟不上新形势，舍不得放弃画那一尺见方的漫画，又冒充作家去写什么文章。说时，还指着他们的脚问：“你写几千字才能买一双这样的皮鞋?”

我终于没有“下海”，也还不至于“跳河”。实在对相伴几十年的艺术生活依依不舍，也离不开那生活圈里的同行与同志。但对一些“下海”的人既赞成也钦佩，比如黄宗英，她劳累一生，那么大年纪还不肯略事休息，奋不顾身地为艺术事业“下海”。倘使有哪位文人“下海”去，做个图书发行商，把那些与文化无缘的图书发行商手中的发行权夺回，即使夺回一部分也好，使得有价值的，有利于社会主义、有利于人民的书籍能顺利出版，全国各地都能在书架

和书摊上看得见，买得到，我也钦佩。

“下海”有利于社会经济发展，有利于人尽其才的，我都赞成。

数学教授“下海”卖馄饨，上课时，或者再也不上课，专心去计算粮油肉菜涨价的数学公式；作家到生活中去只管炒股票；画家用流水作业法画山水、画花鸟虫鱼和大美人……诸如此类，我看还是不如在岸上老实呆着好。当然，迫于不得已而“跳河”，我是同情的，但于心不安，愿他们能早日上岸。

（1996）

恭喜发财

每逢新春节日，亲友见面拱手相祝：“恭喜发财！”都盼时来运转发点财，这已是我国老传统了。我兄弟姊妹多人，除了我有稿费外快，其他都是只靠工资加补贴，数着钱过日子的。尤其是那当了几十年小学教师的妹妹，退休后每月只得200元。在大白菜从几分钱一斤涨到几角钱一斤的今天，生活已够她操心了，又加年老多病，而医药费每月只许报销几元钱。我当过教师，深知执教鞭的甘苦，更知教育对孩子的重要。常见报纸刊物上有关教师大量流失和学童失学的消息，最近又在电视上看到各地图书馆工作人员为经费紧张的诉苦，就想到最盼时来运转发点财的是这些人。

现在我国经济建设是时来运转了，喜讯频传。但从报上还看到，我国文教费在财政预算中所占百分比，在世界一百多个国家之中，排在近百位，离排尾不远。去年的一项社会调查表明，我国近40%的青年人家中无藏书，后果堪虑！有什么办法能让文教部门也时来运转，发点财，改善一下目前困境呢！我曾想过，既然公费吃喝每年浪费上千亿元，不妨在这上面打点主意，从中抽些油水。但再一想，这不行。历来是上面有什么限制，什么规定，下面必有对付办法，照干不误，早已形成“上有政策，下有对策”，抵制有方了。而且在现时条件下，还有许多犯禁有理之

说。比如,想办什么公事、私事,都须走走后门,才能成事。走后门少不得请客吃饭,办公事花公费,合情合理。想禁止公费吃喝而无堵后门之术,怎么禁得了?别的主意我也想过,可再一想便觉又是此路不通。当然这都是知识分子纸上谈兵,不切实际。

不久前看到报纸登的一则消息,又发奇想,觉得这次出的主意,会切点实际的。消息是1993年12月最高人民检察院检察长在工作会议上的讲话。他说,1993年1至9月,全国检察机关共立案侦查贪污、贿赂、挪用公款等经济罪案四万多件,其中万元以上大案23993件。挪用的已经用了,无油水可抽。而贪污、贿赂的钱是挖得出来的。两万多件万元以上大案,平均每案少说也有两万元,加起来就是四亿多元。其中贪污、贿赂的占多少呢?只能大略估计。比如重庆侦破受贿大案,犯罪金额达一百八十八万余元,各级铁路运输检察院也在1至9月立案侦查铁路系统的贪污贿赂,其中万元以上大案就有一百三十六件,如前估计,至少也有二百多万元。这两项加起来就有四百万元。再推算全国全年查出这类犯罪金额,估计总得以亿来计数。下面说说我的想法:

在没集中精力查办这些罪犯之前,我们就听喊穷。查办之后,挖出一大笔钱来,手头阔了,何不从中抽点油水,打点"回扣",拿一部分给文教部门呢?哪怕抽个10%也好。从这里抽油水有个好处,是实打实得,没跑。因为查出犯罪金额的人,决不愿少报的,其中追回来的钱也不敢少报。报多少,就按规定比例抽出文教费上缴,做起来并不费事。即使是"下有对策",在这件事上也难施其计。当然,这也属于纸上谈兵。但我想,谈谈也许会有抛砖引玉之效,希望能引出切乎实际,于事有补的主意来,这是我今年的新春祝愿。

(1994)

北京和深圳

有人说，我是属候鸟的——冬去深圳，春返北京。这是近几年的事了。因为在深圳有亲属，吃住有着落；又因那里约稿人少，可以静心著书，我两本书就是在深圳写成的。另外，在那里还交了一些爱书画的朋友，都要好，彼此常挂念。

深圳是经济特区，有不同于北京的特色。来往多年，就觉得两地有某些明显差别。俗谣云："北京人敢说，上海人敢穿，广东人敢吃，东北人敢干，深圳人敢赚。"敢赚就阔：腰包阔，住房也阔。在北京，我家书桌兼画案要比深圳的小一半多。要赚，就得忙，没闲工夫吵架。不像北京大街上，特别是在公共汽车、电车上每天都有吵骂的。出门买菜，在北京卖的是出土原物——连泥带菜帮子烂叶子的原装货。深圳不然，都择洗得干干净净。买鱼呢，在北京是卖整条的。深圳则可零售，要头买头，要中段买中段。买整条的可免费刮鳞去内脏，洗净装进塑料袋给你。不像在北京，出门买菜须带菜篮子（按：后有改善了）。冲洗扩印照片，深圳价钱是每张五角上下，北京价钱是七角上下。下馆子吃饭，哪怕是小馆子，吃不完的菜要"打包"带回家，一般是免费奉送塑料饭盒，外带塑料袋一个。我和朋友曾在北京王府大街一家很大的餐馆吃过一次，虽然花几百

元，“打包”还须自己到柜台上买塑料盒，一角五分钱一个。两者相比，自显高下。

到邮局寄东西，我喜欢北京。除挂号和国际邮件之外，还没见有什么限制条件。写信寄香港，用无标明邮政编码信封也和一般邮件一样写法，只有邮资差别。在邮局买贺年片，用所附信封，寄外国也可以。

在深圳，我可遇过几次麻烦，因为规定严格。其严之程度，是我想不到的。我常在住区邮电所寄书寄信，曾有这么几次经历：一次在北京邮局买的附有信封的贺年片，寄国外亲友，全部退回，因为信封不合此地规定。一次是往北京寄画，用的是深圳画院的大信封，但挂号不行，必须换邮局出售的信封。两者相比，大小样子完全一致，唯一不同的是，画院信封上未印写邮政编码的六个四方框子。在北京有无此规定，不得知。有趣的是另一次，我用《人民日报》公用信封挂号寄回报社，也被拒绝，因为写邮政编码的六个四方框都是用红色印的，和邮局信封所印上红下绿颜色不同。费了些唇舌，幸而因《人民日报》牌子响亮，或是因邮局工作人员体谅，才得勉强通融。最近一次，我更想不通了。因有急事从深圳发航空信寄往近在咫尺的香港。香港朋友写信来都用我国通用竖写方式。我也照此写法，我在北京给日本朋友写信也是这么写的，都没出问题。但在深圳不同，寄出几天，信被退回。信封上贴一张印制的说明不符合国际函件标准化规定的“函件批退条”。上列七条退信条款。其中第一条是：“信封、明信片尺寸不符合规定。”但这规定是什么？并无说明。我用的这种信封是市上出售的航空信封，没印邮政编码方框的。不知哪里不合规定。我常收到国外和港澳寄来的信，信封大小不一，颜色有白有绿。更令人不解的是，和香港通信，怎

能称为“国际函件”呢？妙事还有：这件不符合标准化的信封依然可用，但有条件。这张批退条最后有一行黑体字：“请按规定更换信封或补交资费0．35元。”我赶紧去邮局买一个“国际函件”航空信封再贴6角邮票换上，没那么多时间排队去问清这三角五分如何交法才合规定了。

入乡随俗，入深圳须问政（邮政），否则急事寄信被退回，多费邮资事小，误时误事，损失就无法估计了！

日常所遇工作效率，深圳不如上海，而胜于北京。服务态度则强于两地。就说那小邮电所吧，因几次麻烦恼人，使我不禁出语激动，嗓门放大几倍，那里工作人员却毫不介意，面不改色，反而使我感到歉然。

深圳到处可见卡拉OK，可不少带“长”字当官的却偏爱书画，而且还勤于动笔，一得空就认真地干起来。有的大企业也在推动职工开展文化活动，反映出一片蓬勃气象。我想，倘有一天在深圳出现官民书画联展，是不出奇的。

（1992）

给统计学家再出一道题

一次,在机场见到一批出国人员,据说是去日本学习商业服务态度的。我说:“这么多人,去一趟要花不少钱啊!”回答说:“学习,总得要交点学费的。”我活了几十年,还没听说过做买卖要出国学服务态度的——说不定我听错了。十几年前,我在日本遇到广东一个县的领导干部七八个人,好像也是来学习什么的。四年前在四川某市,听说市领导一批去了泰国,学水稻种植技术。前年在深圳,一位区长在谈话中提到,他也曾出国学什么来着。区、县、市的领导都在出国学习,那么,省里领导也少不得要出国学点什么的。学习,当然要交学费。我们的学习人员,是国家干部,我们实行公有制,公有公费,学费也就是公费了。私费出国,除了大款以外,谁也出不起。

二十年前,我家开始有高档家用电器了,那是9吋黑白电视机。十五年前,换成个12吋的;十三年前,又换成14吋彩色的;八年前,又换成20吋的。随着生产的增长,人民消费也跟着提高,家用电器不但档次提高,品种也越来越多了。以前我国不能自己生产,买来的是进口外国货。现在好了,电视机、录像机、照相机、游戏机、电脑等等都有国产品牌。我们从外国引进各种电器、各种其他东西的生产线,除了买机器设备和技术之外,还要派人出国去调查,去学习操作。调

查和学习，自然要交调查费和学费。最近，我参观一家从日本引进生产线的工厂。我问一位负责人：这厂里有没有研究机构、研究人员，他没作肯定回答。他只谈到他是承包人，没提到研究的问题。

得不到肯定答复，我就想：好家伙，这调查费和学费可“老鼻子”了！——北地方言，数多得惊人之意。

我知道，国外大企业很重视生产和产品的研究和改进工作，讲究日新又新，提高市场竞争力。我曾在国内一家大企业工作过，那里就有专门的研究机构，我当过几年助理研究员。现在很容易看到，国外产品是在不断更新的。六年前，我买了一台日本录像机。最近朋友相聚，拍了一段录像，转到录像带上，我这台录像机因不能自动调速，放不出像来。只好另买一台同一厂家生产的多制式能自动调速的新产品。我这八年前买的电视机也成了旧货，从美国买的动画录像放不出来；许多新产品是能用的。听说我国许多厂家只进口生产线，却不怎么重视研究和改进工作，而且在目前体制下，很多企业的研究工作也难于提上日程。在此情况下，即使进口的是最新设备，最新生产线，其前景只会是在不久之后，产品便成了旧货。商品要挤进国际市场，靠旧货无法和外国货竞争，在国内市场上也会很快成了所谓“大路货”，和进口货比起来要自惭形秽的。其结果，又得去跟着外国货后面紧赶，不断出国去调查，去学习。调查和学习，又得出调查费和学费——还得加上许多人的旅游费。全国有那么多的市县，每市县又有那么多企业进口生产线，这出国调查学习交的调查费、学费和旅游费，这笔账不知有人算过没有？希望我们的统计学家也来研究这道算术题。公费吃喝已经统计过，去年是近一千亿。调查费和学费统计起来，恐怕也差不多，我想。

（1993）

亚洲
美洲
澳洲
非洲
欧洲
公款

学学打算盘

打算盘，那是做买卖生意的一项基本功。开工厂、办企业是不是也须会打算盘？想必是会的。但实际上我总觉得不少人——我指的是国内的人，不会，或不大会。

我是从所见几件芝麻大的事才这么感觉的。先是见我儿子新买的一个小订书机（似应称订书器），看是日本造，就问他：这种东西国内产品就很好，何必买外国货？他说："不一样。"我看外形一样，果然还有"不一样"的地方——原来在机上靠近订书钉的一旁，开了个比芝麻大的小洞，由此能看到里面订书钉还剩多少。看来似不起眼，却使这小工具多了一项功能，引起人的爱好。

再有一件，也是芝麻大的"不一样"。我有一些常备药，是用塑料软包装的。用时要拆开，必须借助于刀剪。有人送我一盒韩国出的人参糖，一块块很小，也是同样软包装，不须刀剪，手一撕就开。那是因为包装边上有个芝麻大的三角剪口，顺剪口一撕就开，就像纸上有个裂口一样，顺裂口很容易再开裂。

类似情况见得多，不再列举。

不要小看这么芝麻大的创造，它不仅有经济价值，还有一定的文化意义，看你怎么估价了。就在前不久，见《市场报》上一则报

道，标题是："小针孔与百万美金奖赏。"写的是美国制糖公司海运方糖，出口到南美，因途中受潮，损失甚巨，曾邀专家研究，终无良策。该公司有个工人发现轮船上都有通风孔，于是在方糖包装盒角，戳上针孔，使之通风、防潮。这个办法很灵，公司就给这位工人一百万美元的奖赏。

小针孔比芝麻粒还小,却在经济上为公司挽回巨大的损失。更具深意的是这百万元的巨额奖赏,其中有经济头脑打的算盘。他打的算盘是,这小针孔的发现使公司挽回的损失,加上此后所得的利润,肯定比百万元多得多,给巨额奖很合算。更具远见的是,对这种于公司有利的发现和创造给予适当重赏,显示公司的高度重视,自然便成为激发创造发明的巨大动力,对于技术进步和经济发展起着推动作用。

有人会想：戳个针孔毫不费力，哪里算得什么重大发明？给个十块八块奖金，或买个小镜框，装上一纸奖状，或顶多送个锦旗也就对得起他了。这也是一种算法，是用土算盘打出的。这样算法自然会省下一大笔奖金，但后果怎样呢？

试看商店里那些数十年以至百年不变的商品，和专靠外国引进以及模仿造出的东西，拿到国际市场上同日新月异的外国商品比比看，便见分晓。

曾见报道，记得是什么企业对重大发明创造者奖励几百元，而且还平分给与发明无关的一些人，发明创造者本人只得很少，有的还因此不得不请请客，得主反而报亏。此乃土算盘一例。

对新事物的引进和仿造也可说是一种小进步，在别人后面跟得近了，总比自甘落后，坚持不改要好些。

还是学学打算盘——学学用经济头脑打算盘吧！

（1993）

“自由世界”

平常看电视，因为忙，只看两个世界的节目，即：人的世界——“新闻联播”和“动物世界”。尤其喜欢看“动物世界”。这些动物，不论是地上走的，水里游的，天上飞的，草里蹦的，它们的生活都是见所未见，闻所未闻，看了长见识。还有个特点：都活动得那么自由，干什么都没人管。人总是爱好自由的。不像看“人的世界”，所见多是一个个正襟危坐，一排排的在开会、学习、讨论、什么人在长篇讲话。动作那么少，场面变动不大。回想自己几

十年来，天天上班下班，办公、开会、学习，按时应卯，不得有误，自己支配的活动时间不多。看了动物的自由世界，总觉新奇爱看。

听说在人的世界之中也有个“自由世界”，那是美国老板们自封的。虽然早知道那里也和动物世界一样，大兽吃小兽，大鱼吃小鱼，吃起没商量，从西方电影电视里就看得很清楚。然而我想，“自由世界”总比我们要自由多些吧？

正好，去年有个美国杂志邀我去开会。这可是个好机会，亲自领略这“自由世界”怎个自由法。于是兴致勃勃地办了出国手续。老伴要跟着去，又为她办了个“探亲”手续，证件齐全，护照拿到手，到美国领事馆办签证。好家伙，洋办事员冷冷地用四个字就挡了驾：有“移民倾向”，不准入境。一开始就给我个坏印象。几经周折，只许我一人成行。

我有不少亲友在美国，趁此机会一一探望。先到纽约，朋友来迎，住他们家里。我有吸烟习惯。吃过饭，“饭后一支烟，亚赛活神仙”，手伸进衣袋，摸到烟盒。再看他们家里，桌上没烟灰缸，地上有地毯，便知是“请勿吸烟”之意，只好将手又缩了出来。神仙做不成了！次日一早，带我去附近餐馆吃早点，吃完，习惯性地将手又伸进衣袋。一看墙上明显地贴着 NO SMOKING“请勿吸烟”的告示，叹口气，手又缩了出来。在美国整两个月，走了二十来个地方，见过四十多位亲友，遇到更多各色的人，只见过两个吸烟的。从纽约到费城，乘火车找允许吸烟的车厢坐下。只有邻座一位比我年轻的老者在吸。再看其他，男男女女，还有小孩，都不吸。在林肯市，住在老友阎兄家，就是这位阎老兄，早年在四川同事，又是宿舍近邻，于是成为好友。他吸烟，在他的诱导下，我也吸起烟来，又成为烟友。一进他家，他烟瘾依旧，我也享到吸烟的自由。除此之外，

再也找不到吸烟场所。去时我带了十盒烟，回国时全部又带回来了。一入国土，到处烟雾腾腾，成了吸烟的“自由世界”。

长途旅行，总须要在车站、在机场买票，办搭乘的各种手续。有时要去邮局，去一些都须按先来后到排队的场所。那里常是办事窗口多，有的多到七八个，但只排一个队。哪个窗口空出，铃声一响，排在前面的便走过去。想硬往前挤，去“夹塞”，没那个自由！大街上十字路口的红绿灯，在我们城里是只管汽车的，可在那里，连行人、自行车都管，而且管得个个老老实实，毫无灵活机动的自由度。我们如今的习惯，八点上班，八点半到；五点下班，四点半就没人了。有的单位上班可以吸烟，闲聊，有的还可以打水洗洗脚。办公事也无时限，有“交情”的，给你早办；没“交情”的可以晚办，也可以“研究研究”，“研”它两三个月、两三年，以至于长期研究不止。我在那里跑这么多地方，也看过一些办公场所，都觉得他们都那么紧张，连闲聊天和吸烟的都没见过。也许他们性格没我们那么灵活，但我总觉得他们比我们的自由差多了！

什么“自由世界”！只有剥削的自由，破坏国际公法，在公海上拦截我国商船的自由！在社会生活上，我可亲眼看到，自由比我们少多了！

（1992）

请勿吸烟

小杂货店

我少小离家，在北京读高中时，继承祖父在美国旧金山事业的伯父，年老独自返回广东中山县故乡。他曾托人带一支钢笔（那时叫做自来水笔）送给我。在他去世之前，出生在美国的他的儿子——我的堂兄也曾回过家乡一次，但我都不曾见过。直到1979年夏天，堂妹从美国来北京时，我才初次见到远在异邦的亲属，那时我们都已年届花甲了。听她说，祖父在旧金山附近矿区开的杂货小店至今还在，但已经卖出多年。后来我看到1983年5月29日的美国萨克拉门托市《蜜蜂报》的一则报道，上面登载了这爿小店的照片。店名依旧，用的还是祖父的长孙，也就是我的大哥的名字，叫孙顺和公司。该报并介绍说，那一带矿区曾遭大火，仅存的建筑物只两所，那小店是其中之一。地点在早年加州第二大城市、华人称“二埠”的萨克拉门托市南边不远的考特维利小镇里，离旧金山也不远。

去年8月，我应邀去费城开会，趁机去探望亲友。在旧金山和萨克拉门托见到堂兄和三位堂姊妹。然后友人张荣善开车带我去考特维利。堂兄告诉说，那爿小店在1924年卖出。我二哥在40年代曾去看过，说小店新主是位美国老太太。如今我去看时，店主是位名叫丹奈的中年男士。他热情地接待我们到店里参观。这位店主仍

做杂货生意。我一眼看到，我祖父和伯父当年的照片都镶在大镜框里，高挂在墙上。此外还陈列着一些旧时的用具、账簿和单据等等。账簿厚厚的，封面写着“光绪十八年立”几个字。我怀着激动的心情，久久地望着祖先的这些遗物。小店建于1850年，在美国已算是历史遗迹了。我感到难得的是，七十多年来，虽几经易主，小店和遗物竟被原封保存得这么完好，连当年的域外原主也受惠成为纪念的历史人物。在旧金山一带开发初期，便有许多华侨在那里辛勤劳作，和当地居民友好相处。对华人遗迹的珍存，无疑出自对历史的珍视和有着情感上的怀念。就在小店所在的路边，我看到路牌上的路名，正是我伯父的英文名字Kow。这个小镇里还有个小博物馆，我看到里面陈列的，除了采金矿工们的生活用品和工具外，还有许多华人的遗物，其中也有我祖父和伯父的照片，上面都写着名字。

不仅在考特维利，在我们去时路过的另一小镇乐居，也发现那里有个小博物馆，里面展出的全是华人遗物。原来这里是当年华人聚居的地方。从墙上所挂的照片中，看到附近三镇华人欢迎蔡廷锴将军的合影。我堂侄指给我看他的母亲就在欢迎的学生队伍中，那时她才十几岁。镜框里有一封蔡将军的感谢信，信中写着一段“抗敌救国箴言”——“抗要实力，责己为宜。敌货勿用，俭德知持。救要真心，做人为基。廉耻先立，信义归依。大公无私，勿争意气。合群办事，勿乱是非。任怨任劳，负责不辞。让功让贤，成功可期。”信后署：“民二十四年元旦书于金门。”

广东中山市（前香山县）有不少人侨居美国。我们村子里就有很多“金山客”，许多家里可见墙上贴有“金山顺利”、“金山大吉”之类红纸金字的吉祥字条。这次在美国西岸我见到本村的人就有十位。

我的堂兄姊妹们对他们度过童年时光的小店是不忘情的，不时驱车前去看望，几番流连。去年他们一大家二十多人还特地到那里和新店主一起欢聚。他们来信告诉我，“明年还要再去”。

早年间，中国人漂洋过海来到这片尚待开发的土地，那真是胼手胝足，千辛万苦。他们和当地居民相处和睦，共同协作，为美国早期的开拓作出了不可磨灭的贡献。美国开发史上记载着曾在这里流过大量血汗的一批批中国劳动者的业绩，当地居民也深深地怀念他们之间历代相处的情谊。我想，这爿小杂货店历经百多年，数易其主而仍保持原貌和保存着我先人的遗迹，正是这种情谊具体、生动的体现吧。

（1993）

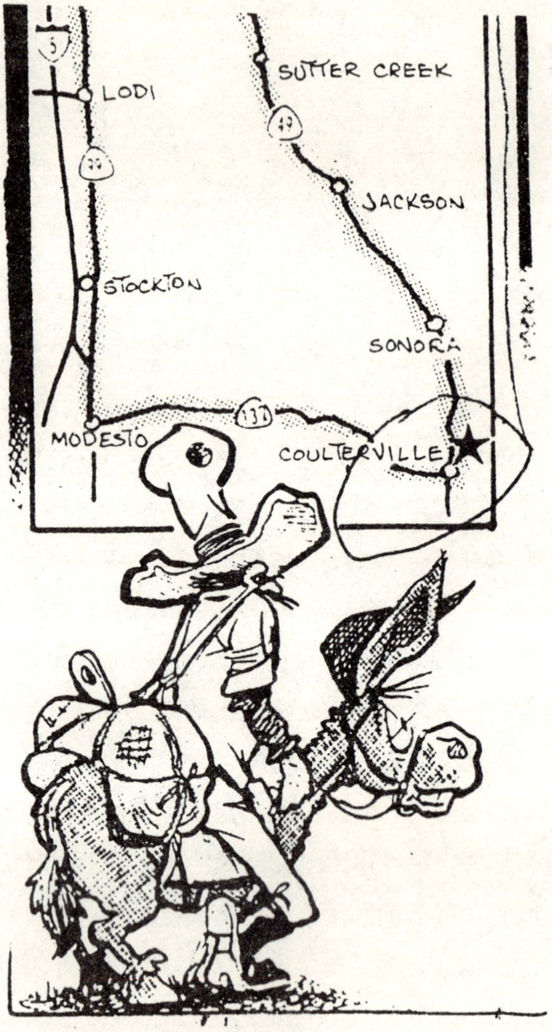

5
LODI
99
SUTTER CREEK
49
JACKSON
STOCKTON
SONORA
132
MODESTO
COULTERVILLE

（图中的★表明小店所在处）

说胡想

干什么职业的人，难免养成一种与本职相关的习惯。我就有——就是惯于多想甚至胡想，有时想得可笑。看小娃娃在街上拉开裤子就尿，就想到自由：这样年纪，憋尿用不着到处找厕所。看妇女在调弄孩子，喂他饭，逗他玩，就想：真是自在的年华，不须按时上班，不必去开会，犯不了什么错误。自己装了假牙！就想出个让孩子猜的谜语："有人戴着口罩刷牙，你猜是怎么一回事?"常见不少人在汽车飞驰的大街上，看也不看，大摇大摆地横穿过街，汽车还得躲着他们。于是就想，这些人不怕死，当兵合适。去年，我从南方乘火车返北京，见车上贴的广告有"中国可乐"四个字，不由得笑起来。那是想起1958、1959年报纸上那些虚夸的漫画，画的是花生剥开当船使，猪养得比动物园里的象还大。那时报社年年派编辑分批下放到农村参加劳动。还是高级社时期，我被分到广东阳江县担任一个社的副社长，曾受命按"人有多大胆，地有多高产"的"学说"，去做亩产二十万斤水稻的试验田。我们两人和一组青年农民利用一片泥坑，下了数不尽多少担的农家肥，种上水稻，日夜"奋战"，累得腰酸腿疼。稻禾确实长得绿油油密麻麻一大片，可没活到结穗就烂得精光。因为患副伤寒住院，没参加全民炼钢，但全

民写诗是参加了。村里会写的人少，我也写不惯，很吃力。另一位会写一点，可写不了那么多，就到处找书报连夜照抄，写在红红绿绿的纸上，贴得诗画满墙，呈现一派兴旺景象。现在想起来就觉可乐。记得在上学时候，看女同学的各种发型，就给取外号——有“清汤挂面头”，有“红烧狮子头”……这都是干我们这一行的人常有的习惯，是出于联想。在五七干校期间，我学会了理发。买了一套理发工具，于是成了干校同学的义务理发师。为了和农民打成一片，也给农民孩子们理发。我的手艺还不错，理一次只需半个多小时，给孩子理，二十分钟就差不多了。现在呢，我到报社的理发室理发，因不惯于闲坐，就带本杂志，理发时看。谁知刚看两行，理发师就问：“洗头吧？”原来理完了。算了算，也就五分钟。如今不是到处在研究提高工作效率问题吗？我就想起向理发师学习了。这比花公款乘火车飞机到深圳、珠海，更比远飞香港、欧美、日本去参观、学习要省得多。在“文革”期间叫得最响的一个口号是“兴无灭资”。我曾想，如果谁要想把沾点“资”味的，不论好坏全灭掉，也把自己身上所有资本主义国家的发明和产品彻底灭掉，他得把眼镜、假牙、西服、衬衣、背心、西式裤子、衬裤、“洋”袜子、皮鞋、圆珠笔、钢笔、助听器、手帕、手表，通通抛开，各式发型剃去，改成光头，再看他身上还有什么？这就属于胡想了。不过，有时胡想能出科学，听说有的化工冶炼是从道士炼丹那里开始的。炼的丹说是吃了能长生不老，这不就是胡想吗！

（1994）

说 胡 想

闲侃小记

手里还拿着报纸，就睡着了。做了一个梦，梦见自己也跑去下海，醒来才发觉仍在岸上。这几天真为下海的事一思再思。思之不出，便约几位能侃的朋友，想侃出个门道。人家三侃两侃能侃出个文艺作品，说不定咱也能侃出成果来。老张说起那天的事：他去一个单位办事，碰了个“今日学习”的门钉，原来这天是按规定在学法——学习法律、法规，不办公。这个单位不是司法部门，也不是法学院校，怎就全体学起法来了？他不明白。大家也就从学法侃了

起来。老王说，他活了六十多岁，没学过法律，只在1957年犯了案，受了二十多年劳改，可至今也没明白犯的是哪条法律，可见这法律是非学不可的了。老李说："我不想当律师、当法官，也没当领导的资格，又不想去犯什么法，不去学法律。报上登的那些违法犯人，多半是下功夫学过法律的：为了贪污受贿，他们须钻法律的空子、瞒法律的眼睛，会造假账，搞攻守同盟。他们知道杀人抢劫、盗窃、拐卖妇女是犯法的，会用种种手法藏行迹，造假象，转移执法者的目标；知道假冒商标、制造假药害人是犯法的，会千方百计走后门、拉权势者下水、找他们保护，借权大于法来和执法者对抗……不懂法而犯法的人，比如干涉别人的婚姻，虐待子女、老人等等，案子在报刊上见过，比懂法而犯的人要少得多，而且犯法者多数是文化不高的人。一般干部、群众因不知法而犯的当然有，人数也比较少得多。但为此而让大家都停止工作来学法，实在想不明白。在'时间就是金钱'的时代，大家伙儿费这么多时间，值得吗？常听说不少人不远千里跑到大城市，跑到北京上访告状。从报上消息可知，这中间涉及地方法庭不尽职和以权谋私的问题，倒是该让这些执法者和当什么领导有权势的人认真学学法律，使国家在政治和经济上免得遭受巨大损失。"

老李这一番话，引起常到外地出差的老赵另一个侃题来。他说："盗用公款，哪怕十元百元的也是犯法，得偷偷去干；可是堂而皇之拿成千上万公款来请客，请老丈人喝酒吃大菜，比英国皇上请客还阔气，国家统计局算过一笔账，全国大型饭店、酒家60%一70%的营业额来自公款请客，一年吃掉的公款至少有八百亿元，可没听说谁犯什么法，惩治过什么人。有的人干经济工作，不懂经济、贸易法规，被外商骗走几十万、几百几千万公款外汇，不知算不算犯法，

有没有人因此受法律制裁？在报上很少见这样的报道，所以咱们也不明白。还有年年不少人用成千成万公款到各风景区，到外国去旅游，听说某市一个区长就去过好几个国家和地区。这些人都是有权有势的，报纸刊物上常见这样的消息和评论。但算不算犯什么法，就不知道了。如果算犯法的话，那么这些人事先就该认真学学法律知识——话说回来，在这些问题上有没有法律规定，咱不知道；如果没有，咱不明白。”

老钱说：“在报纸上就见过评论文章，说咱国家好像越来越阔，办公楼和宾馆大厦越盖越漂亮，小轿车越坐越豪华，集团消费越来越多，花的都是国库里的公款。可为什么许多地方发不出工资，许多教师工资也欠着，又好像越来越穷……”

老张说：“我看不少机关和宾馆都有把门儿的，有门卫，外面人来要登记，要查问，守得可紧呢！可咱们的国库不知道有守这么紧的门卫没有？”

说到这里，大家得出个一致同意的结论：国库需要有个忠实可靠、铁面无私的门卫；不吃请，不徇私，不讲情面，不拍什么人的马屁，用社会主义共产主义思想武装头脑，而且有很高威信和尊严，谁也不敢冒犯的门卫——这就是法律！

如果没有这样的门卫，那些有权向国库伸手的人，可以把国库当唐僧肉，大摇大摆地走来，你咬一口，他咬一口，西天取经可就得另打主意啦！

居然侃出一篇短文，登在报上，准有稿费，几位侃爷一分，一顿早点解决了，不亦快哉！尽欢而散。

（1993）

欢迎参观

因为和自己的业务相关，又是我性之所好，很喜欢听人讲笑话，喜欢看笑话书。最近看到一个译来的外国笑话，原文是：

在纽约，一个犹太女人牙齿痛得很厉害。她本想去牙科门诊，却误入了一个著名律师的办公室。她推开门，看见有个犹太姑娘正在打字。

“小姐，”她问姑娘，“这里拔牙吗？”

“不，”姑娘答道，“这里不拔牙，只管扯皮。”

看了我觉得有点奇怪。我总以为“扯皮”二字，是中国常说的专用词，外国——我指的是美、英西方各国——恐怕没有。因为“扯皮”是需要耗费时间的，在“时间就是金钱”的国家里，这种事虽然会有，但不会普遍得会产生个专用词。按现代汉语词典的注释，“扯皮”释为“无原则地争论；争吵”。又查汉英词典，“扯皮”条下注的是：dispute over trifles；argue back and forth；wrangle。译出即：为琐事争辩；来回争论；争辩。并无专用词。我的估计没错。看来那个笑话不是完全直译的，译得很巧。

“扯皮”的事我见得多，看这种没完没了地扯来扯去，浪费精力和时间，而问题得不到迅速解决，始则厌烦，继而害怕。记得前几

年的一个夏天，从昆明去南昌时，乘的是有空调设备的火车。据说空调机器坏了，又无电扇，乘客热得哇哇叫，毫无办法，但空调费照收。有人忍不住和乘务员争辩起来。我只是忍着，因为知道争辩毫无用处，白费劲！不如省点气力好。又一次，在住处附近一个冲洗照片的小摊去加印一张照片。底片是5张连在一起的。小摊的姑娘一定要我把要印的那张底片剪下来。我想剪下来很不好保存，就批评说，在照相馆里印照片，只要写明底片号码，不须剪开的，你怎么不这样办呢？小姑娘见我这样坚持，只好噘起嘴来收下了。印好照片我来取时，一看底片已被用脚踩过，照片印出划痕斑斑，5张底片全报废了。我气得很，质问她时，她还争辩。见事已如此，辩也无用。我平时工作那么忙，哪里有时间为这事去追究！一追究肯定非扯皮不可，只好忍痛作罢。至今我冲洗加印照片再也不图省事，宁可乘车到照相馆去办了。前几天，我到那常去的照相馆加印几张照片。取来一看，印得色浅。怎么办呢？想一下，还是罢了，因为这种事太平常，我实在忙得顾不上。我想过，倘去找他们重印，非扯皮不可。离我住处不远就有现成的扯皮样板，看了就害怕。那样板就在人民日报社西门北面，是一条路口。口上是建成而又废弃的大门框，已用一块大塑料布拦截，不能通过，人们只好从另一条小路绕道而行。在我的儿子结婚之前就已经拦住，现在我的孙女儿已经两岁多了，那个大门框还依然被拦截如故。曾问过附近居民，他们说，那是正在“扯皮”呢！

谁有兴趣不妨去参观，地址在朝外金台西路，不禁止拍照。

（1993）

美育乎?!

欢欢喜喜过个年

我小时候曾生活在北京，那时不讲计划生育，弟妹成群。家还不穷，便有做饭的“老妈”和带孩子的奶妈。她们哄孩子唱儿歌。说来也怪，那时听到的，现在我全记得——六十多年了，一个字也没忘。其中一首更难忘：

小小子，坐井台，
摔个跟头捡个小钱；
又买米，又买盐，
又娶媳妇又过年。

“媳妇”就是妻。她们是用儿化音唱的：“小小子儿，坐井台儿……”听着柔美又有动人的生活情趣，自然流露出劳动人民一种质朴的生活愿望和追求。想吃得饱，少不得米和盐。吃饱了，想成家立业，过幸福生活，能痛痛快快地过个年（春节）。先为吃而受苦，苦尽甘来，便以吃为乐。娶媳妇大办酒席，吃个天翻地覆。过春节从除夕到十五元宵，天天琢磨怎个吃法。吃了几千年，至今便以吃甲天下。现在我们一个几十人、甚至十几人的小单位请客吃饭，就

能比大英帝国的皇上请客要阔气得多。俗话说：坐吃山空。许多地方已经空得连教师工资都发不出，可还在大吃。想当年，和一些发达国家相比，我们在用心研究吃的时候，人家却在用心研究吃以外的许多，可人家也没少乐。他们研究的成果，我们差不多一件件引进来了，于是我们有了电灯、电话和各种电器；有了火车、汽车、飞机和曾经用来攻破我国大门的大炮和坦克。我们身上也带上钢笔、圆珠笔、眼镜、助听器、假牙……我们吃了大亏，后来才醒悟。

看来，我们还须努力，继续把研究吃的重点，很快转移到更重要的方面去了。

当然，过春节还是要高高兴兴地吃，那是民族习惯，是群众所喜的。但吃法能改。

我们过年（春节）时节，把人成天赶到菜市场，把主妇赶进厨房，又忙又累又花钱，只换来一桌桌酒席和满身大汗，我总觉得这样乐法不太上算。回想当年，我曾过过两回至今难忘的春节。一次是在一位叔父家，他们是南方人，身在北方，也想学北方过年吃饺子的习惯。全家总动员，买好肉菜，剁馅的剁馅，和面的和面，姐姐会擀皮儿，婶母会包饺子，兄弟姐妹和我这个客人都来凑趣，学着包。大家在一起，手不停，嘴自然也闲不住，又说又笑，而且还净找能逗笑的事儿来说，这场面，按北京话说是“别提多高兴啦”！钱没多花，汗没多出，大家吃自己包的饺子，“吃饺子就酒，没饱没醉”，“别提多好吃啦！”

再一回是在抗日战争期间，我在四川上学，生活很艰苦，学生靠学校贷金度日。我们六个学友在一块儿过年。大家掏空口袋，凑几毛钱买一瓶白酒、一包炒花生米和几个地瓜——北方叫凉瓜或凉薯。喝酒划拳，谁赢了喝一口酒，吃半颗花生米，从“年三十”闹

到天亮，真是其乐融融，五十多年一直不忘。

快乐不在多花钱，也不在什么丰盛酒宴，而在于聪明的安排。

我的意思并非只提倡过节家家都包饺子，而是主张多动脑筋，把以吃为乐的旧习惯改一改，使生活和工作都向更健康更有益也有趣的方向转去。您说对吧？

（1995）

侯宝林和相声

侯宝林，不仅在国内是一位家喻户晓的人物，也为很多外国朋友所熟悉。我在他家就几次见过外国人专程拜访他，有日本人，有印度人，有加拿大人。在文化大革命期间，到处传说他自制一拉就长的高帽和挂黑牌子戏弄来揪斗他的“造反派”的笑话。在广东，连不说北京话的广东老乡也一个个来问我，这是不是真的？——侯宝林对我说：“那是群众的创作。”在他卧病期间，许多人都很关心。他去世后，朋友见了我就深为惋惜地说：“前无古人，后无来者！”这是句很伤心的话，表明他们的痛惜和对相声艺术发展道路坎坷的理解。

相声艺术发展途程确实是坎坷的。相声是来自民间的艺术形式。从秦汉俳优、唐朝参军戏直到清朝大约同治或再早一些时间，才逐渐成为像现在所看到的这种表演形式。表演者多是贫苦的艺人，以此作为供人笑乐，借以谋生的手段。贫苦人一般不识字或所识不多。以此谋生，自称“卖艺”，按现在说法，表明那是当作商品出卖的，目的只为逗笑赚钱，说不上艺术表演，故称“杂耍”，称“玩意儿”，内容低俗。观众大都是所谓“贩夫走卒”之流，加上学生、稚子。有时演出，见有女客，即时劝走。我年轻时常去西单商场看高

德明、张杰尧（艺名张傻子）、绪得贵、汤金澄（艺名汤瞎子）、朱阔泉（艺名大面包，侯宝林的师傅）等人表演。他们都是颇有名声的艺人，还在画地为场，“撂地”演出，也只能说是“杂耍”。但艺人之中还是有读书识字的，如早期艺名“穷不怕”的朱绍文，记载说他“腹有诗书”，“品识高尚”，是个落魄的知识分子。又如张寿臣，从他编、改的相声作品（称为段子），可见他文化是不低的。所以在传统相声段子中，有不少具有艺术性的作品，如《珍珠翡翠白玉汤》、《连升三级》。到了大约40年代，相声才从“撂地”摆摊进入茶馆登台表演，按现在说法是“上一层台阶”了。能受聘登台的自然是艺人中之佼佼者，如张寿臣、马三立、侯宝林、常宝堃之辈。据记载，他们的共同特点是“文哏”，也就是近乎雅的具有动人艺术性的演出。所演多是传统段子，在封建半封建社会，其中自然含有不少陈腐的低级趣味的内容。建国后，社会性质改变了，相声便面临不经改革很难立足的问题。在为人民服务、为社会主义服务，百花齐放、推陈出新的文艺方针指导下，艺人们经过多年努力，终于将许多传统段子整理出来，去粗取精，又编写新段子，使相声面目为之一新，显现出动人的艺术性，赢得各阶层人民的热爱，成为生活中不可缺少的艺术欣赏品。相声原来只流行于华北几省，后来流行全国，以至出现其他方言的相声。而带头从事改革的，正是侯宝林；改革成绩最突出的，还是侯宝林。

提起相声的改革，那是十分艰苦的。侯宝林出身十分贫寒，从小寄养在别人家里，只上过三个月小学，能识多少字？他不到而立之年即已成名，全靠他个人奋斗。据他说，那时作艺收入极低，和要饭的乞丐一样，其社会地位之低也与之相差无几。建国之后，生

活改善了，社会地位改变了，有机会补习文化，也有机会接近上层知识分子，又得到老舍、罗常培、吴晓铃等著名学者、作家们的热情帮助，有些人还写新相声段子。在这样的有利条件下，他奋力整理出脍炙人口、令人着迷的传统段子《戏剧杂谈》、《戏剧与方言》、《婚姻与迷信》、《关公战秦琼》、《空城计》、《改行》等，改编的新作《夜行记》和创作的《一贯道》（与孙玉奎合写，其中“买佛龛”一小段尤为精彩）、《醉酒》、《妙手成患》等等，可说是百听不厌的艺术精品。他常说，他是解放后才得以文化扫盲的，可见他在相声改革中经历的艰辛。他不仅在表演和创作中显示出他的过人之才，还悉心研究相声和曲艺理论，与人合作写了有学术价值的《曲艺概论》、《相声艺术论集》、《相声溯源》等著作出版。他还熟通语法修辞，语言精炼，因此受聘于著名的北京大学和辽宁大学任语言学兼职教授。年逾而立才开始文化学习，从文盲到教授，要付出多少心血啊！更难得的是，他懂幽默，还在表演和创作中熟练地运用这种极难掌握的艺术技巧。我们看他在表演中的表情、举止和形体动作，都很夸张而不失度，给人以美感，这在相声表演家中尤其显得出众。他整理和创作的相声段子，艺术结构严谨，语言精炼，如一气呵成，不见败笔。特别在人物性格刻画上很鲜明生动，如在《夜行记》和《空城记》里更显分明，这和他在日常生活中对各行各业人物和对社会生活的细心观察是分不开的。他阅历广，又有意和各种人接触，对事肯动脑筋。我和他一同骑自行车，连走的路线他都选得很精，这在我平时是不注意的。他最早学的是京戏，唱功、做功自是很精，又勤于学。听钟灵同志说，他在政务院（即今国务院）任职时，1950 年冬在全聚德烤鸭店宴请梅兰芳、程砚秋、谭富英、周信芳。侯宝林学他们的唱腔唱起来，使在门外的服务人员以为真的是这四

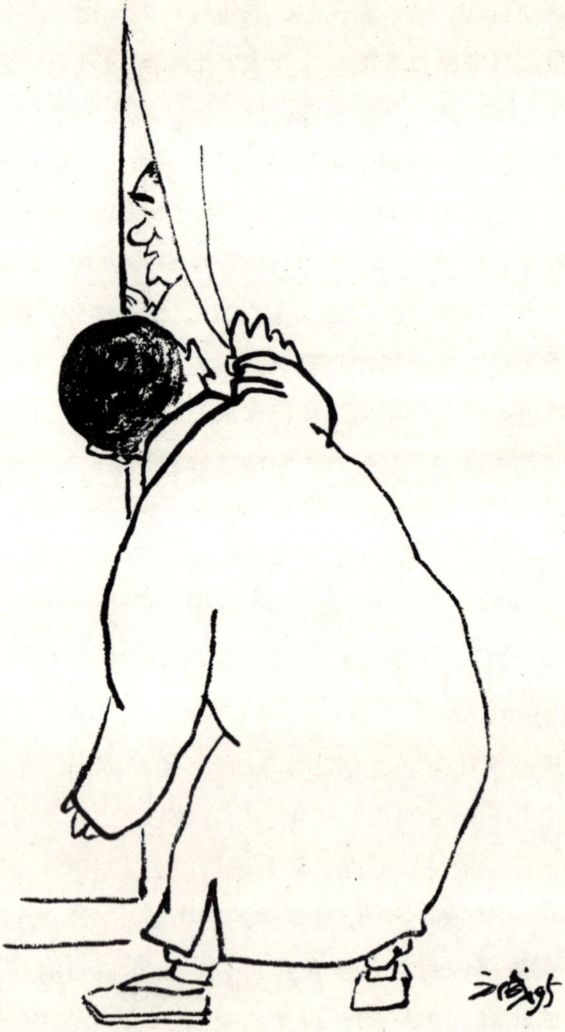

位演员在里面唱呢。平时他不苟言笑，可说起话来，却像都经过严格语法训练一样，话很简练精当。又好开玩笑，且来得幽默动人，可知他在日常生活中处处找机会运用幽默艺术技法。和他谈起《改行》的整理过程时，他举例说明，原作是八大改行，之所以只取其三，为的是把其中不合理的部分删去，把可省的省去，使作品精炼起来。然而，就在我已开始和他合作，听他讲相声整理的经过，记录他的艺术思想时，他却中途病倒，终于不治，使我深感遗憾。他满腹有关幽默艺术的道理和经验，不料天不假年，来不及留下了！幸而他培养了几代学生。马季和不久前收的师胜杰以及马季带出的姜昆，都是享有盛名的艺术家。还有台湾著名的老相声演员吴兆南，也曾师事侯宝林，在台湾负有盛名。在他的影响下，他的公子跃华和跃文，都已是著名喜剧演员和相声演员。他在艺术上十分严肃认真，又恪守艺术道德，对艺术先辈他很尊敬。有一次，谈起他师傅朱阔泉先生时，我说他是青出于蓝，比师傅成就大。他很严肃地说："我师傅有些本事我还没学好。"他举例说的是相声里的一些唱功。马三立同志是比他老一辈的相声艺术家，侯宝林对他也很尊敬。1983年夏天在马老生病住院时，侯宝林和我一同去看望，就见他对老人态度很谦恭尽礼。

幽默是由于社会、文化和语言的发展而逐渐形成的一种艺术。我国有几千年文明史，文化、语言都很发达，才会产生相声这种幽默最集中的艺术形式。和外国同类艺术相比，相声有完整的艺术结构，有一套合乎幽默规律的艺术技法。我看过、也听说过一些外国表演情况，还未曾见过，也没听说过有相声那么成熟、完整的幽默艺术形式。因此我常说，相声是我们中国的国宝，是中华民族值得骄傲的创造。侯宝林作为艺术改造的主力人

物，将几千年源流而凝成的、还处于未经提炼状态的相声，锤炼成为精美的艺术品，他的功绩将会使他名垂史册，令人难忘。他的功绩也是社会主义制度优越性的明证。他的去世，是我们艺术界的一大损失。

（1993）

咖喱鸡·打蚊子……

在50年代末开始的食品供应极困难期间，侯宝林有时约我和陈今言去政协礼堂吃饭，看表演，因此记得我们和他相识是在那时之前不久。都是从事幽默的艺术工作，很容易一见如故。漫画和相声最接近，正如宝林向我说过的："相声是有声的漫画，立体漫画；漫画是无声的相声，平面相声。"今言没写过相声，居然也写了一段记得是关于西方体育运动中的笑话，侯宝林表演，北京电台播出。粉碎"四人帮"之后，宝林和我合写过一段以大庆油田为内容的相声《没有开完的会》。我还写有关相声的评论文章。有时在一起吃饭，少不了开开玩笑，也会扯上有关幽默的话题。后来我对幽默艺术理论的探讨，也是受他启发，引出这么个课题来的。一个在十分贫困中作艺出身，没正式上过学的说唱演员——他自称"文盲"，如此热衷于艺术理论的追求，那是很难能，也罕见的。我们平时工作很忙，连假期也很少闲暇，可是每见一次就会有令人难忘的记忆。拿小事来说，就这张被《八小时以外》的记者看到的，偶然拍摄的照片，也记载着一件有趣的事。那一天，《人民日报》摄影记者王景仁要我陪他去侯宝林家拍照，照片拍完，我们辞行。宝林冲我招呼道："你先等一会儿，有点事。"我留下了。他悄声说："今儿个有好菜。"于

是坐下来喝酒。侯夫人摆好几碟小菜，端出热腾腾的一盘咖喱鸡来。他说："这个菜，是用活鸡做的，这才好吃。你尝尝——味道不错吧？"我哪里有美食家的辨别力，尝一块，连声说好。我吃过罐头的咖喱鸡，等侯夫人又端菜出来时，就向她说："罐头咖喱鸡也挺好，我吃过，多加点土豆就是一大盘，省事多啦。"她指着桌上那盘说："这就是罐头的。"我看了宝林一眼，说："你不是说活鸡吗？"他面不改色道："它原来是活的。"

我常发现，他有见事多思的好习惯，不像我这么马虎大意。一年夏天，我们两人同去上海，在宾馆是住一间房。我发现墙上有只蚊子，便走过去，小心地猛拍一下，没打着，蚊子飞了。他说："你打法不对，瞧我的。"等那蚊子又落在墙上时，他走过去，用手一按，很从容地就按住了。再看房顶上还落着一只，我说："这回还瞧你的。"他看了看，走进洗手间拿出块毛巾来，对准那蚊子扔上去，一下子把它打落在地，用脚一踩，做得干净利索。类似这种事我见过好几回。他的见多识广，是和他多思多问的好学精神分不开的。他看书和爱好都面广，他爱字画，能和行家谈字画，谈古董、瓷器、钱币，谈菜谱。和街坊老人谈下棋，和梅兰芳等四大名旦、谭富英、周信芳谈每人唱腔的特点，还能学得像。至于许多行业的吆喝声和生意经，各种赌具赌法等等，更是相声演员大都通晓的业务知识。对曲艺各行类和地方戏曲以及一些名角的表演特色，他的知识在相声界里也是出众的。在他整理改编的传统段子《戏剧与方言》里，对北京土话，精炼的北京话、山东话、上海话和河南话四种方言特点的比较，我不知道是否原作里就有的，但我深信是侯宝林的创作。有些一般人不大留意的事，他都会认真思考，查其究竟。1988 年夏天，我应邀去大连参加相声表演的评选活动，和北京天津一些相声

演员在一起，听他们谈起“走穴”的事。在他们的行话里，把“钱”叫做 chǔ（音杵），写的就是“杵”字。一次和侯宝林谈起，他说，写“杵”是不对的，应该是“木”旁的一个“者”字的“楮”。谈“走穴”的“穴”字是窟窿，那也不对，应该是“旋”字。北京方言说人头顶上的头发有几个“旋”，发音就很近这“穴”字，是来回转的意思。我查词典，“楮”是一种树，树皮是造纸原料。宝林说，楮皮是古时造钱票纸的原料，所以人有时把钱也叫“楮”了。他的看法对不对且不说，我觉得他这种认真探究的精神，是很可贵的。他之所以在语言方面有很高造诣，能被聘任为北京大学语言学兼职教授，又出版几部有学术价值的著作，都是他勤于学习和探索的结果。我在听和看他表演时，还发现他很善于联系实际进行创作。这种例子多得很，例如在《戏剧与方言》里，垫话就说：精炼的北京话是“经过了提炼，经过了加工，并且，经过了消毒”！捧哏问：“语言里有什么毒哇？”他说：“……在 1951 年 6 月份《人民日报》发表了一篇社论：《正确地使用祖国的语言，为语言的纯洁和健康而斗争》，既然有不纯洁和不健康的，就有有毒的。”又如，党号召作家、艺术家要深入生活，提倡写工农兵，画工农兵的时候，他在《改行》的垫话里就说：“我不仅仅是个演员，我也是个作家。”“哦，你是作家？”“你不大注意，我净在家里坐着！”这是批评脱离现实生活的作家的。在一些他整理的传统节目里，他大都在表演时联系实际，加上新的内容。

俗话说“业精于勤”。侯宝林成为艺术大师——名副其实的大师，在天赋的聪明之外，主要靠他对艺术锲而不舍的追求和勤苦的学习和锻炼。没有这一条，再好的天赋聪敏，其成就也是有限的。

（1993）

马三立的幽默

天津，那是相声最为流行的地方了。不仅相声迷多，其中行家也多。听侯宝林说过，在往年，相声演员没点功夫是不敢去天津卖艺的。记得在天津相声学会成立那年，我在天津观赏相声表演。一位青年演员上台说单口，未能引人入胜，台下就哄起一片倒彩声，这在其他地方是罕见的。这位演员到底还有点功底，照样说完一段，没有半途狼狈退场。我这才算领教了天津相声迷的厉害。

现在相声演员很少演单口的，我想那比对口要难，没点深功夫恐怕是不敢去说的，何况单口本子也难写。现在常见说单口的，是老演员马三立。不论在北京或天津，他一出场，台下立时鸦雀无声，显出他的“艺威”压场。他表演很自然，言谈举止温文，又很从容如道家常，话说得幽默，毫无造作痕迹。有时长时间没出什么包袱，听众也安静无哗，他们准知道响包袱在后面呢。

我印象最深的一次，是在大连，他应邀为一群青年相声演员讲话，也是如道家常。他说，现在的青年演员都称他“师爷”，那是旧社会论资排辈的旧规矩，现在不兴那样称呼了，不合适。有一天，他在街上，听见后面有人喊“师爷”。“我没理他。还往前走。就听后面还在喊‘师爷，师爷’！他追上来了。我还是没理他，走得更

快。‘师爷，师爷！’越喊嗓门越大。我回头瞧，是牛群。我说：‘是你呀！你是军人，穿着军服，管一个老头儿叫‘师爷’，多不合适！叫别的什么不好？——哪怕叫我‘师长’呢！”说到这里，台下哄然大笑。我只记得这么个大意，听他自己说，那才有味儿呢！他用的就是相声“三翻四抖”的传统艺术技法。将艺术技法在日常语言中运用自如，那才是真功夫！他的表演之所以能让听众入迷，就在于这种幽默的真功夫，使人在无意中被他逗乐了。

相声段子有它的艺术结构，也就是段子的剧本。表演时是按这剧本来说的。剧本是经过长期反复构思创作出来的。有的演员在表演时，能随机应变，在现场抓机会创作出新的包袱，听说行话叫做“抓哏”。这种现场抓哏是灵机一动的瞬间创作，是幽默技法的自如发挥，只有深通幽默的人才善此道。马三立就有这样的功夫。前面讲的那一段，看来就是现场抓哏，临时编的笑话。

我听说过一件趣事。在一次纪念老舍的集会上，有人建议，请侯宝林、谢添和杜澎合说一段群活《扒马褂》，请马三立导演。马三立一听，就说：“不行，他们三人合说，提起来不好听。”有人问：“为什么？”他说：“侯宝林、谢添、杜澎——侯、谢、杜（猴泄肚），猴儿拉稀，多难听！”逗得人们大笑。后来才知道，那原不是马三立抓的哏，而是人们想当然，以为准是他说的——其实是杜澎的创造。可见马三立的幽默之深入人心了。

（1993）

马三立的幽默

幽默是艺术，是方法

从事漫画创作，也写与此有关的论文，知道漫画是一种幽默的艺术。对于幽默，那是很早就注意了的，但还没想专门研究。经过那个文化大革命之后，才开始着手去逐个究竟，去翻书本，得到一点理论知识。除了漫画之外，又写点杂文，偶尔也写相声和动画剧本，这都是幽默的作品，须有幽默的构思，才画得下去，写得下去。想得多，用得经常，便有所体会。看了我所能看到学者艺术家们谈幽默的论文，拿来和自己所体会的两相对照，就感到不全相合。比如说，许多人认为滑稽产生的原因是不协调，这道理是对的。在“文革”期间，见乡下不识字的老太婆也煞有介事地身怀“红宝书”，就觉滑稽。见老头子吃泡泡糖在吹泡泡，那是孩子的玩意儿，你当爷爷的也玩这个，怎能协调？看着岂不滑稽？但经验告诉我，滑稽还不仅仅因为不协调，巧合也会产生滑稽感。一个说话结巴（口吃）的人问路，刚好问到一个也是结巴的人，看了能不笑吗？这也是滑稽。希特勒是很威武的，把他的照片和卓别林的剧照挂在一起，他那威武立刻变得一点不剩，因为两人相貌有十分明显的巧合之处，看了非笑不可。还有矛盾的巧合，比如一个高个子的人到另一单位去办事，一敲门，出来的刚好是个小矮个儿，也会令人失笑。

不协调是造成滑稽的原因，也就是因矛盾出奇使人觉得滑稽，巧合也会产生滑稽感，把这些道理运用到语言里，就成为幽默的语言，比如故意使“妻管严”和“气管炎”读音近似造成巧合的滑稽，既表达了思想意图，使之生动有力，又有滑稽感，而这种滑稽感妙在传情——在不同情况下表露轻松、自信、赞许、优越感、嘲弄、鄙夷等诸情。所以可以设想，幽默源出于语言，是经过奇巧艺术加工的语言方式。所以我认为幽默是一种表达思想情感的方法，因为是经过艺术加工的，这便是一种艺术方法，也是艺术，正如绘画既是艺术，也是方法，有美感。方法都是学而能的，艺术更不会是天赋的。这种见解，便和许多学者的见解不一样。

日本《社会科学大事典》介绍夏目漱石的话说：“所谓幽默，我认为是发自人的本性的一种诙谐趣味。……换言之，诙谐是一种真正的天赋，是生而有之的素质，而不是后天养成的。它是犹如行云流水般的自然之物。”这种看法就和我的看法有所不同。

人是有先天带来的各种不同性格，诙谐性格的人对滑稽幽默比较敏感，有爱好，也善于学习和运用幽默的方法，但决不会是不学而能是幽默的。正如有人具有数学天赋一样，从小对数学比别人精得多，但不学是不可能会的。

台湾出版的《环华百科全书》介绍林语堂的话说：“幽默者是心境之一状态，更进一步，即为一种人生观的观点，一种应付人生的方法。”又说：“幽默感是一种处世艺术。”法国一部百科全书也说幽默是一种处世方法。

说是“一种应付人生的方法”、“一种处世艺术”，讲的都是幽默的运用，但不是唯一运用之处。这是很明显的，因为人们在相声、漫画、喜剧和文学作品中都看到幽默。

人的性格不同。性情开朗，胸怀宽厚的人，比性情狭隘和孤僻的人，幽默感会强些，也比较善于运用幽默。幽默常表现在语言，学习也多从语言中学来。性情开朗的人常是不拘小节，比较爱开玩笑，这是学习和运用幽默的常路，常学常用便有较强的幽默感，为人处世也显得是幽默的。幽默会使人感觉轻松温厚，因为常用幽默的语言和举止表现出他那开朗宽厚的性情和处世态度，于是便产生幽默是一种人生观的观点。幽默常反映人的心境状态，那是心境的一种外部表现。

有人说，幽默是英国人的一种素质；也有人说，幽默首先出在英国，然后传到欧洲和其他地方；还有百科全书说真正的幽默只在温带或寒冷的气候里才得以繁荣发展，如此说来，幽默就和民族国家以及气候都有关联了。这些说法对不对呢？下面讲讲我的看法：

幽默表达思想情感原属于一种语言方式，是语言发展的产物。原始语言简单，从“你”、“我”、“来”、“打猎去”发展到谈起“然而”、“何况”、“杀人偿命，欠债还钱！”这时已经能把思想情感表达得很清楚了。熟能生巧，渐渐会拐着弯儿说些含蓄的、俏皮的话：“臭肉招苍蝇”，“狗眼看人低”，“拉着状元喊姐夫”，“歪嘴吹喇叭——一股子邪（斜）气”，这就有幽默了。语言不发达，文化发展迟，幽默就难以产生和发展。幽默经常和讽刺相连的，谑而不虐，也难免会令人误解；稍带点刺，便得罪人。在封建制度下，言论无自由，说话要特别小心，幽默只能在小范围内施展，说个笑话问题不大，写成文章、小说就有危险，所以幽默的发展很受限制，幽默讽刺的文艺作品难于产生。英国在 17 世纪已经摆脱封建制度的枷锁，人民开始有了议论时政的自由，这在世界上是最早的了。英国人的文化素养比较高，因此，英国很早就具备了发展幽默的条件，

得风气之先。近代漫画发展最早的是英国，现今所知第一个被称为漫画家的人是英国人，名叫威廉·霍加斯（William Hogarth）。我有一百年前发表的英国讽刺画，不但讽刺当大官的，连皇家都上了讽刺画。中国是文化语言高度发展的国家，但封建皇帝到20世纪才下野，所以古代流传下来的笑话很幽默，但幽默的文学艺术作品就很有限。地方戏曲有许多滑稽幽默，清朝时发展起来的相声也很幽默，这些都是主要流传于民间，皇上看不见，做官的认为是“无知小民”的玩意儿，去管对自己没什么大好处，就有存在的余地。20世纪前我国漫画都是国画家和民间画家画的，八大山人，扬州八怪中的黄慎，还有齐白石都画过漫画。20世纪初推翻了清朝封建专制，我国才有漫画家。漫画和相声现在才能迅速发展起来，杂文家也多了。但是中国的气候在20世纪前后并没有变化，人种也没有变，幽默却发展起来了。

西方习惯上常把滑稽和幽默都叫幽默，和我们现在的把两者区分清楚有所不同，这也造成理论上众说不一的一个原因。最近看到美国特鲁·赫伯写的《幽默的艺术》的译本，讲的是幽默，举的大量的实例都是幽默。但他说：“我也常为孩子由天真而产生的幽默所感动。”这话里讲的“幽默”，按我们的说法，即是“滑稽”，因为幽默属于一种艺术，艺术不会是偶然和天真而产生的。美国《社会科学国际大百科全书》说：“动物也确实具有幽默感的原始迹象，它们有能力运用似乎是低级的微笑和大笑那样的面部和身体表情动作来传达乐趣。”照此说来，所有人类都是天生有幽默感的了，这就和我们所理解的幽默感不同。实际上有的人就缺乏幽默感，或幽默感很不足。

幽默是社会和文化发展的产物，源出于语言，并且多表现在语

言里，是用滑稽的方式发言，所以可说是一种语言的艺术，或艺术的语言。这种艺术的特点是有所含蓄的滑稽。具有这种滑稽性质的，就叫幽默的；这种艺术方法，叫幽默的艺术方法；具有这种滑稽特点的态度，叫幽默的态度；善于运用这种艺术方法的人，就说此人很幽默；能理解和表现这种滑稽的人，就说此人有幽默感。

将幽默的语言方式运用到绘画上，就成为漫画。漫画是一种评议性的画，也就是相当于用图像和文字表现的评议语言，所以报纸刊物用漫画作为一种评论形式。漫画就是一种艺术语言。将幽默的艺术结构和语言方式用之于文学作品，便产生幽默（和讽刺）的文学作品，如杂文和小说等笑的文学作品；用之于戏剧便产生喜剧和与喜剧相类的相声。因为这种滑稽能应用于各种文学、艺术以至于音乐创作中，所以将它看成是一种艺术方法，或说艺术方式，是合理的。

谈笑话

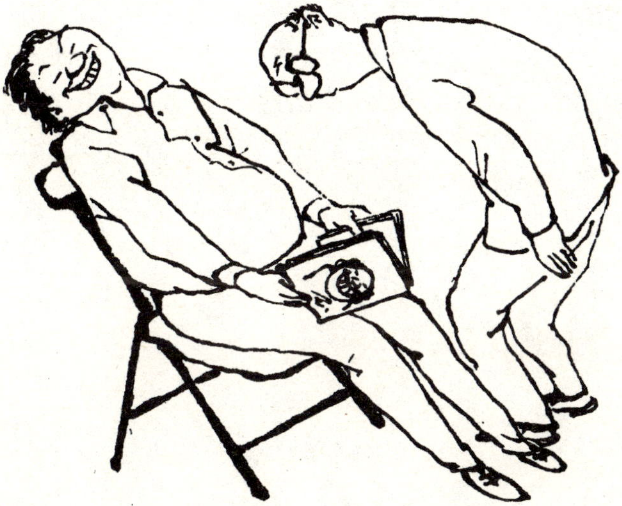

笑不是文学。逗笑的滑稽也说不上是文学，但已和文学沾上一点边，这一层，恐怕人们未必知晓。和滑稽分不开的幽默，可进入文学领域了，虽然它早已进入艺术领域中，而且它本身就是一种艺术。

幽默先是从语言来的，是经过加工了的语言，可说是语言的艺术；相声就是幽默语言艺术。幽默渗入诗歌、小说、杂文之中，便

形成别具风格的文学作品，人称之为笑的文学。写成笑话——即用笑话表现幽默，其形式微小而感人至深，成为一种流传千古，拥有最广泛读者的微型文学形式。在报刊上经常可见许多翻译来的世界各国的笑话，其中有的已经流传了几千年，显然还要继续传下去。我国自己的笑话更不消说。秦始皇时期优旃谏秦王的几个笑话，从司马迁的《滑稽列传》流传至今，已有两千多年，也显然还要继续流传下去的。

自然不是所有笑话都已升入文学殿堂。刘鹗写《老残游记》，小学生也写游记，但只算是课堂上交的作文。文则文矣，但和文学还差得远呢。李白杜甫写诗，传说大军阀韩复榘也写诗。他写的一首是："远看泰山黑糊糊，上边小来下边粗；有朝一日倒过来，下边小来上边粗。"合乎诗的形式，可进不了文学殿堂。然而，它有幸被笑话带进文学领域中来了，因为看得出那笑话是幽默家虚构的作品，有幽默感。

笑话虽小，可不能小看它。在文学作品中其创作难度之大可从下列事实证明：文学家能写出多少部文学作品，出多少小说集、诗集、文集，而至今我没见过哪一位才子能创作出一本笑话集。所见笑话集不少，没有哪一部不是东抄西抄收集来的。为什么不自己创作一部，哪怕是不很厚的笑话集呢？老实说，就是难度大；难就难在幽默上。

谈到幽默，得作点解释。幽默令人发笑，自然是滑稽的，但滑稽却未必是幽默的。滑稽多出于偶然，人人可发现，笑了起来——例如，从拥挤的电车掉下一只鞋来，就显滑稽；有的出于故意表演。幽默没有偶然无意识产生，随处可见的，而全是有意识创作出来，是智慧产生的。文学艺术品都是精神劳动创造成果，是作品，不是

现成的东西。自然中有好看的石头，看来是美的，那只是美的石头。把它拿来经加工做成盆景，那才算得艺术。把偶然发生的滑稽照样在舞台上表演，也会有幽默感。卓别林的影片中就有不少这类滑稽，那已经是经过艺术家选择和再表演出来，就有别于偶然发生现成的滑稽了。滑稽经过文学家选择并写了出来，同样有幽默感，成为幽默的笑话，属于一种微型文学作品了。

于是笑话便可分为两类：一类我叫它滑稽笑话，因为那是从现成的滑稽写来的；一类是幽默笑话。这类笑话也分两种：一种是写有趣的人，也就是将某人的趣事记下来；另一种是虚构的幽默情节。下面再举些例子：

一、有人因对一事专注，对其他则往往心不在焉，做出可笑的事来。法国作家巴尔扎克为了消除连日来紧张写作的疲劳，早晨起来就外出散步。为了不使来访者久等，他用粉笔在大门上写几个大字：“巴尔扎克先生不在家，请来访者下午来。”他一边散步，一边思考着小说的情节和人物安排。突然感到肚子饿了，便转身回家。走到家门口，正要推开门，看到门上的粉笔字，很遗憾地叹了口气，说：“唉，巴尔扎克先生不在家！”说完，转身走了。

这件事令人觉得滑稽有趣，属于滑稽笑话。滑稽笑话写的是现实生活中一些人闹出的有趣的事。

二、一个人在修补自家的房顶时，不小心从房上摔下来。就在他下落闪过窗口的一刹那，他向老婆喊道：“当家的，今天要少做一个人的午餐啊！”

三、丹麦童话作家安徒生很俭朴，路上人看他戴的帽子是破旧的，便嘲笑他：

“你脑袋上边的那个玩意儿是什么？能算是帽子吗？”

安徒生回敬道：

“你帽子下边的那个玩意儿是什么？能算是脑袋吗？”

这两个笑话都属于幽默笑话。

幽默和滑稽不同之处，在于幽默是有含义的，是用曲折方式表明意见和思想情感的。话不直说，却使人领会。幽默的艺术技法我曾用“奇巧”两个字作简略的概括：既使人感到出奇，又有一定的情理性和逻辑性让人理解，便觉奇巧；或是巧得令人觉奇。换句话说是：既有矛盾，又有协调之处。

第二则笑话是虚构的情节。第二则写得很夸张，夸张到荒诞程度，便觉奇特，但读者却能理解。因为人在语言中经常用夸张说法，如说：“把肺气炸了！”“忙得连放屁工夫都没有！”吝啬的人处处计较，也是实情。将此实情以嘲笑态度作夸张的描绘，自然可理解。

第三则笑话写的是真人真事。但和第一则不同，写的是那人的幽默。安徒生用幽默态度回答路人。他这种说法很奇特，异乎寻常，但他是按照问者的语言方式套来说的，有其合理依据，而且说的恰好与之相反，便使人觉得巧。同时，又悟出这话里带有反击的讽意。

四、写的是两人对话：

清洁工：请不要乱丢果皮废纸。

游客：我们不乱丢，你们不就失业了吗？这是为你们着想啊！

这“笑话”有趣吗？恐怕很难令人发笑，更谈不上幽默感了。看来似乎更近乎贫嘴。

五、“你看，我的茶杯里漂着一只死苍蝇。”一位顾客对给自己送茶来的服务员说。服务员回答道：“茶是用开水泡的，它当然要被烫死了。”

从这对话里只觉服务员语言不当，却很难见奇巧。如果是现实

中的真事，也难有逗笑的滑稽。

现在看到书报上登载的笑话，很多是幽默感不甚强的，读者看了会品得出。这种笑话看了容易忘记。这也可算一种评比标准：能使人不忘，并喜欢说给别人听的，总是幽默感较强者。

幽默的艺术技法看来似乎不见深奥，但具体运用却千变万化，都是随机应变，所以，幽默往往和机智相连，这是幽默艺术难以掌握的一个原因。一般所见幽默技巧，至少可分五十几种，其中常用的归谬法，如优旃谏秦王的几则笑话，就颇近于“以子之矛攻子之盾”的手法，这种技法在讽刺艺术中用得较多。讽刺和幽默在技法运用上是相通的，所以幽默中往往带有讽刺性，但不像讽刺那么尖锐而较为温和，讽刺一般也具有幽默感。

幽默艺术之所以难于掌握，更重要的原因是，它涉及文化、艺术修养、知识和生活阅历。幽默是因社会、文化和语言发展随之逐渐产生的，是运用语言的艺术，是艺术语言，进而表现在绘画、歌曲和表演艺术中，由此产生笑的文学和笑的艺术。由于文化素质的差异，幽默便有雅俗文野之分，从各国的笑话可以明显看出其中的差别。笑话究竟源于生活，反映生活，反映各民族各阶层人的思想情感。阿拉伯的笑话就和其他民族的笑话不同，带有明显的阿拉伯民族特色。知识分子的笑话，和产生于民间的通俗笑话不同。成人的滑稽和幽默和孩子间产生的滑稽和幽默不同。有些文化修养不高，甚至文化程度很低的人也会幽默，会一些艺术技法，但运用的手段和涉及的问题，必然受文化知识的限制。除此之外，幽默的运用也和人的性格相关，性情开朗者要比内向的人善于幽默。幽默艺术的运用和以上种种条件相关，其难度自然会大些的。

笑话不可小看，对于文学艺术创作更加明显，尤其是笑的艺术。

相声其实就是笑话。喜剧也是笑话，漫画同样是笑话，形式不同而已。所以，不善于编笑话，就难编写相声，难编写喜剧，难编排漫画艺术情节，特别是连环漫画和幽默画，那显然和编笑话差不多。卓别林的影片就是一个个笑话连成的。大多动画也是笑话的组合体。不善于编笑话，写动画剧本就会感到困难。

笑话常被人看成娱乐品，以为是不足道的游戏小品，殊不知它在政治上和学术上占有相当重要的地位。它可作为政治斗争的利器。在“四人帮”横行的所谓文化大革命期间，群众中就产生了许多讽刺“四人帮”的笑话，将他们一伙当成小丑取笑，造成强烈敌对气氛。在二次大战中，人们编出讽刺希特勒的政治笑话，在群众中广为传播。在国际上两大阵营敌对形势下，双方都采用笑话作政治宣传品。西方国家很善于运用这种攻击手段，这种宣传方式最容易传播，产生深远的政治效果。例如：

有两个高尔基大学地理系的学生，一本正经地讨论一个问题。

甲：有人怀疑我们国家的领土不怎么大，是真的吗？

乙：也可以这样说，你没看见我们的坦克一开就出了国界线吗？

这是在勃列日涅夫当政时期，西方编的笑话讽刺苏联的。

讽刺希特勒国社党的笑话编得更巧；记得有一个大意是：

上帝赐给德国人三件宝：聪明、诚实和国社党。但规定每人只能得到两件。

笑话到这里如果结束，让读者去想就更有趣，因为可想到其结果是：得到聪明和诚实的，准不是社会党徒；诚实又是社会党徒的，一定不聪明；聪明又是社会党徒的，此人准不诚实。

笑话在美国政治生活中，已成为很时髦的用具，因为政治家可以利用笑话的幽默，使人觉得他性格开朗，平易近人，做事从容，

有办法等等，以此赢得选民的好感和信任。一位美国朋友曾告诉我，美国前任总统里根就有个为他提供笑话的工作班子。从报纸消息中也见过这样的报道：说里根用他的幽默，改变了他在“伊朗门”事件后的尴尬处境。

用编笑话对人对事进行嘲笑和讽刺，那就更多了，从笑话集里便可看到不少。无须赘述。我国民间笑话中嘲笑醉鬼、吝啬鬼，讽刺官僚、财主所编的笑话都是实例。

我国古代学者常运用笑话讲道理，如《孟子》中的“揠苗助长”，《庄子》中的“东施效颦”、“邯郸学步”，《列子》中的“杞人忧天”，《韩非子》的“滥竽充数”、“自相矛盾”等等，都是用有趣的笑话以之为喻，来阐明他们的学说和主张的。他们善于运用矛盾法则编这些笑话，流传至今，已成为人们经常引用的典故了。

在日常生活中，笑话最能引人兴趣。在会议期间，如有相声演员参加，人们都乐于和他们聚会，想听他们讲笑话。侯宝林在60年代还约会许多人参加他举办的笑话会，为的是想从中得到启发，有助于创作。他创作的相声《醉酒》，就是在会上触及灵感编排得来。

前面说过：喜剧也是笑话，其实反过来说更切当：笑话也是喜剧。编笑话等于编微型喜剧——或喜剧中的一个场面。在西方笑话中，有许多只是两三句对话，我们称之为“小幽默”，其中没有人物其他活动情节的描写，可算微型中最微小的一种笑话形式。但这种形式用漫画略加铺陈，便可现出人物活动情节。西方许多漫画其实就是表现人物对话的滑稽和幽默的，画面加以渲染，人物活动跃然纸上。

重要的是须有幽默感，笑话才编得出，而幽默如此难于掌握，

给编笑话造成不小的难度。有人认为幽默是天生的一种才能。我认为幽默是一种艺术，而艺术绝不会是天生的东西，都是学而能的。每人生理上都有某方面的天赋才能，有人对某种技能有偏好，敏于思考，敏于实践，但非不学而能。数学家有数学天赋，体育家有体育天赋。幽默家有幽默天赋，学来比别人快，在这方面头脑比别人灵些，有较多创造性，如此而已。

笑话流传很广。从笑话集里便可发现，有的笑话有多种“版本”，例如这本集子里写法国化学家伯特洛的笑话，亦有说是美国总统华盛顿所为。又如一个法国笑话写教师为启发学生做算术题，用比喻问学生：“比如说，你口袋有10个铜钱，但它们都掉了，你口袋里还有什么?”回答说：“还有一个洞。”这同样的笑话在亚洲也有，回答者是阿凡提。也许两地会产生同样的笑话，但因为传播的可能性更大，所以许多笑话不易确定它的来源。中国古代笑话，阿拉伯和中东一带的笑话，以及其他带有明显地方特色的，则出处较为明显。西方诸国生活情况大体相近，笑话出处哪国都有可能，所以这本集子在笑话出处上只作大体编排。

流传在我国新疆维吾尔自治区各民族中的阿凡提的笑话，来自土耳其的“霍加·纳斯列丁”的笑话，而来源更早的则是伊拉克出生，10世纪阿拉伯帝国阿拔斯王朝时代的“朱哈”的笑话，在波斯也流传很广。朱哈又叫“纳斯列丁·朱哈”；阿凡提又叫“纳斯列丁·阿凡提”。在苏联境内阿凡提的笑话也流传很广。毛拉也叫“毛拉·纳斯列丁”。由这个在广大地区普遍流传的笑话，可知笑话在人民群众中多么受欢迎，其影响多么广泛了。据说巴西首都有人创建起一个“笑的电话局”。此人从世界各国各地区收集几百个能令人捧腹大笑的民间故事、幽默小品（也就是笑话）等制成录音带，

编入电讯系统。凡想听笑话者，只要塞进电话间里一个适当大小的硬币，按一下专门按钮，便可以听到您所要听的语言（英、法、俄、西、汉）讲出的笑话，使您哈哈大笑。笑话在经济上也被使用了！

有人开列了几条幽默的益处：

1. 使你豁达超脱；2. 使你生气勃勃；3. 使你受人敬爱；4. 使你具有影响力；5. 幽默是成功者的秉性；6. 使你享受生活的乐趣。

这是生活在资本主义社会的一种生活经验总结，却有一定的普遍性。有人还以为幽默是一种道德。幽默之所以受普遍喜爱，是有道理的，因为它有使人向上的影响力——当然是一般而言，所以幽默教育值得提倡。笑话无疑是一种普及的幽默教材，对成人，对青少年都有实用。有的出版社就是把笑话作为教材出版的，例如《儿童笑话集》。因笑话传播之广，从中可以了解各国各民族的生活、思想、风俗习惯等等，有利于人民之间相互了解，成为文化交流的媒介。所以，我愿意出点力编这本书。

注：1992 年为《世界幽默笑话精品》写的序

学点幽默

幽默，是和逗笑相关的。不少人会幽默地逗一逗，连不识字的人也会，虽然他们未必知道“幽默”这个词儿，但较起真来，恐怕谁也难说清楚幽默到底是什么。大师级的幽默家侯宝林就说不清。有一天，和我谈起，我虽然也干了几十年幽默的艺术，照样说不清，这才促使我去翻《辞海》，翻英美的大百科全书，查各国有关幽默的

论述。一查就发现：公说公理，婆说婆理，足见幽默之微妙。现在，幽默在国际上越来越风行，引起人们的关注。保加利亚的加布罗沃早已是有名的“笑城”，这笑总和幽默难分的。美国有“笑星医疗队”；有“恢复健康社团”，每隔一段时间为癌症患者及其亲属举行“逗与笑”晚会。英国有“幽默俱乐部”，南斯拉夫有“幽默协会”，日本有“笑节”。巴西一位企业家办了个电话服务系统，叫“笑话台”，用英、法、俄、汉和西班牙语讲笑话。幽默为什么这样红火？那是因为许多医生证明，笑对人体许多器官起着促进健康的作用。幽默逗人笑，自然有助于医疗，而且很有效。许多学者、医学家、社会学家、教育家、政治家等，都认为幽默是人生活中一种润滑剂，有利于交往，有助于顺利解决矛盾，消除困扰；又能使人精神健康，使生活充满情趣；还说幽默是睿智、豁达、善于处事的表现……一两年前，看天津新闻报道，一位青年登出征婚广告，很快就收到不少姑娘来信应征，因为她们见到广告说明这位青年有幽默感。记得在1983年，我和侯宝林在南京乘车，司机不小心触犯了交通规则，车被交通警拦住。因要赶路，侯宝林走下车来想说说情，这位警察一看是他，没等他开口，就很和气地立即放行了。有一年过春节，我们几个人去食品店买水果。买年货的顾客多，女售货员十分忙碌，脸上表情自是紧张、严肃的。这时姜昆把口罩摘下，她一见，立刻笑开了花，特为他紧着取货、过秤，还殷勤地妥为包装。幽默家到处受欢迎，可见幽默的潜力之大。在美国，政治家的竞选中，用说笑话表现其幽默感，给选民以平易近人，处事有条理、有办法的印象来争取选票。一位进过“白宫”的美国朋友向我说过，前总统里根就有个提供幽默的班子。看来，幽默是有认真研究价值的。

据几十年生活和文艺创作经验，对幽默有所理解，也说说我的理解吧：

小孩说话都直叙："妈，我饿了。""今天放假，带我出去玩玩吧?"大一点的孩子觉得直叙还不过瘾："你算术考得怎样?""唉，烤糊啦!"一听就明白这是说考坏了，得分低。两个大人相争，急得骂起来："你有什么了不起？能把我吃了?!""不能，我是回民。"这句绕弯子的话，没一点火气，可能把对方气死，又无可奈何！这种语言妙在用巧，人称幽默。

因此可说，幽默是语言用巧的结果。它不是直叙的，而是曲折迂回表达，是含蓄用语，使人领悟——也就是绕着弯说话，让人一想就明白其弦外之音；这一想而悟，类似猜谜得中使人享到一种欢愉，并感到其中的智慧和动人的艺术创造魅力，不禁笑起来。所以我认为幽默是一种艺术。有的学者说：幽默（幽默感）是天生的。这话我不敢苟同，因为艺术绝不会从娘胎里就带来。只有敏于学用幽默的天资，和敏于学用算数，敏于学用绘画的天资一样。不学而能的艺术是没有的。

由此可以推断，幽默源于语言，是语言的艺术，也是艺术的语言。语言可用文字表达，还可用绘画、用表演来表现。于是便有幽默的文学艺术作品，有漫画，有相声，有喜剧，有卓别林的电影。

幽默也是方法，是曲折含蓄表达和表现的方法。懂幽默就会用这种方法说幽默的话，写幽默的文章，画幽默的画，会作幽默滑稽的表演。会幽默也就会讽刺，因为两者的艺术方法是相通的，所以常统称之为幽默。

幽默之微妙，表现在哪里呢？我想，一是两千年来，这么多学

者至今还是公说公理，婆说婆理，有所共同，也有相异。二是会幽默的人难说出幽默的道理；而讲幽默道理的人，未必会说多少幽默的话，写幽默的文章，画幽默的画。什么学问都有教科书吧！唯独幽默却没有——想必是很难写。

幽默的运用是和人的机智密切相连的。幽默常出于随机应变，而世事变化多端，用法也就多变。相声《夜行记》提到新买的自行车是“除了铃不响，哪儿都响”。一听就逗人笑。幽默是艺术，艺术都是独创的，缺少创造性，也就不成其为艺术了。

艺术都是学了才懂才会的。没见有幽默教科书，也没见有幽默学校或幽默课程，那么从何学起呢？我知道有两条路，一条是从日常语言中学，一条是从书本和表演中学。当然，学了还必须学会应用，多练，熟能生巧，不学不练是不会运用的。

幽默这种艺术有个很大的优点，就是雅俗共赏，什么人都喜欢。有幽默感的人同样会雅俗欢迎，乐于接近。卓别林、侯宝林和他们的艺术，都是雅俗共赏的。最近报纸报道，香港一位律师在发言中，主张无论是官还是老百姓，大家都要有一点风度，有一点幽默感。我是同意的。

（1994）

矛盾的艺术

人曾问我："漫画和其他绘画有何不同？"我说："绘画总是看什么顺眼画什么，漫画相反，看什么不顺眼画什么。"这当然仅指常见的讽刺画说的。倘说漫画是一种矛盾的艺术，也许恰当些。

漫画是很矛盾的。比如，画漫画好像最容易，没学过画的人能画出来，画得很有趣。但也好像最难，连美术院校毕业、绘画功底坚实的人，要画什么都能应付，并能画好；但要画漫画可能就费劲，要画好更难。漫画艺术造型看来简单、容易，几笔成形。但要画好，又像又出奇美，就比什么都难，因为没现成模特儿，这几笔不知如何下法。美术院校什么画都能教，都有合用教材，但没见开漫画课，大概是难寻教材的缘故。

漫画用处多，流行广。报纸、刊物和电视上常见，在许多国家里到处可见，连小学中学教科书里也有，漫画杂志极多。想画想学的人自然多了，但教画不易；可有人却自己学会了。

这不是很矛盾吗？可在创作时更离不开矛盾呢！

原来漫画是因社会发展自然产生的颇为复杂的画种。其所以复杂，首先因为它是绘画和语言的结合体。既是绘画，又是一种语言形式，并且不是一般语言，而是曲折幽默的语言。人说话不免有所

评议，对人对事说长道短，评个是非，发发牢骚，开开玩笑。将评议用画表现，可成为漫画。画了自己看，或给朋友看，还没什么。登在报纸和其他印刷品上，就成为一种社会舆论。于是，艺术家又兼社会评论家，艺术活动和社会活动紧密相连，这就复杂了。

再者，人们欣赏一幅画，是欣赏画面展现出的艺术美、形式美。漫画既是一种绘画，又是一种幽默语言形式，这样的两重性，在艺术上也使漫画显得复杂。因为绘画是艺术，有美感；幽默也是艺术，也有美感，漫画兼而有之。艺术有动人的吸引力，语言的评议涉及社会各个方面，与人民生活密切相关，也引人注意。所以，即使画面缺乏艺术美，人们也会欣赏作品的幽默，或专注于作品所评议的内容，对于画面艺术上反而不大介意。漫画还经常用为新闻传播的手段，配合新闻在报刊上发表，创作势必要求快速，画面用笔自然会趋于简捷明快。快速又简捷，就容易转而变为简单粗率，有人便以此草草画成以应急需，艺术上无意求精，甚至产生看来不像艺术品的漫画了。有人也会为迎合一些读者低俗趣味产生低俗作品。这都有损于漫画艺术品格，不利于艺术发展的。

漫画既然常用于评议，评议是无所不及的。大街上随时能发现问题，看出矛盾。有些如交通问题、公德问题、工作态度问题出现得很明显，谁都能看出情理是非，用漫画去评，是比较容易的。而许多政治问题、思想问题就比较复杂，评议没那么容易，所评见地也深浅不一。社会发展中还会产生种种新问题、新矛盾，就更不容易去评了，需要有一定学识，有对这些问题的观察力、判断力才能胜任，见解也会有深有浅。有的漫画只是再现一般滑稽可笑的现象（这也是一种评议），当作趣味性作品，和那些富有感人艺术魅力的漫画相比，艺术价值两者差别悬殊。这种种复杂情况，使漫画在艺

术上和品格上产生高低两极之分很明显。

漫画是绘画和语言的结合体，其艺术表现方法有图文并用、且图文并重的特色，和其他绘画不同。许多作品的标题、画外的一段对话或注解是和画面形象相依的，缺一不可。有人不理解，常在发表时将文字漏掉，使一幅漫画令人费解，变成废品。既然使用文字，文学修养在创作中就起重要作用，而幽默的运用又和文化程度密切相关。我们常见一些漫画以“无题”为题，有的合适，而更多的是限于文学修养，想不出富于幽默感的标题，只好以“无题”来应付。许多漫画是以幽默对话点题，或利用有趣的标题和画面图像之间的矛盾产生幽默效果的，这种方法的运用常是凭画家手上文字功夫和文学修养而来。不善于运用幽默语言，自然也限制了创作思路，限制表现技法运用。有的漫画家在创作中使用幽默的对联和诗词，使艺术表现力更加灵便精彩。

幽默和讽刺有区别，而艺术上是相通的。所以幽默之中常含讽意，讽刺也常是幽默的。西方学者还将讽刺列为幽默中的一类。一般而言，谈幽默就含讽刺在内。讽刺可说是以幽默方式进行批评、嘲笑或攻击。漫画可用幽默法作颂扬，但更适于讽刺。在日常语言中有很多讽刺性的话语，以曲折含蓄方式挖苦、嘲笑或抨击。赞扬、歌颂不须曲折，直说就使人高兴，不须用幽默语法。有人即使缺少幽默感，画讽刺画能对付，但要画幽默画就困难。例如连环漫画须有幽默感才画得好，所以好作品便少得多。用漫画作赞扬歌颂，就更难了。许多歌颂赞扬性的相声，须用自我讽刺来衬托，也说明赞颂之不易。

前面提到，漫画在艺术上离不开矛盾，一是指它的评议方式，二是指它的艺术方法。漫画评议最常见的是讽刺方式。讽刺含有反

对和轻蔑之意，是对现实问题提出批评。有问题就是有矛盾，发现问题就是发现矛盾。看不到矛盾所在，感觉不出矛盾，自然不会提出批评。漫画也画滑稽现象。滑稽大多是不协调产生的，不协调不就是有矛盾吗？我们看相声表演，有时看到一对相声演员，一个又胖又矮，一个又高又瘦就觉得可笑，那是看到两人之间不协调配合产生的效果。漫画用幽默和讽刺技法表现，而幽默和讽刺大都是利用种种矛盾造成的，例如说反话，以子之矛攻子之盾等等。

我国漫画流行要比欧洲晚两百多年。我国历史上多灾多难，所以漫画流行大多是讽刺作品。外国早已流行的幽默画，我国近十年来才开始流行。漫画题材非常广，艺术表现形式因此奇象百出。和西方作品相比的差异，也可看出我国漫画艺术还有广阔的发展天地。

漫画在中国虽然流行较晚，但因其有悠久的文明史，文化、语言、艺术各方面高度发展，漫画艺术进步甚为迅速。因社会制度不同，不像有些国家那样有低级庸俗以至下流作品泛滥之势。随着国民经济的发展繁荣、人民生活的改善和印刷出版事业的繁荣，我国漫画艺术发展会更加顺利的。

（1993）

高超的“艺术”

也谈天才

年轻时候，我总以为出了名的人，如果不是坏得出名如秦桧者——他是另一种天才，姑且不论，想必是特殊天才。后来才知道，未必!

特殊天才是有的，如电影艺术家卓别林，别人学不到、做不到那么绝妙的艺术。特殊天才世上很少。

我觉得，人人都会有各自的天才——当然有大有小。像我，从小就爱画，也画得较好，是有绘画天才的了。从小爱画的天才，数以万计，毫不稀奇。我怎么就画起漫画来，而且画一辈子？回想起来，有几个因素，简而言之，可用三个字：巧、迷、勤。

巧，说的是碰巧，是偶然的机遇。我入学在北京（以前叫北平），上初中时，家附近有个小书铺，看过的小说，可以拿去添少许钱换本别的，所以我常看。旧时小说很有趣，我画的就是小说里的人物——如孙猴子、三英战吕布之类，画多了就有瘾。1935 年，我上高中时，爆发了有名的“一二·九”爱国学生运动。同学知道我会画，我便成为为学联画宣传画的人。作反侵略斗争的画，少不得须用漫画技法。因为平时爱看报纸刊物上的漫画，就学着画，这是促使我学画漫画的开始。上大学时，常和爱好文艺的同学交往。这些人里，有的会木刻，有的会写诗，写文章，有的会作曲……在一次 7 个人的偶然聚会中，

有一位发起办文艺性壁报，大家各尽所长，负责撰稿，于是我每期必须画一张漫画。在抗日战争后方四川，漫画题材之多，这是众所周知的。如此画了两年多，渐渐学会了一些基本技法，为此后作漫画打下基础。抗战胜利后，政府当局十分腐败，又是激发漫画创作的环境，因此而促使我离开科研实验室跑到上海画漫画去了。

迷，谈的是画得上瘾。因为常画，便会有人称赞，听起来当然高兴，更想去画，越画越上瘾，头脑里不断想找题材，想各种表现方法，经常带小本子画速写练绘画技法。上瘾才会这么干。后来到报社工作，那时我国正和外国打仗，恰是漫画用武之时，自然画得更多，而且会在读者中产生影响，也会受到一些称赞，画得就更上瘾了。

勤，手勤脑勤，这也和巧与迷相连的。自己办的壁报，每周一期，不得不每期必画。在报社工作，更须天天画，有瘾更画得勤。勤于作画，还要勤于学习，勤于改进。我上小学、上初中还不知道勤学。及至上高中，想考大学了，这才发奋勤学，养成勤学习惯。讲到这里，不能不谈立志的问题。有志才会勤。早年什么书都好借到、买到，我看过黄色书刊、黄色照片，但看两眼就丢掉，不敢看下去。因为谁都知道那都是对有志于上大学、有志于成才的大害，是败坏德性的毒物，知道看下去会使人堕落，会丧志的——这也是和家庭教育息息相关的。我父母虽然文化程度不高，但对子女从不溺爱，家教较严，孩子们不敢不“规矩”点。所以归根到底，最重要的还是看人的志向——向上，还是不向上。业精于勤，无向上之志是不会有向上之勤的。这种勤当然要舍得付出劳力和毅力。但好处是，因为爱好，有瘾，乐在其中，有趣得很。这和吃橄榄一样，乍吃觉苦涩，可越嚼越甜呢。

（1993）

——为练绘画技法，借镜子画速写，被画的人不知，不乱动。

从张光宇的艺术谈漫画

我和张光宇先生相识是1948年在香港。我是“人间画会”会员，他是会长。后来我们都在北京，那时才看到他较多的作品，对他的艺术之精美，构思和笔墨技法运用之巧妙，十分佩服。有一年和苏联漫画家叶菲莫夫同去他家，见到他的《西游漫记》，叶菲莫夫看得不忍释手，赞不绝口。他过早地去世，留下的作品不很多。但他那独具风格的艺术特色，是到处可见的，在许多高级建筑物墙上的绘画和浮雕，在许多动画影片中都可以看到。这种带有传统中国画和民间绘画（如神祇、年画、插图版画等）的风韵——大幅度艺术夸张和变形，和富于装饰美的作品，既有鲜明的民族特色，又创意新颖，十分诱人。他的漫画作品，既有深刻寓意，又有引人观赏的魅力。他的民歌插图，是蕴含诗意的漫画。

他的这种装饰性的夸张和变形，是漫画造型的艺术加工，也是一种艺术间离技法。

漫画是评议性和谐趣性的艺术。因为是评议，所以如同语言，和说话一样，对世事发议论，评点是非，只是用的不是语言文字，而主要凭图像。但漫画图像语言不是直叙的，它采用曲折含蓄的幽默讥讽方式，寓庄于谐。幽默讥讽力求奇巧，夸张正是出奇现巧的

通用技法，所以不仅漫画，其他幽默讽刺性的文学艺术形式也都离不开夸张——通常是大幅度夸张。事物一经夸张便出奇相。出奇相的结果会变得形，但也会因奇而使人感到不协调的滑稽。漫画就是强调滑稽使画面形象和实相拉开距离，起间离效果，将丑转化为滑稽——即以滑稽来表现丑，转化为有趣。尤其是讽刺画，被讽刺对象是被丑化的，所夸张的是他的丑形，是丑行丑态。但艺术品总是以美感动人的，而漫画的讽刺是出丑。这矛盾的解决，一般就是用滑稽化的方法，同时在人物造型上作艺术加工，使画面人物成为表意性的艺术形象，和现实中的人物拉开距离，丑也是用艺术手法表现的丑了。正如京剧舞台上丑的角色，不论此人如何被丑化，他的丑脸谱也是令人欣赏的艺术品，有美感的。

张光宇的漫画，解决矛盾的方法和一般常见的漫画作品有所不同。他是用装饰化的方法，将丑转化为装饰性——（以装饰法表现丑），既起间离作用，同时又加艺术美化效果。这种艺术手法，其效果和京剧舞台效果一样。这种方法使漫画作品增强了观赏性，这是张光宇漫画作品的一大特色。

从报刊上发表的漫画可以看出它和其他绘画有个明显不同。无论中国画西洋画，如果画得不够精美，报刊不会采纳发表，展览也吸引不了观众。漫画不同，即使画得不大好，甚至有的还画得很差，只要内容能吸引人，报纸刊物也会采纳，拿来发表。这是因为漫画的特性是评议和谐趣的，有幽默感。幽默是一种艺术，有美感。读者欣赏漫画的幽默时，对于画的技巧会不那么在意。有的漫画所评议的内容为大众所关心，对画的技术也会不甚苛求。其他绘画主要靠画面艺术形象吸引人，感动人，画的技艺欠佳，便失去它的艺术魅力。因此，许多人误认为漫画是以表现的艺术构思取胜，画面艺

术形象可以不计，或只看成是一种类如符号的图像，用来把内容表达清楚就行了。这是漫画特性引起的误解。漫画是绘画中的一种。绘画种类不同，各有特性，但也有同样的共性，那就是以画面艺术形象给人以美感。漫画中的寓意主要凭构思来表现，但其中动人的幽默感和讽刺性以及吸引人欣赏的艺术魅力，同样要靠画面形象显示出来。有一幅画我印象很深，那是苏联漫画家库克雷尼克塞在朝鲜战争期间画的，讽刺美国对南朝鲜总统李承晚的支持和挽救。画的是美国给李承晚脸上化妆扑粉。中国俗话说，给什么人乔装打扮、粉饰、美化，比喻为“涂脂抹粉”。我用过这个比喻，别人也用过这个比喻作讽刺画，内容不同，表现的方法（艺术构思）是一样的。一看画面效果，苏联画家的作品要强得多，讽刺尖刻，一看就逗笑。他把李承晚画成妇人打扮，虽有胡子碴，仍像个丑老太婆，扬起脸来接受美国的扑粉，画得精细传神，非常可笑。我们这同样的画法，相形之下，艺术效果相差很远，所以 40 年后的今天我仍记得清楚。张光宇有的漫画和民歌插图的艺术造型和装饰美使人为之倾倒，也牢记不忘。漫画艺术造型，要求有合于漫画特性的幽默感和讽刺性——讽刺是和幽默相依的，要求有令人欣赏的艺术美，所以在创作中，艺术造型难度很大。如果画得不适当，或画得粗简，作品的幽默感、讽刺力都大为减色；画面形象美感不足，其艺术感人之力也差得多。张光宇所创造的漫画艺术造型方法，吸引着广大读者，自然受到漫画家的重视，接受他的影响。张光宇的艺术，是和他创办漫画刊物，培养漫画家的工作一样，对我国漫画艺术的发展作出了重大贡献。

（1994）

郎君出门早早回，日出走来日入息；

路上残花莫要采，家中牡丹正在开。

因回忆想起

早年间，《少年报》向我约过稿。那时我已不是什么少年。《青年报》来约稿时，我还算得是青年。现在轮到《老年报》来约稿了，有人还约我写我的童年、写自传。这意味着什么，我心里明白——人生道路走得差不多了。这没啥，反正谁都一样。

眼前要做的事，已经忙不过来，一时还没得空躺在沙发上重温旧忆。及至有人催着要我写童年、写往事，这才促我当成眼前的事摆在眼前，开始回想。可想来想去，总想不出什么可写的事来。不像三国时的孔融，穿开裆裤的时候懂得让梨；没到入学年龄的曹冲会发明用小船称大象的科学技法。我就会傻玩，还不敢闹，只是和小朋友们弹球儿，斗蛐蛐（蟋蟀），拍洋画儿（香烟里附赠的小画片）……9岁时从广东乡下来到北京插班上小学。那时课外作业晚上一会儿就能做完，白天放了学就玩。虽然也喜欢在练习本上涂抹画画，那是在玩够了和不能玩的场合下的一种玩法。上到六年级，父亲买了一部《西游记》给我，由此引起我看小说的兴趣来。初中我是在北平市立第三中学读的，课外作业也少得毫无印象。记忆最深的是，下课玩够了就看小说。凡是武打的、神奇的和滑稽的通俗小说，如《封神榜》、《水浒传》、《七侠五义》、《济公传》以至文言

的如《三国演义》、《聊斋志异》等等，可说看了个遍。我的一些文学知识、历史知识就是从这些小说中得来，记得也牢固。课堂重点学的是语文、数学和英文。至于生物学、地理、历史等，虽也学了，却记得不多，还是在读高中时打下较为坚实的底子。矿物学虽有一年课程，后来只记得“三角三八面体”这一个名词，其他都烟消云散了。音乐和图画常被认为是可有可无的课。后来发现许多农村青年不会唱歌，或唱起来走调，“五音不全”，壮年老年更不用说，这才意识到音乐课的必要。如果再进一步想到音乐在文化教育各方面的重要性，更觉如此。图画课也一样。这两门课我都感兴趣，上课心专，后来在我的性格、修养、活动以至于终身事业上都受益不少。

当然不会诸事大吉。看小说入迷，不知保护视力，不得不戴上三百度近视镜。画画入迷，上课一心给老师画个像，年终考试两门课不及格，险些留级，回家要挨打的，吓得我开始用心听讲。初中毕业，考上高中。高中上的是私立弘达中学，从此时来运转。有人以为，一个人的生活前途、事业成就，全靠自己。其实是要靠自己努力和追求，但不能不靠运气，也就是种种偶然性。我体会很深，这里我谈几件事：

先讲考大学。我考取武汉大学和河北工学院，都靠运气帮忙。考武大时，上午考后，去离考场不远的堂叔家吃午饭。婶母很热情，一定要我等炖鸡熟透，吃了再走。时间很紧，下午迟到就禁止入场的。我急如星火，三两口把一碗饭吃完，跑去考场，已迟到十几分钟。监考的恰好是弘达中学我的一位老师，他见我绝望地立在门外，便放我进去继续参加考试。如果遇到的不是自己老师得到通融，可就全完了。

我上课用功，课外书不大看。不记得在哪里偶然看到一本科学

画报，其中有一道物理题解答很有趣：问如何用一把卖菜的小秤来衡量一根丈多长钢条的重量。已知数是钢条的长度、宽度和比重等几个数据。考河北工学院的物理试题中恰好有这道题，我刚看过杂志，当然会做。一时兴起，在试卷边上还画了插图。想必是这道题帮我考取的，因为在录取新生中，我的名次排在最末。

如果考武大那天下午未能入场，没考取，就会改理科去学工科，上河北工学院。那是 1936 年，第二年遭“七七事变”，日本侵略军闯入河北，我很可能被困在天津。此后我的自传就得另写了。

再讲画漫画。我原来只是喜欢画，学过几天国画，漫画从来没试过。1935 年，北平学生组织抗日活动，就是有名的“一二·九”学生运动。我正上高中二年级。我校学生会在学联中负责宣传。同学们知道我会画，就让我负责画政治宣传画。抗争性的宣传画，自然要用漫画形式表现，于是我开始画漫画了。时势所促，顺理成章。

抗战时期武汉大学迁到四川乐山县。这期间学生课外活动很活跃，歌咏队唱抗日歌曲，话剧团演抗战的戏，墙上贴的是各学生组织的壁报。这些活动我都参加。一天晚上，演完戏回宿舍，几位同学路过小饭馆去吃碗馄饨，喝点酒。我们 7 个人里话剧导演老季又是业余木刻家，老李是诗人，老周会谱曲，我会画漫画，老茅老张是京剧团成员，恰好可组成个文艺小班子。老季提议，便决定出一份文艺性的壁报，每周出一期，每期都必须有各自负责的作品。于是我不得不朝思暮想去发现漫画题材。经过两年多的创作实践，学得了一些漫画艺术的知识。这两年多的创作经验，为后来从事漫画工作打下了基础。老季和我有艺术上的同好，成为关系密切的学友，许多课外活动都在一起。我比他年轻，社会经历远不如他，我是随他走的。这时期我的经历，虽有一定必然性，但偶然性很明显，为

我指引出一条今后生活的道路。

我还投考过燕京大学，因为我曾受叔父的影响很想学医，但没考取。见到通知：英语和智力测验不及格。如果考取，很可能去当医生。

1948年，在上海的左翼漫画家几乎全部避居香港。特伟、余所亚、丁聪、米谷、沈同衡、张文元和我都参加到“人间画会”里从事有组织的艺术活动。1949年国民党军撤逃台湾，我决定还回到上海。因吴淞口被封锁进不去，便乘船经天津去北京，1951年调入人民日报社。得领导安排，让我担任漫画方面的创作和编辑工作，可以专心从事漫画艺术的创作和研究，比其他美术编辑的工作条件好得多。50年代和60年代前期，国际间斗争十分激烈，正是漫画用武施展的时候。创作激情高，作品发表多，作者署名常见，特别是登在全国最大的《人民日报》上，成为众所周知。画家出名了，究其实，很大程度是报纸宣传效果。话也得说回来，如果发表作品的艺术效果、社会效果不能令人满意，报纸再宣传，其作用还是有限的。

达摩是位高僧，是佛教禅宗一位始祖。他曾面壁9年而悟道。我国画家，常画达摩面壁图。我也画了一幅，画的和传统国画家所画的有些不同：在达摩身后有大碗饭，一个茶壶，还有一个盆子或罐子之类。我想的是：达摩之所以能面壁打坐那么多年，须有人为他提供一定外力相助，否则九天也坐不住的。

话扯远了些，还是回到童年回忆吧。我父亲是京绥铁路局的课员（现称科员），被新上任的课长排挤掉，换了一批他带进去的人。全家不得不离开北平，我初中还没毕业，无家可归。而且两个相士都曾相出我是个“败家子”，没出息，父亲打算让我辍学。当铁路站长的叔父却不信相士那一套，把我留下，使我初中毕业后考进有宿

舍可住的弘达中学高中，学费由他帮助。我弟弟小学毕业，当了学徒，受多年折磨，后来成为汽车司机，走的是一条艰苦的生活道路。

看来写回忆有好处，会使人有机会冷静地思考问题，对生活和对自己，看法要比头脑发热时较近乎客观实际。

谈起运气，还得补充几句。杜甫自叹“潦倒新停浊酒杯”，那是对他的生活遭遇而言。官场上他不得意，但也正因此写出那么多脍炙人口的诗，被奉为“诗圣”。蒲松龄和曹雪芹也是生活潦倒，才写得出《聊斋志异》和《红楼梦》来。他们的时运如何，可怎么说呢？写到这里，话又得说回来，历史上和蒲、曹二位生活经历相近、潦倒相同的人多得很，但写得出如《聊斋》、《红楼》这样作品的，还须蒲松龄、曹雪芹这样的人。

生活道路靠自己选择，自己走，但也离不开运气的支配和接受别人的助力。个人努力是有限的。这道理很浅显，人人懂得。但头脑一旦热起来就懂不得了。所以需要冷静，才使人老实点。写生活回忆的好处，就在有助于冷静，这话我想会有人同意的。

（1992）

面壁图

漫画书赞

我是被几次偶然机遇裹进漫画界的，至今快50年，倘算画龄，还不止50年。半个多世纪了！回想起来，也和别人一样，是踏着先行者的足迹走到现在的。但说来惭愧，前人的贵姓大名，许多是后来看资料才知道，而他们的作品，以前从很有限的一些报刊中见到过，当然不多，后来从也很有限的资料看到的也属少量。我国有关漫画艺术的资料，见到的真少得可怜！八年前，毕克官和黄远林写了一部《中国漫画史》，才算有了一部系统的漫画史料。因限于篇幅，所附登漫画作品，数量很少。所以，我所知道的漫画史，只能说是个轮廓，印象还不深。几十年前黄茅曾写过一部中国漫画简史，内容更简，又无附图，印象更有限了。现在漫画家人数多了，画龄50年以上的屈指可数，对漫画史的知识可想而知。从事漫画工作者尚且如此，其他人更难说了。

漫画是评议性和谐趣性的艺术，近于日常语言。所以，所表现的题材范围很广，艺术形式和艺术表现技法多种多样：有很严肃的政治讽刺画和社会讽刺画——当然也是幽默的；有风趣的儿童读物的漫画和报道漫画；有用于科技知识的漫画；还有幽默动人的幽默画等等……样式多得很。有多少人知道，漫画是因社会与文化高度

发展而产生，并和民主思想密切相关的一种艺术形式呢？虽然这种绘画样式在远古时代已经有了，各国各民族的绘画里都可见到，也逐渐演进和现在流行的漫画接近。我国18世纪扬州八怪中的画家黄慎就画过漫画《有钱能使鬼推磨》，现代的齐白石画过讽刺赃官的《不倒翁》。出生于19世纪的法国印象派画家莫奈也画过漫画，但他们都不是漫画家，只偶然戏笔画画而已。终于形成独特的画种流行于世，并产生专业的漫画家，那是在18世纪，并开始流行在封建制度瓦解后的国家。在中国开始流行，也是在清朝皇帝垮台后的20世纪初年，比欧洲迟两个世纪，比日本也晚一百年。光绪年间，在皇上眼皮底下，中国也有漫画，但那是外国人在上海租界里画的，登在他们办的漫画杂志《THE RATTLE》（可译为儿童玩具“拨浪鼓”或格格作响的玩具匣子或饶舌等）上，画的有西太后训子（光绪皇帝）。中国皇上怕外国人，所以这些漫画敢“犯上”。

近百年来，中国人民受帝国主义和封建势力的压迫加重，因此中国漫画流行，一开始主要是对所受压迫抗争性的讽刺画，直到解放后的五六十年代，我国的漫画都是以政治讽刺画为主。现在国际国内政治形势的变化，使漫画表现的内容也与二十多年前不同。在战争时期报刊上发表的那种政治讽刺画少见了。有多少人知道，在我国的民族、民主革命斗争中，我们的政治讽刺画在宣传革命、动员群众活动中起过多大作用？现在五十岁上下的人，还会记得，在抗美援朝、援越抗美的艰苦战争中，《人民日报》和各省报每天刊登的政治讽刺画，被广大群众复制放大，在各城镇农村到处张贴；尤其是在美国军队施放细菌武器，把带致命病菌的动物投到我国土地上的时候，漫画又起过多大作用？连儿童少年都知道有个张乐平画的“三毛”，又有多少人知道“三毛”在儿童教育中有多大影响？

从外国漫画史料我们看到：在美国解放黑奴的南北战争中，北军总统林肯称他们的漫画家纳斯特（Nast）为得力的“募兵伍长”（他的漫画在动员参军中使募兵工作顺利进行）；在第一次世界大战和第二次大战中，荷兰漫画家路易士·雷马克（Louise Raemackers）和英国的大卫·罗（David Low）都被敌方悬赏捉拿；听说华君武也上过国民党军方的黑名单。为什么漫画能使敌人害怕？又有多少人知道，无产阶级革命导师恩格斯在和政敌论战中，自己就画漫画向对方攻击？由此推想，可知我国先行的漫画家们，在反帝反封建斗争中的功绩。我们现在的漫画家，正是他们事业的继承者，是踏着他们的足迹成长前进的。饮水思源，不仅漫画家和漫画工作者，关心我国美术事业的人以至一些知识界、新闻界和政界的有关人士，了解中国漫画发展史，对漫画艺术的特色和功能有所认识，看来是有必要的。四年前，上海辞书出版社出版一部《中国美术辞典》，其中连“漫画”词条都没有（他们后来接受意见改正）！我常看到我们的电视广播中，关于国画、油画、书法、雕塑等等的展览，甚至不大闻名的画家作品展览，报道很多，而去年（1993 年）在中国美术馆举行全国漫画展览，我总以为这么重大的展出，电视一定很快有报道的，结果大失所望。有的出版物（包括中日合编的《中国现代美术家名鉴》）刊登漫画，居然将画中的对话漏掉，使这幅画成为看不懂的废品。虽然都是由于工作上的一时疏忽，却也反映出对漫画缺乏认识的普遍现象。作为多年从事漫画创作的专业工作者，我多么希望能获得更多有关我国漫画发展史的知识啊！我曾托朋友在英国买到英国的漫画史，全本都是画，从 18 世纪 20 年代到 20 世纪 60 年代，琳琅满目，不但很清楚地显示出漫画艺术的发展过程，还可见英国在这二百四十年间的社会风云变化，看了使我羡慕不已。美国

每年都出一本政治讽刺画的选集，其他国家我不清楚，估计很多国家也会有的。可是我们没有。

现在好了。今年，河北教育出版社开始出版一套名为“中国漫画书系”，已经出版了 18 本。漫画前辈张光宇先生我是早认识的，在香港时我们都是“人间画会”的成员，他是会长。我在 40 年代才进入漫画界，他的漫画创作很早，所以我看得不多。从这套书系中“张光宇卷”里，才见到他早年的作品。现在还较年轻的漫画家的许多精美之作，我也是在这套书系中看到的。在河北教育出版社为此举行的新闻发布会上，许多画家和美术理论家都作了令人激动的发言，并一致推崇出版社的高瞻远瞩和宏伟气魄。这是一项相当艰巨的工作，从组稿到编辑、出版，12 开本，印刷精美，带彩色，几个月就完工，每本的价钱只相当于六七盒中级香烟。组织和编辑人员是在“玩儿命”干出来的。以后继续出版，即为总编中国漫画发展史做了开路先锋。这是中国漫画界，也是出版界中的一件大事。有感于此，我写这篇文章。

（1994）

漫画老乡

旧中国礼教，对妇女规定“三从”，男的呢，按习惯只有“一从”，即籍贯“从父”。所以填什么表，在籍贯栏里我都填的是“广东中山”。我童年确是在中山市（那时是香山县）南蓢左步村（那时叫“左埗头”村）度过的。在家里也从父（当时是从母）说一口闽语系的南蓢乡音。曾听我妈说，我出生是在北京，按洋规矩算是北京人了。可耳听不如眼见，我见到的家是在广东乡下，小朋友和邻居都是说南蓢话的，姥姥家也不远，说的还是南蓢话。9 岁到北京上小学、中学，自然要说北京话了，可在家里依然从父说南蓢话。又因性相近，总和广东人相处，中山城里的话和广州话我都会说。因此，我按中国习惯只承认是广东人；尤其是中山人。我作画用的闲章刻的就是“中山郎”。我向往中山，还因为中山市是革命先锋孙中山先生的故乡，我和他还沾点亲。而且，著名电影明星阮玲玉还和我同是左埗村小同乡，两家离得很近。俗人好高攀，我自难免，能攀上几位名人，自我感觉光荣的。后来又发现中山更可爱了：看中国美术家协会里面，中山籍的漫画会员真多，人数在全国恐怕占第一位。老一代的有黄苗子和特伟（原名盛松）。还有早已去世的女漫画家梁白波也是中山人，《中国漫画史》中有她的名字。年纪轻些

的是江有生和我。五十多岁的有方唐（原名陈树斌）。除此之外，有个后补的我家老三孙晓纲，他还不是全国美协会员，但不久就有合格申请加入的希望了。广东靠海，和外国沟通，受现代文明影响最早。现代漫画传进来，在孙中山领导的民主革命时期，宣统皇帝还没下台，广东就出了个反封建的漫画家何剑士，也是中国漫画史上有名的。

黄苗子今年81岁，现在是著名美术理论家和书法家。著作多得很，我知道的就有《美术欣赏》、《画家徐悲鸿》、《古美术杂记》、《吴道子资料述编》、《敬惜字纸》、《货郎集》、《黄苗子书法选》。偶尔也动笔画点漫画。特伟明年80岁了。抗日战争期间，他和叶浅予、张乐平等多人组成救亡漫画宣传队巡回宣传抗战。1948年我避居香港时参加“人间画会”，他是会里的领导成员，任秘书，他还是这个会的一位发起人。在他和张光宇、米谷和黄新波领导下画我的漫画。新中国建立后，他从事动画影片导演，成为新中国动画事业的一位奠基者，后来任上海美术电影制片厂厂长。他导演的《小蝌蚪找妈妈》是首次用中国传统画法制成，独具艺术风采，在瑞士举行的国际电影节获银帆奖。《牧笛》则在丹麦国际儿童节获金质奖。1989年我国影视动画节目展播中，他导演的《山水情》又获导演最高奖。这三个动画片在艺术上都独具风格，民族特色鲜明。

江有生今年73岁，是新四军中的一位漫画木刻组长。新中国第一部大型杂志《漫画》中他任编辑部副主任。离职休养之后他仍不断作画，在国内著名报刊中常见他的作品。1993年初和我一起在珠海市举行联合漫画展览。

方唐五十多岁，正是创作最旺盛的年龄，实际上他创作之旺盛，国内漫画家是难望其项背的。他的作品常在国内外获奖。因为同乡

又同是冒充姓方的，有人以为他和我是一家人。他在《羊城晚报》任编辑。

孙晓纲，倘籍贯从父，也是中山人，刚32岁，常画儿童读物的漫画和连环故事漫画《郎雀》。在北京《中国少年报》任编辑。他的作品已经多次入选参加全国性的漫画展览。

梁白波我没见过。她画漫画时我还是学生。她是救亡漫画宣传队队员。她毕业于西湖艺专。看她的作品，果然出手不凡，叶浅予就很赞赏她的画。在我国女漫画家中她是一位很突出的佼佼者。

听说香港有位漫画家署名“香山阿黄”的，我没见过他的作品。也是一位漫画老乡了。

广东地方这么大，画漫画的人却集中地出在中山；更怪的是这些人大都是少小离家的，中山风水浸润并不多。以漫画为终身事业，我是出于偶然的。我原想学医，如果不是因为两门考试卷不及格，没考上燕京大学，我很可能当大夫。这两门试卷中有一门是“智力测验”。恐怕就是因为“智力测验”不及格，我当不成大夫，只好去画漫画了。结果在几次政治运动中都吃亏，最后还吃了大亏，终于得了个“运动员”的外号。

（1994）

一本书起家

我家有九个大书橱，顶天立地紧靠在房墙边。再也没有书橱立锥之地了，便将阳台封闭，又安放两个。那么多书，“文革”期间损失的还没算上，其实都是从看一本书开始招来的。

我上初中一年级时，父亲见别家孩子会看小说，觉得我也该会，就买了一部《西游记》给我。我一放学，跑回家就抓起来看，看得连吃饭也无心了。父亲怕我误功课，再也不给我买小说。但很幸运，我家附近有个西安市场，里面有一家小书铺，卖书，也收购旧书。看完的《西游记》，我拿去和书店老板商量好，换他一部薄些的小说。看完之后，添一点钱换另一部来看。如此这般，在上初中三年里，几乎把这书铺里的小说看了个遍。那时候我爱看打仗的故事，《水浒传》、《三国志演义》、《封神榜》、《隋唐》、《杨家将》、《精忠说岳传》、《施公案》、《七侠五义》、《东周列国志》等等，好几十部都看了。更爱看滑稽有趣的书，如《西游记》、《济公传》、《徐文长故事》和一些带讽刺性的如《儒林外史》、《官场现形记》。《聊斋志异》里的故事写得很动人，也爱看。上高中准备考大学，功课要抓紧就没时间看小说，上大学更不想看了。毕业后做了四年科研工作，抗日战争胜利后改行从事漫画工作，那时才去看苏联和其他国家的

市场里的小书铺

小说。许多文学和历史知识是在初中三年中看小说得来的。从事艺术工作，须有一定的文学修养，才能不断进步，更须看有关艺术理论著作，这都不在话下了。

在旧社会，书店书铺是什么书都有，很多格调低级和下流的书公开贩卖。我就看过淫书，只看两三页就不看了，我怕。我知道这种书看了会引人堕落，而我一心想考大学，将来好有出息——至于什么是出息，想的无非是社会地位高，生活比较富裕罢了，当时我的思想水平也就如此。说白了，就是想凭自己奋斗在社会上层立足。年龄渐长，才感到社会腐败，国家受帝国主义欺凌，很气愤。上高中二年级时，北京爆发“一二·九”学生运动，我是积极参加的。在北京学联中我们学校学生会负责宣传工作，我负责画宣传画。在大学里和参加工作后，和几位相好的同学一起，立志参加救国事业。当时很幼稚，想的也就是教育救国、工业救国之类。我在家里，父母管教严。家里也不富裕，很少给什么零用钱。记得直到中学毕业，只看过三场电影和一场京戏。那时冰棍儿叫“冰点心”，可能吃过一根。不像现在的孩子，一般家庭收入还比不上那时我家，零用钱可比我多多了。

我从事漫画工作，离不开书。选择重点有两种：一种是和工作有关的理论著作和幽默文学艺术书刊。后来还写杂文，写喜剧性的小品，和有关幽默艺术理论探讨，选择范围加宽，须看更多的理论著作和与此有关的小说、笑话、相声、喜剧、寓言、童话、谚语、俏皮话等等。看《鲁迅全集》我还自作索引。看老舍、钱钟书、赵树理的著作都作摘录。看外国小说也一样，果戈理、契诃夫、马克·吐温、欧·亨利、莫里哀、阿吉兹·涅辛、左琴科、哈谢克、里柯克……等等，他们的作品我阅读都随时摘录的。另一种是著名

文学作品，如狄更斯、巴尔扎克、莫泊桑、梅里美的小说。因为平时工作很忙，看书时间少，只每天挤时间去看。对书的选择不得不控制再紧些，准知有阅读价值才去看。流行的小说也看一些，例如琼瑶的小说我看过一本，朦胧诗也买一本看。其他小说看得就不多了。我国古书老子《道德经》、《庄子》、《列子》和古诗词，在中学时已开始启蒙，也常拿来看看，背些诗词，这属于喜好的了。我国古时哲学思想，充满智慧，古文、诗、词写得很美，逗人喜爱，这都是读中学时老师教的，至今仍向往；何况在写文章作画时都用得上。我总认为，无论从事何种文学艺术工作，都需要一定的文学修养，写文章讲究写得有文采；作画常讲究抒情，讲究意境，要画得情景动人，甚至标题、题词和漫画中的许多对话，都须有文采才好。而且文学修养和人的文化素质紧密难分，从事文化工作自然和个人文化素质更是关系密切的。对于从事幽默文学艺术的人而言，看得尤其明显：文化上的不足，就不会深通幽默艺术的道理，即使懂得些，技法运用也施展不开，例外是罕见的。

我在青年时代，精力都用在学习和工作上，看的都是科技方面的书刊。现在改行做艺术工作，读的书大不相同，须重新开始。幸亏以前看了不少传统小说，总算有点底子，至今深感文学书籍读得太少，又忙于现时的工作，要写几本书，学习时间有限，工作必然受影响，但也无可奈何，尽力而为吧。现在常见许多青年热衷于小书摊上卖的书，其中多数是供人消遣的，我实在没那么多时间看这类书籍。我幼年时爱看武侠小说和各种有趣的著作，看传统小说、笔记，虽然用去不少时间，却也得益不少，至少在文学和历史方面的知识是从那些书中得来。但我想，如果沉迷于这类的书，把大好时光都抛向这里，虽然所知丰富，知道哪位歌星结婚了，知道“麻

衣神相”的一些相术，知道张春桥的出身和一生的经历等等，也许从中还可得到某些有益的知识，我想不如把更多时间用于自己的志向，即有明确的奋斗目标。有条件受专业教育和按部就班读高等学校自然好，无此条件的靠自己去创造条件。我知道画家韩羽只有小学文凭，他爱京戏，也爱画戏，成了著名画家，而且读书多，文章写得好，报纸刊物上经常见他的杂文、散文、随笔，出版过许多著作。侯宝林连小学一年级都没读过，不但是相声大师，而且被北京大学聘为语言学兼职教授。他们不是只靠天才，而主要是靠勤奋，靠有明确奋斗目标，终于成为社会主义的专家。多年来我读书有体会：有明确目标，就会引起读书的兴趣，而且因此知道选择要看的书籍。

其次，从回忆往事想起：人要有心向上，就会去找有助于向上、开卷有益的书来看。倘根本无向上心，您怎么劝他看好书，给他列多少书目也是白费，他是心不在此的。

这里所说“向上”，包括那些不甘人后，不自暴自弃，不甘于混日子和知过能改的人。即使对游戏有兴趣，如果真迷上瘾，也会有出息，这也和读书相关。有爱唱歌的，唱戏的，有爱下棋的，有爱弄弄玩具的，有爱演戏的，有爱画画的，有爱写点什么的……开始都不过是玩玩，玩棋的上瘾出了个谢军，演戏上瘾出了个黄宗江，王士襄玩蛐蛐（蟋蟀）上瘾，还写了一大厚本讲养蛐蛐文化的书。他们种种出息都和读书息息相关，否则士襄先生成不了著名学者。光玩玩不读书，不深研究，那可就难说了，反正出息不大；但也比混日子、自暴自弃去做坏事强些。人只要真上了瘾，总会常自感有所不足，会追求，也就会去找书看的。但不论干哪一行，文学和历史知识都有助于上进，尤其是从事文艺工作的。许多著名艺术家出

身很苦，没有受正规教育的条件，都是靠勤奋，靠读书才有大成就的。几位艺术大师如梅兰芳、程砚秋、侯宝林都是如此。我知道许多人在香港居住，不论文化程度高低，也不论才能大小，都能站得住脚，有的还很有成就，生活也安定。因为在那里，如果不勤奋的话，就没饭吃，有也吃不饱。那里没有“大锅饭”。勤奋而无出路的自然也有，可我认识的那些人都各有所成，全站住了。

也许有人以为我画画出了名，一定是什么天才，比人聪明得多，或者受家庭影响有所继承。其实蛮不是那么回事。我祖父在乡下穷得没办法，出洋当工人做苦工；我父辈是铁路局小职员，没上过大学，记得连高中也没上过，没听说他们有什么学校文凭，都不会写文章，也不会画。我弟兄姐妹多，能有条件上大学的，开始只有两个。我弟弟小学毕业就只能去工作，当学徒。我上大学也没用过家里一个钱。因为家教严，上学必须用功，后来养成勤奋习惯。在艺术上，自觉没多少天赋，只是勤奋，肯下功夫。此外就是机遇好，经历都是一路顺风，除在“文革”时弄得家破人亡之外，没遇过什么风险，如此而已。爱好，自然也须有相应的天赋才容易有所成。可能每人都有一定的天赋，也就是通常说的天才——有敏于数学，有敏于机械，有敏于艺术或文学，有敏于说辩，有敏于管理……等等。但只靠天赋是没多大成就的，还须靠勤奋，靠追求。有目的去读书就是追求的一种表现。我开始只是喜欢画人物，画小说里打仗的英雄。上初中时，附近西安市场有说相声、说评书、演皮影戏的。我爱看滑稽小说，也爱听曲艺中的滑稽说唱，又爱看报纸上的漫画。在“一二·九”学生运动中，画宣传画时，因是抗日爱国性质，是抗争性的画，自然用上漫画技法。后来在学校里又被人鼓动办起文艺性的壁报，又得画漫画，这才不断画起漫画来。这都是无意中碰

上的机遇。在抗美援朝期间，天天画政治讽刺画在报纸上配合新闻发表。有些题材感到用漫画表现有所不足，于是写杂文。开始只是学着写，后来越写越顺手，写得多，知道怎么写法效果才好些。这也多是从别人的作品中学来。和相声大师侯宝林几十年交往，因而研究起幽默艺术理论来。现在已经出版过两本杂文《挤出集》和《高价营养》，两本有关幽默艺术理论著作《幽默·讽刺·漫画》和《滑稽与幽默》，一本《报刊漫画》，也是理论书。还有几本尚待出版。画集就出得多些了。问题是我们的书店老板对我的书兴趣不大，即使出版立即卖光，也不再版。印数最多的是61000册《笑的艺术》（是一本评论集），也很快卖光。现在我常外出各地，总是上书店看看，可说走遍各地书店，一本也没见过我的书。前年我去了趟美国，到哈佛大学和斯丹佛大学图书馆查看书目，都有我三本书，也就是印数较多、容易买到的。印数少的他们买不到。我国大图书馆不知有无收藏，有的话，恐怕也少得很，因为印数不多，想买也买不到。我常收到读者来信问什么地方能买到我的书，我无法回答。只好请他们问出版社试试。

总而言之，每人都有各自的天赋，各有不同的天才，只是境遇不同，有顺有逆。但有一点是共同的：只要有上进心，肯勤奋，必定有成就。常言说“天道酬勤”，那确实是颠扑不破的真理。勤奋自然吃力，长期辛苦，可是许多人也许不知道，有目标的勤奋虽然吃力和辛苦，却自有乐在其中，越干越来劲的。

（1994）

我的老师

现在青年漫画家有种好风气，很讲礼貌，见年纪大的同行都喊“老师”。人们知道，我国漫画家都出于自学，以为是没有什么老师的。实际上都各有师承，主要是从别人的作品学习，向这些作品的作者，也就是这些老师们学习过。我的老师就不少，有外国的，有中国的，对他们我一向是尊敬的。但说来惭愧，我没喊过“老师”，称“兄”而已。最使我难忘的一位老师是余所亚。他不仅是我艺术上的老师，而且是引我走上革命道路的导师。解放前，许多知识分子在政治上有糊涂观念，我是其中之一。在民主革命时期，曾画过一幅政治上错误的漫画，批评我指正我的就是这位余老师。那时我还是二十多岁初出茅庐的漫画作者，孤身来上海，租不起住房，到处寄居，最后住在刚相识不久的余所亚、李桦同志家里，搭张行军床挤在屋中。在他们家，更多是在余所亚的影响下（李桦耳背，通话困难），才一步步走上革命正道，对此我一直铭记在心。

所亚兄——我一向这样称呼，比我大十多岁，在30年代就已经是著名漫画家，艺术造诣高。在抗日战争时期，他的漫画，正如他的漫画集《投枪》的书名那样，以其锋利的讽刺，投向敌方。他在上海发表的那幅《中国工厂，美国罐头》，几十年来牢牢地刻在我的

中国工厂　美国罐头

（余所亚于1946年发表在上海《文汇报》上的作品）

记忆中，至今不忘。画的是一个美国空罐头正扣在中国工厂的烟囱上，画面效果感人至深。那时我国民族经济就是这样被美国压得抬不起头来的！

看所亚同志一生经历，可知他是一位十分坚强的革命斗士。他是广东台山县人，出生在香港。1931 年蔡廷锴在香港宣传反蒋抗日的《大众日报》上，他发表过不少漫画。他参加“中华民族革命大联盟”，在《民族战线》中从事左翼影评工作。叶浅予率漫画宣传队到香港成立“漫画抗敌协会”，所亚任研究部负责人。1939 年参加中山大学战地服务团，参加“中华全国文艺界抗敌协会”，任理事。1944 年在重庆时，与叶浅予、张光宇、沈同衡、丁聪等举行八人漫画联展，轰动山城，受到周恩来同志亲切邀见。抗战胜利后在上海《文汇报》主持副刊《文汇半月画刊》。1947 年该报被封，白色恐怖加紧，他避居香港，参加党领导的美术家组织“人间画会”。他又是艺术评论家、舞台美术家和戏剧家。1949 年来北京后，任中国木偶艺术剧团编导，没有再从事漫画创作，但艺术评论（包括漫画评论）之笔没停过，漫画展览上常见到他，他是离不开漫画的。

在硝烟遍地、民众乱离、交通处处艰险的年代里，文艺界人士个个囊中空荡，四处奔波。他是一位两足瘫痪，以双臂扶两张小凳代步的残疾者，却和常人一样，从香港奔桂林；湘桂大撤退时，黔桂路上苦难重重，他安然来到重庆；抗战胜利后，出川车船十分紧张时他又得以到上海。上海紧张，他又到了香港……如得天助，通行无阻。了解他的人知道清楚，他属于“得道多助”者。那时他还是单身汉，生活难自理，而家中总是座上客常满，杯中茶不空的。即使在十分艰苦的境遇下，谁也没见他皱眉头苦着脸过，而总是悠然自处的幽默家。而且往来无“白丁”，尽是左翼文艺界人士。我初

入艺术界，就是因他的关系，和王琦、黄永玉、刘开渠、野夫、陈烟桥、马思聪等相识。在桂林，他在七星岩下一茶棚改建的“画室”中安居，温涛、黄新波、刘建庵、彭燕郊、聂绀弩、秦似、欧阳予倩、何家槐等著名文学艺术家都成了他家的常客。他为人忠厚诚挚，极重友情，又是有高度文艺修养的幽默家，谁能不和他交好？他从香港奔桂林，须多方绕道避开险区，是一位青年朋友背他走的。来北京后，从香港、广东各地来京的朋友，如黄新波、关山月、阳太阳等，都要去拜访他，在他家吃饭。他们的子女也爱住在早先他只有三小间的家里。他的夫人和他一样好客，朋友一来，高兴得很哩。他终于有了一辆轮椅，行动虽然还是那么不便，然而他又自由地参加各种活动，看美术展览，到朋友家串门。有一次我意外在离他家数十里的聂绀弩家遇见他。要知道，他是雇不起出租车的人啊！

这位为革命奋斗一生的忠诚艺术家，因高龄不幸永远离开我们了！就在今年1月9日。海内外多少朋友和同志因失去这么一位难得的知心人伤痛啊！他是一位使人永远怀念的好同志，好朋友，是我最好、最难忘的一位老师！

（1992）

冰兄可佩

在相识的人里，有几位我很尊敬的，也很佩服，佩服得几体投地不等。我曾写过一篇文章提到，其中一位是廖冰兄，我写的有一句是：“见了他不敢为非作歹。”

他是漫画界一位老前辈。可以看得清清楚楚，他像是心有两颗。一颗硬，硬得刀枪不入，见坏人坏事恨得口诛笔伐，或讥讽或诤谏，或攻击。嘴巴厉害，嗓门又高，笔下幽默又讽刺尖刻，毫不客气，即使是朋友也一样！一颗心软，软得像婆娘，重情感。对后生，对

幼小者，对需要帮助的人决无吝啬，为此耗他精力，费他不少时间，他乐此不疲。别人对他也可以嘴巴厉害嗓门高，只要非出恶意，他照收不误。在这问题上他是主张即使吵架也别翻脸的，吵完杯酒言和，颇有“费厄泼辣”之风。听说华君武赞成。

当然，这只是我和他相识多年所感受，但也知道不少人和我有同感。

像他这样，心里怎么想，嘴里就怎么说，难免伤人。这种人在政治运动中从来都是“出头鸟”，他是心有所感的。所以他在《咏鸟》中有一句：“岂止出头必中弹，偶然翘尾也挨枪。”但他依然如故。

老一代漫画家们在创作上很严谨。冰兄作品艺术造型十足民间风味，色彩浓重，富于装饰美，情感表现强烈，正反映出他的豪烈性格。还有一着更绝：他善作既幽默又讽刺的打油诗，和他的画配起来尤为生动感人，这本事在我国漫画家之中可说仅有。我早就想学，但直到近年来方能起步，也才体会到其难度真不小。漫画是以文画合一表现的艺术。用画还易于入手，用文则需有一定的文学修养，非短期所能为。尤其是幽默文学，有它颇为微妙的特色，即使在大学文科课堂上也难学得运用自如。但对于漫画艺术却很重要，而用在打油诗词上更需多一层功夫，所以能此者不多见。冰兄在漫画创作上思路广，表现手法灵活多样，是与他的幽默文学修养相关的。

他的许多漫画令人难忘。不久前我见到的一幅，是在孙中山先生一百二十周年诞辰时画的。画面正中只是一条粗大的辫子，一把大剪刀，两旁写的是过去常见孙中山肖像旁的两行遗嘱：“革命尚未成功，同志仍须努力。”一看便觉含意深刻动人。他的作品令人难

忘，不仅在于艺术表现技法，主要还在于思想内容。老一代漫画家的许多作品，常有这种过人之处。他们曾生活在腐朽的社会环境中，身受重压，亟求解放，使他们富有很强的社会责任感，遇事深思。表现在创作上很重艺术，力求取得最佳动人效果。我曾问过丁聪，早年他很多作品画得十分精细，显然是下了大功夫的。登在杂志上，能得多少稿费呢？他笑说：哪里有多少稿费，有时一分钱也拿不到的——那时办杂志经济常遇困难，画家和杂志主办人多有深交，不大计较。

冰兄几十年艺术生活，社会影响深远。人又豪骨侠肠，人所敬仰。许多人，特别是文艺界人士以及海外来客，时常到廖府造访。廖夫人和他一样热情好客，经常为此忙得不停。我到广州总要去看望他们，在这家里遇到过不少各行各业（多属文艺界的）海内外来的座上客。写到这里，我也学着试填一首《秋波媚》：

难怪冰兄好忙哉，家里客常来。宾朋文友，东西老外、港澳新台。改革开放新时代，廖府本民宅，既如文委，又充侨办，义务公差。

我乃初学，尚未入门，敬请廖兄指正。

把一生献给漫画

——记沈同衡

丁 聪 画

我国的相声里面，流传着许多令人难忘的幽默语词。不少人记得《卖布头》里，对所卖白布有这么几句自夸的话：“它怎么那么白呀，它气死头场雪，不让二路霜，亚赛过富兴的洋白面哩吧。买到您老家里就做被里去吧——是经洗又经晒，经铺又经盖，经拉又经拽，是经蹬又经踹！”

我国的知识分子，在历次政治运动中，经受严峻考验。他们虽然受了不少委屈，还能顾大局，怀着对社会主义的向往，依然如故，毫不气馁，于是就获得“经洗又经晒，经拉又经拽，经蹬又经踹”的美称。在漫画家里，沈同衡就是很明显的一位。

我从1946年开始到上海参加到漫画工作队伍中来。在报纸上已见过他的作品，1947年才和他相识。当时各为生活奔忙，见面

只一两次。1948年我们避居香港，生活更艰难，住处相隔不近，只在“人间画会”开会时相遇，然后又各忙各的去了。但我知道，他在上海以主持“漫画工学团”为名，进行反国民党统治的宣传活动。

那是一种俗称“脑袋挂在裤腰上”的民主革命地下工作。革命胜利建国之后，沈同衡回到上海，参与创刊《漫画》杂志，任美协上海分会副主席兼秘书长，上海市人民代表、政协委员。1957年不幸遭“错划”，被迫搁笔二十多年，报刊读者了解他的人不多了。他原是能文能画的一位多产漫画家。最近我看1946年上海《文汇报》，他的作品就在这一家报纸上，从6月到12月这半年里（其中8月份一幅也没有，估计时间为他事占用），就发表四十幅。在漫画家之中，他是有文学修养的，所以画与文配合的作品不少，例如在上海《文汇报》上逐日连载的《百艺图》，就是诗画相配之作。后来在《人民日报》上也发表过一些，但不久就不得不停笔了。错案改正后，他重返北京。此时已年近古稀，又多年没动画笔，重操旧业，一时不易复原，而对漫画事业仍萦系于怀。

他善于组织工作，又是难得的编辑人才。1982年创办《漫画选刊》，我当了他的助手。就在这几年期间，开始对他有较深的认识。选刊出了八期，困难重重，只得停刊。但他为漫画事业的雄心未挫，又于1987年倡议组织“中国新闻漫画研究会”，以团结全国新闻漫画作者，加强报纸新闻漫画的创作和研究。这个研究会正式建立，成为中国新闻学会联合会的团体会员，并受委托每年从全国主要报纸中评选“全国好新闻漫画”。沈同衡被选任会长，他不仅主持研究会的会务，举办各种学术活动——如举行新闻漫画展览、新闻漫画讲座和学术讨论等等，还亲自动手编印《新闻漫画通讯》，与各省市

会员和漫画家联系。这种种工作都十分繁琐又吃力，须经常日夜做这些义务劳动耗费精力。他已白发苍苍近耄耋之年，仍孜孜不倦。虽然很辛苦，但他甘之如饴。真是埋头苦干，任劳任怨，一心为漫画工作而奋力不息。今年，他不幸患脑溢血，虽经治疗，但已身残，再也不能继续工作了！但对于漫画仍念念不忘，知道有什么漫画活动，他都要坐在轮椅上让人推着去看看。他已失去语言能力，见到画友仍笑颜频频，举手招呼，说着有声无语的话。

从工作上说，他已走完一生的路，而他自己仍想奋力挣扎。他就是这样的人——是对漫画执著到底的一位漫画家，是把一生献给革命的漫画家。

（1993）

“武运”岂能长久?!

沈同衡

怀念手塚

手塚治虫去了！他一去不返，使中国朋友们感到沉痛哀伤。

手塚去世的消息刊登在2月11日的报纸上，那时我正外出，常看不到报纸。2月下旬回到北京，乍闻噩耗，不禁黯然神伤，深感“不测风云”给人以打击的分量。我认识他，交了几年朋友，虽然会面机会很少，但彼此惦念，节日问候一直不断。他访问过北京多次，我们相会过多次，他那爽朗情怀和友善的笑貌，给我们留下了难忘的印象。

手塚的自画像

1980年，我随中国漫画家代表团访问日本，受到日本漫画界的热情欢迎和优厚款待。在一次酒会上，手塚刚到，有人立即把他拉到我身边，大声向众人说：“瞧！他们两个长得一样，像不像哥儿俩？”这句话引起一阵欢笑，日本朋友们连忙为我们拍照。但是我俩究竟有多么像，我一时看不出，只是心里

有亲近之感（后来他寄一本他的画册给我，其中一帧他正在讲话的照片，确是挺像我的）。他是一位大名人，又是大富翁，我见他和什么人在一起，却都看不出有一点大名人大财主的派头，只是一位普通的画家，普通的学者——他原是一位医学博士。

他是一位出色的漫画家。我见过他的讽刺画、幽默画、连环漫画、各种插图和动画，水平之高，使我由衷敬佩。他不仅画得好，而且产量极丰。他制作的动画影片，除了中国观众看到过的《铁臂阿童木》和《森林大帝》外，还有《火鸟》、《月世界绅士》、《蝴蝶结骑士》、《平原太平记》、《我的孙悟空》、《奥斯曼队长》、《一千零一夜》、《新宝岛》、《人间昆虫记》等等。我还在他的画册中见到许许多多各种奇形怪状的漫画人物造型和画面。他很善于画鸟兽昆虫，变形精美有趣，为幼年读者和观众描绘出奇妙喜人的动物世界。由此足见手塚艺术造诣之深和劳动之勤奋。他的《阿童木》在中国影响极深远，引得读者在报上呼吁：我们也应该有我们的“阿童木”。

他是人们多么需要的天才艺术家啊！是中国多么好的朋友啊！大家都盼望着欣赏他的更多的艺术产品，祝愿他长寿。不幸他竟被无情的病魔夺走了！他刚60岁，正处于各方面更加精深和创作旺盛时期，却突然逝去，多么令人惋惜和伤心啊！

（1989）

手塚治虫设计的商标

忆黄尧

30年代曾活跃在漫坛的一位漫画家，现在知道他的人不多了。他是黄尧。1936年首次在上海举行全国性漫画展览会，他是筹备委员之一，也是为抗日战争爆发后创办的《救亡漫画》提供作品的一位主要作者。当时我还是学生，后又住在香港，他的作品我所见不多，但印象却是深的，因为他的画富于幽默感，人物造型也奇特有趣。记得是在1941年，我正在四川乐山县武汉大学（抗战时由武汉迁来的）上学，他来乐山，我们相识了。我常跟他一起，看他在小本子上画速写。他的画法和常见的速写不同，所画的是当地所见各行业的人和街市景象，而画中人依然是他笔下的人物“牛鼻子”——画牛鼻子卖汤元，牛鼻子推水车，男女牛鼻子吃饭等等。我见过抗战时期出版他的一本《贵州行》的画册，画的就是牛鼻子在贵州的一些见闻，看来很有趣。他在乐山停留时间不长，走时和我们一位姓郑的女同学结伴而去，以后再没见过他们。许多漫画家也不知道他的行踪，只听说他去了南洋一带，前几年去世了。

前几天，在韩美林家见到一本《黄尧书画暨慕坭瓷画展》的小册子，是画展时作为介绍画家的赠品，其中有许多画，印刷颇精。我想借来看，美林慨然相赠，借此机会向读者介绍这位画家。画册

中所记摘录如下：

黄尧，亦名黄家塘，尧为其字。浙江嘉善县魏塘人，1915年生于上海。

他的高祖黄安涛，字霁生，曾在清道光、嘉庆年间任潮州太守，著有《自娱诗集》等书，家藏历代书画甚丰（此项资料《中国人名大辞典》及《潮州府志》均有记载）。黄尧之父黄汉钟，精研古籍书画，一生不仕，对黄尧影响至巨。

黄尧自幼亦跟随他祖父研习古文艺事，书法潜力于汉碑狂草，对甲骨钟鼎与文字学都下过苦功。绘图则着力于双钩铁线及大小米，同时对梁楷、青藤、老莲、八大、石溪、石涛等名家尤有心得。

黄尧早年以其“牛鼻子”漫画在国内外驰誉大江南北……在上海期间，黄尧已出版的有《牛鼻子漫画专集》多册，以及《假使集》、《赐福集》等书。另有《牛鼻子十讲》一书，详述牛鼻子画法。

黄尧于1956年辗转由前居地越南及泰国曼谷到达当时的马来亚。其后于1957年在吉隆坡精武体育馆举行《牛鼻子教育漫画展览》，展出《教子记》、《侥幸先生》及《暹罗风光》三部连环图画多幅，另有国画书法混合展出，由当时的教育部长敦拉萨主持开幕。展出期间当场挥毫，表演对席颠倒作书之绝技，一时为之哄动。3天展览中，观众达7万余人，造成马来亚历来画展空前的盛举。

黄尧对席颠倒作书之绝技称之为“出云书”，源自陶潜《归去来辞》中之名句“云无心以出岫，鸟倦飞而知还”。其哲理在于“无心”，写来则天趣盎然。所写的“字体”并不限定，狂草也可，汉碑也可，钟鼎亦可，以写得淋漓尽致最为出色……

他的国画，纯朴浑厚一如其漫画，可庄可谐，深富哲理，令人

有“一气呵成，一挥而就”之慨。

画展主持者为芙中（雪隆）校友会。在当地官员的献词中有黄尧“来马后一直在教育界服务，除以其独特画风继续创作外，更花了十余年时间完成其巨著《星马华人志》”，可知画展是在马来西亚举行。从小册中看不到画展举行时间。

在我印象中，他比我略矮，微肥，面色稍“黑”，很朴实，显得温厚。那年我23岁，他26岁，看来他老成多了。

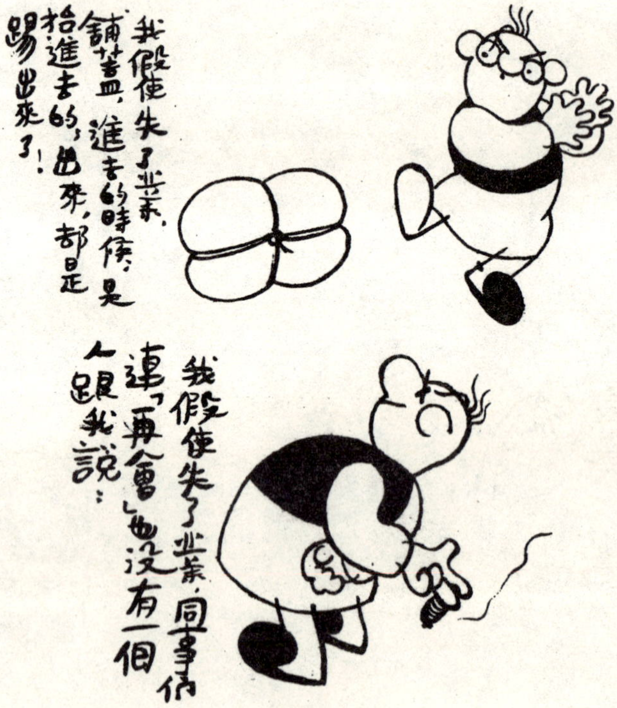

旅行醜記
牛鼻子黄堯
××皇帝御尿
牛鼻子到此一遊

——1941 年在四川乐山县，我看黄尧先生作速写。

忆新波

黄新波，早已是名声赫赫的版画家了。提起他，人都喊“新波”，只称名，不带姓的。文艺界的人，东南西北，海内海外，一到广州找什么人的话，多半先找新波。不仅因为他是中国美术家协会副主席和省文联副主席，更因为谁见了他都会感到像位老朋友，那么和善，那么诚挚、热情。到他家里坐坐，即觉暖和如春。他夫人章道非也和他一样好客。连年轻人也喊他“新波”，我就是。

其实，他只比我大两岁。可我知道，我还在读高中时，他已经是左翼美术家联盟的版画家了。在鲁迅和青年木刻家谈话这张照片里，座中最显眼一位就是新波。在他面前，我只好充当小弟弟了。

从1948年，我从上海避居香港时才和他相识，又都是党领导的“人间画会”会员，住处也近，便常去他家——他家是出入随便的。那时他以教画为生，家里常见有几位青年在学画。余所亚、王琦也是他家常客，我们常一起到附近咖啡馆听着播放的音乐谈天，每人一杯牛奶或咖啡，可坐好半天呢。

我喜欢他的版画，因不是行家，评起说不出行家话，只觉得他的作品有个很突出的特点，就是像诗。一看风格，准知是出于他的手笔（刀）。朋友交谈，他有说有笑，笑得天真爽朗，痛快之极。刻

出的画像他一样朴实厚重；也和他一样饱含喜怒悲愤深情，像有说不尽的话语让人思索。艺术手法和德国版画家凯绥·珂勒惠支的作品那样动人心魄。

他一向开朗、乐观，又很幽默。即使在“文革”时被关在“牛棚”里，他也要偷空说笑话的。有一回，几个“牛鬼蛇神”正在说笑，“造反派”闯进来，大声喝问：“你们笑什么?!”大家吓得不做声，只听新波说：“有人放屁。”“放屁有什么好笑!”新波说：“这屁特别臭。”事后提起这件事，想起新波应变之巧，没有不笑的。

新波在广州，无形中成了文艺界，特别是美术界的一位核心人物，从香港、澳门以及更远的海外来客，也好像总是新波的客人。他不幸于1980年过早去世，留下令人怀念的音容笑貌和十几种他的版画册。今年7月10日，在北京炎黄艺术馆举行了“黄新波版画艺术展”。他是在鲁迅先生指导下中国新版画创作的先行者之一，是为中国革命奋斗一生的艺术家。他的作品必然会引人深思，对后来者有所启发。

（1994）

忆曾岛

这位沉默的诗人悄悄地走了，他叫曾岛，我从外地回来才知道。事已隔多年，他那沉静温厚的面容和神态，一直深深地印在我的记

忆中，一想起不禁怅然。早就想写点什么寄托我的怀念，可拿起笔来又不知从何说起。在过去的年代，我和他虽在同一单位同一部门工作，天天见面，也几乎天天在一起打乒乓球。他写讽刺诗，我配漫画，是长期合作的伙伴，但那时不尚私交，只在办公室内外交往，有说有笑。我知道他写诗署名易和元或天马，还知道他一家四口，两位千金；当然知道他的诗写得好。

他平时很文静，话不多说，个头不算高，身形不算太胖，总见他悠然地沉默着，想是诗人的通性。他在静静地想，在字眼和诗眼上反复推敲。看他有点像朴实的农民，又像怕出头露面的教书先生，温平如水，可他的诗却似绵里藏针，看着诙谐而藏锋刺骨。他是吃辣椒的四川人，言谈中高兴起来会唱几句川剧调。打乒乓球玩得兴起，在挥拍猛攻之后来个转体三百六十度再迎击。我们两人曾是《人民日报》乒乓球代表队成员，和他对垒，我只能是他手下败将。他是一位幽默的诗人，但是藏而不轻露的。

幽默和讽刺相连，是很难掌握的一种艺术手段。我曾客居四川八年，常感到四川人熟用语言的技巧；不时听到雅俗相间流畅甚至带节韵的语词，在曾岛的诗里能领会到。但要使人感到幽默，觉出讽刺来，只有深通幽默才容易办到。我只举一例——字不很多，全录如下：

食堂和电影院，
好一场大论战，
争得面红耳赤，
还在说长道短。

食堂说：我就是食堂，

你休想把我的名字改变。
修建时部首长早已定名，
到如今招牌还挂在大门旁边……

电影院说：你不要强辩，
这不是食堂，这是电影院。
是食堂，为啥没有炉灶锅盆？
是食堂，为啥没有炊事人员？

是食堂，为啥没有餐桌餐具？
是食堂，为啥无人来进餐？
我说是电影院千真万确，
放映室不就在大厅后面！

你看一排排固定坐椅多漂亮，
塑料贴面光闪闪映入眼帘。
昨天刚演了《生死搏斗》，
今天又上映《看不见的战线》……

他们俩正在气冲冲争论不下，
这时候来了一个工作人员。
他说：两位不要再唇枪舌剑，
论道理你们各占一半。

你可以说是食堂，
他也可以说是电影院；

你是不卖饭的食堂，
他是挂着食堂招牌的电影院。

谁说“长官”没远见？
我们的“长官”会打算：
党中央严禁修建楼堂馆所，
他批准修个“食堂”专“吃”影片！

（《食堂和电影院的争论》）

在他别的诗里常可见到一些动人的幽默词句，如：

挥挥手，动动嘴，
楼堂馆所听指挥；
动动嘴，挥挥手，
山珍海味来列队……
……
民为轻，“官”为贵，
等闲识得权滋味。
一条经验出类拔萃：
有权不用，过期作废

（《心有余醉》）

《开会谣》一开始就引人入胜：
未曾把会开，
先把会址找，

烟台、桂林、青岛……
风景堪称最好。

《数十年如一日》前四行已鞭辟入里：

“我是大老粗，外行！”
余音袅袅，意味深长：
既像是表示谦虚，
又像是自我欣赏。

《“拖拉机”》一开始很俏皮又带刺：

两三个领导，
四五个下级，
组成一部机器。
拖呀，拉呀，
可不在地里。

有一首短诗也不妨抄录，看诗人如何运用幽默语言进行讽刺，题为《愚公长叹》：

移山归来眼发呆，
面前景色费疑猜：
后门昨天刚堵住，
为何今日又打开？

只道移山不容易，
谁知堵门更难哉！
有人酷似穿山甲，
削尖脑袋他又来！

这首诗的内容自可斟酌，因只涉及一方面的问题，但语言的俏皮和讽刺性，显示诗人的幽默，这是令人赞佩的。这里无须对幽默有所解释，读者会觉得出。

讽刺诗难写，讽刺而又很幽默则更难。我很怀念曾岛，不仅由于相处多年的友情，还为失去这样难得的幽默诗人而感到痛惜。

人才难得啊！

（1994）

设想有理

——谈苗子和郁风的艺术

黄 苗 子

我曾设想，筹办一所美术学院，按照精简办学精神，有一位院长就行了。此外，还需要一位管教务，一位管总务兼采购，一位会计，一位出纳（按规定二者不得兼），一位管工会兼计划生育，一位

管党团工作，一位勤杂工兼门卫和打铃。办成之后再考虑增添管人事，管纪检，管房产等等的干部，以后再考虑成立经理处（或科）的问题。教学当然是最主要的，教授一位当然不够，至少得有两位，必须是名家。这两位教授，最理想的，无过于黄苗子（汉族）先生和郁风先生了。这是一对夫妻，住的宿舍一个单元就行。所有课程——国画，西画，书法，装饰艺术，美术理论，语文包括古文、今文和诗，他们全包了，还可设漫画讲座。现代教育必须德智体美四育俱全，这两位教授也可以包下来。

人们多知道苗子先生是著名书法家，因为只要是他走过的地方，都可见到大幅他的墨宝，隶、楷、草、篆无一不精，而且时或书画结合，融为一体，别有风致。他的国画写意作品中又可见书画同源的印迹。美术界早都知道他是著名美术理论家，他的文学修养也是众所周知的。但知道他曾是30年代有名的漫画家的人却不多了，他已把漫画中的奇巧构思转移到他的书画和文章里了。他为韩羽的《闲话闲画集》写的序，下笔千言，倚车可待——不是倚马，他是在火车上写的。我们四人同行，相对坐着，我们闲谈，他在写，也偶然插话。到站时，文已写成。看那文章，既幽默又中肯，里边还引用我当时谈起韩羽说的一句话。他的著作我知道的就有美术论著、书法和杂文等多种。教几门课当然驾轻就熟，学生欢迎。

郁风先生是位美学家，她画得美，文章写得美。在仪表上，从头上发型，衣裳样式、色彩以至脚下的鞋，都是装饰艺术家的设计样。她对传统艺术的爱好也显示在装扮上，几十年前已被好友戏称她从头到脚是“唐宋元明清”。两月前在北京街上，她被一位女子——可能是位做服装生意的，追着要花高价买她穿的那件上衣，她费些口舌好容易才婉言拒绝了。再看她的画，既是国画传统笔法，又显出她

在母校艺专学来深厚的西画功底。她画秀美的自然景物，画异国风光，画引人回想的历史遗迹，都表现出女画家自己的艺术风格。

这两位艺术家年龄已是八十上下，性格同样爽朗、活泼，毫无翁婆之貌，真乃天作之合。吴祖光为郁风作的像赞有“天上神仙侣，人间书画家，去国倏五载，依旧貌如花”之句。文学前辈夏衍先生干脆把他们俩都叫乐观、“顽皮”的“老少年”。尤其是苗子，许多比他年轻得多的同行，习惯上对他直呼其名，当成“哥儿们”了，而心里怀着的是景仰和敬意，因为无论在政治上，艺术上，还是为人处事上，都有令人敬仰之长。所以我想，在教育工作中，不仅智育、美育，连德育也能包下来。至于体育，只看他们俩以耄耋之年，还在欧、美、澳大利亚各处跑，和马家军长跑运动员竞赛，教课自然是胜任无疑的。

今年2月中，他们俩将在北京炎黄艺术馆举行书画展，赶早去看，便知我写的这篇文章绝无吹捧之嫌了。

（1996）

幽默杂烩

出版社要我为韩羽这本书写个序，想必是编者知道我看他的作品多，会理解，会介绍。

那么，我介绍一点吧：韩羽是位幽默家。

成为幽默家可不容易。从他的作品看得出，不但写得幽默，画得幽默，而且：

还看得出，有幽默眼光，才会对世间种种矛盾特别敏感。别人

还没注意，他先注意了；别人还没感知，他先感知了。

也看得出，如果对人情事理所知欠深欠透，就难说到点子上，引人思索。

又看得出，倘缺乏广博知识、见闻，即使看出什么，也难说到点子上，令人叫绝。

他喜用文言，那是利用文言之简捷蕴藉，有回味，这是和幽默相通的。

他写时又好用大白话，文中雅俗相间，可有自然生趣之妙，这也是和幽默相通的。

他也写游记、写风景什么的，和别人写的差不多。但我注意到，访日本时我和他是一路的。他写得那么多，那么细腻，我可没像他这么留心详记，写不出来。别看他在日常生活上眼开眼闭不大在意，可干起活儿来，两眼睁圆，看得可用心呢！

好学不算稀奇，学而能用才是功夫；再用得巧，则近乎幽默了。

所以，韩羽能成为幽默家。

注：为《杂烩集》序

（1994）

速写舒展

和作家舒展，约四十年前我们就有交往，但少见面，那时他在《中国青年报》编副刊。他原名舒学熤。这个“熤”字，《辞源》和《辞海》上查不到，《康熙字典》上才有。我就猜想：或是家学渊源，父辈为他取了这么个深奥的名字；或是他心里想吸烟，特为自己取的名。近十年来不仅常见，住处又相近，他写文章，我配插图，关系就不一般了。

他写杂文，是不一般的杂文家。他的幽默与讽刺同漫画贴近，于是我们成了天然盟友。我们都在报社工作，成天和新闻打交道，写的是评议性文章，画的是评议性的画，和社会上种种歪风邪气、

种种阻碍社会进步的丑恶相斗，用的是幽默讽刺笔法，作品便成为杂文和漫画的组合。

说起幽默，那是很多人会的。提及讽刺，更属家常，日常语言里就多的是。但要运用到见诸报端的评议上，就须有点本事，而且不是容易学得来的本事了。鲁迅是位大幽默家，他的幽默和讽刺，很少人学得来的。

舒展的杂文，涉及面广，引证事例，像是信手拈来，头头是道，使读者不得不佩服他学识之博。他深懂戏剧，那是因为他乃中央戏剧学院毕业生。而对中外古典文学知识之丰，我想在现代同龄写家之中恐也不多见。有一次，我们去拜望钱钟书先生。他是钱府常客，一进门，钱老说："你们来了，展也大成。"拜辞后在车上他说："钱老这句话把我们两人的名连在一起了。这四个字是从《诗经》上引来的。"我回家查《诗经》，果然见于《小雅》"车攻"："之子于征，有闻无声，允矣君子，展也大成！"巨著《管锥篇》和《谈艺录》我很早就买了。拜读之下，深感自己学识不足，"啃不动"，不得不暂时放下。但没多久，舒展就编出《钱钟书论学文选》六大本，并加评介。他杂文中的幽默讽刺笔力尖刻动人，显然是得力于博学。鲁迅笔法之所以难学，其中重要一条就在于他的学识渊博上。

舒展不吸烟，我对他旧名字的另一猜想，是不错的。但愿他文如其名。

注：为《调侃集》写的序

（1994）

微妙的艺术语言

杂文论人议事，总少不得幽默文笔，幽默是微妙的语言艺术，是一种别致的表达方式。它的特点是曲折、含蓄，令人意会，就是思而有所悟，经过接受者思考而理解的。所以在表达过程中，表达者和接受者双方在默契中完成，因此双方都感受到这种语言的创造性的新奇乐趣，会不禁失笑。这笑是由曲折表达的谐趣所引起，是和幽默伴生而来。所以幽默便和谐趣相连，似乎玩笑，而含义确属实情，并且是正当、庄重的，为此通称“寓庄于谐”。杂文这种评议文学形式，运用幽默笔法，为的是取得生动、有力、可读性强的效果。

幽默艺术常离不开矛盾，它利用矛盾造成谐趣，也抓住矛盾借题发挥。说反话、做反面文章就是这种手法，多用于讽刺——讽刺和幽默是相通的，所以讽刺总带有幽默感。曲折是绕弯子，正正反反、虚虚实实，使人在意外中得其真意。西方有一则幽默对话，说的是一位年长的和一个小孩通电话，大意是：

——孩子，你养的那只小白猫好吗？

——您还不知道吗，阿姨？

——啊？怎么啦？是病了吗？

——不是。

——它跑了吗？

——也不是。

——你送人了？

——没送。

——我就不明白了，它到底怎么啦？

——它已经长成大白猫啦。

绕了半天，在人还想不到的地方钻空子，造成意外，却也合情。有的杂文作者，就挺会在这种空子里做文章。比如牧惠就曾写过一部《歪批水浒》。“歪批”，就有正话反说和借题发挥之意，从各种人物活动，事件演变和相互比较之中，独出见地，看了使人有所得，也为之忍俊不禁。

这种文章看来文笔轻松，发挥自由，但写起来需掉书袋，少不得引经据典，靠肚里藏书。中外小说且不提，古典经、史，文人笔记、野史等等，熟读而后才能随手引用的。他写的《金瓶梅月话》，从西门庆和太监的关系，扯到太监的来源以及历史上臭名远扬的太监刘瑾、冯保、王振、何沂等的权势和种种活动。又从一次婚事（娶孟玉楼）两场丧事（李瓶儿、西门庆之丧）讲到古时的风俗画和风俗，引用的书就有《中国风俗史》、《北京岁时志》、《帝京景物略》、《艺术类聚》、《荆楚岁时记》、《史记》等。在《歪批水浒》中还引用到《战国策》、《尚书》、《资治通鉴》、《论语》等不少书，以及李卓吾、金圣叹和鲁迅的话。所以看这种戏笔文章，是会既得其趣，又得其利的。

他写的一部《古经新说》，看书名便知是戏笔文章。书中的插图是我画的，选一幅插图，发表于此。

注：为《古经新说》写的序

（1994）

瞧这两口子

人早已注意到，在我年轻时候，我的桌子是看不见桌面的——上面东西堆满了，杂乱无章。但人们也习以为常，因为我爱画画。“画家嘛，全这样。”其实那时我还称不上什么画家。如今我故态依然，而于今为烈，因为除画画之外，我还写点文章。而且，上了年纪的人，习惯上更加惜物，一些没多大用处的剩东西总舍不得扔，

也随手放桌上了。这是我。

马得家可不一样，像个家，到处都比我的家整齐得多。但我并不以为他没有许多画家那样的毛病。他老伴陈汝勤，正如她名字所示，是为汝而勤的，虽然她还是正牌出身的画家，在机关里又是马得的顶头上司，作品不少，都整整齐齐地收藏着，连马得的作品也收拾得井井有条。这么一来，马得变得尤其画家，连稀饭也不知是怎么煮出来的了。他很热情，朋友来就当自家人一样茶饭招待；但可得汝勤在家，否则什么也吃不上。他全不会！

今年夏天，我们同去广东。我闹病，他夫妇把我接到他们家休养。见他不大走动，我便拉他出门走走。买东西我不识路，就请他带着。买了回来，走几条胡同，他就迷路了；其实没多远。我问他：

“你们在南京多少年了？”

“几十年啦。”

“在这一带住多久？”

“二十多年。”

“住这么多年，出门上街怎么还不认得路？”

“嗳，我们出门都是汝勤动脑子。”

没想到这位女画家，她在作画之外，在家里对马得还身兼二职：既是贤妻，又是良母。难怪马得全心投入地又画又写，都那么出色。

因有感于此我画了这么一幅。

（1994）

我干我的

因为年逾古稀，头发也稀，却没怎么褪色，又经常从北京城东南角骑车奔西北角，上钟灵家喝酒，来回几十里而面不改色气不喘，引得人常来问“养生之道”。我有两种说法：对澳大利亚漫画家帕·库克回答是：“第一，常运动；第二，如果想上吊，别找绳子，去找杯葡萄酒喝。”近些年回答是：“就一个字——忙！”

这算是我新发现的诀窍——也许别人早已发现，但我不知道。

我的忙，几乎是忘乎一切。一早起床，早点吃过，就直奔“画案”，一坐就是一上午。所谓“画案”，那是按作画要求请木工做的，大小和一般书桌一样，安放在 14 平方米大厅一角。饭后午睡一个多小时，起床后仍然伏案挥笔。除了去取报纸邮件，顺便买点东西，接接电话，别的什么家务，鸡毛蒜皮，全不上心。在新闻联播时间吃晚饭，然后仍伏案直到深夜。国画家除了名章之外，都有闲章。我也有，是请大康老兄所刻：“我画我的。”其实，我就是“我干我的”，别的事少理。家庭妇女多比男人活得长，就因为“她干她的”，业务单纯，别的事归她男人管。而且，她还常运动——屋里屋外不停地运动。

我知道许多退下来的人也忙。但我忙得邪乎，因为“管得宽”。

画漫画本来就是一种忙活儿，丁聪老兄忙得连工资、补贴、稿费统统交给夫人，一切归她管。像我这样年纪大，画得多，画了登在报纸上，都有署名，前后几十年，也就把名字传开了，成了“名人”。报纸刊物编辑们约稿总是冲着名人来的，于是就忙，这是其一；其二是除了漫画之外，我还干别的。我从小好动。凡田径、打球、游泳、滑冰、歌咏、唱戏、演剧等等，里面都有我。后来不是画漫画吗？可连与漫画这种幽默性质相关的其他文学艺术包括理论，我都想插上一手，也去写写文章，编编喜剧类的小品。按冰兄老哥的说法，叫“捞过界”。虽说1957年那阵的帽子曾在头上飞过，幸而没落下。但旧习不改，所以不仅手笔忙，腿脚也忙。比如去年（1993年）10月底在合肥举行的“中国相声节”，我也被邀去当了相声表演赛里的一名评委，一去就十天。前几年成都有谐剧表演，我还被曲协的朋友从北京拉到四川，写了几篇文章，吃了一顿红油火锅，冒了一脸大汗。因而约稿的编辑，美协的、作协的、曲协的、体委的、卫生部门的等等，哪一行的都有。作画写文章又须看书、查书、抄剪资料，只看我那见不到桌面的画案，可见一斑。

难道不休息吗？不娱乐娱乐吗？也不是。有时伏案久，觉得头大了，就提起篮子到大街菜摊上去买菜，这是从家庭妇女的运动中学来，确实有松心活血功效。像《努尔哈赤》、《唐明皇》、《北京人在纽约》这类的电视连续剧，我还是紧追不舍的，可惜不多。什么人打电话来请吃饭，或是谈得来的朋友来访，喝上一两杯，都是休息。应邀外出，那是大休。有时虽然也有点累，但营养补得上，也有效。去年我大休机会比往年都多。以前在报社上班时，我算过，平均4年外出一次，现在一年得跑好几回。如今当了几年“个体户”，生活上更活跃，工作更忙，也更有趣了。

近几年又发现，对我来说，忙中把烟戒了三分之二。我是有四十多年烟龄的“顽固派”。虽也画过吸烟有害，劝人戒掉的漫画，这仅属于“画画而已”，给别人看的。老舍先生和我同属一派。他写过，有人劝他戒烟，他说：“先上吊，后戒烟。”我说的是：“戒了活着没什么意思。”可见其顽固。以前每天我至少吸一盒，二十支，现在经常一上午一支不吸。那是因为只顾“我干我的”，腾不出手，因此常忘。连平时爱喝的咖啡，虽是速溶，开水一冲就得，也舍不得腾出手来冲一杯。吃水果我偏爱葡萄，不须剥皮，往嘴里一送即可。见报上介绍，日本人和香港人是非常忙的，他们的平均年龄都很高，想必也是有些和我一样，忙得什么毛病都少了，身体健康。常见大街上谁不小心踩了谁一脚，便脸红脖子粗地相吵起来，立时招来一群围观者，连骑车的也停下来伸长脖子张望。看他们如此悠闲，寿命料不会比我长。冰兄老哥是广州画界一大忙人，也和丁聪老哥一样，工资、补贴、稿费统统交给夫人凤贞大嫂，“他干他的”。前年刚庆其从艺六十周年之喜，明年该庆八十寿诞了，现在仍腰身笔挺。君武老兄的工资、补贴和稿费，是否全交夫人，尚未探明，但也是“他干他的”，忙人同道则无疑。他比我年长三岁，早已把烟瘾忙掉，腰身同样笔直。常闻“画家多长寿”之说，颇有道理。人大都有职业特点，许多画家的特点往往一眼看出：头发凌乱，衣冠不整，屋里也如无人管理的仓库——除非有别人整理。“他干他的”，顾不上其余，虽忙而不急不恼，又不苦思心计想整什么人，一般体质、心情总是比较健康的。

记得有一家报纸要我写我的座右铭。我从来没想过这种事，写不出。如果再有人要我写的话，写“我干我的”，也许能凑合。

（1994）

老北京的饭馆

（1936 年）

在北京（那时叫北平）上了六年中学，和老北京的饭铺、饭馆打了 6 年交道。提起北京的饭铺（小饭馆）和饭馆，那真是中国社会一大特色。

上学起得早，母亲给一毛多钱，这一天两餐都在外面吃了。那时一毛钱合二十四个大铜板，叫二十四大枚或四十八枚。先在附近西安市场外边小摊上，花两大枚买一套烧饼馃子，两大枚豆浆或杏仁茶，这是早点。中午放学，在附近小饭铺花二十大枚吃一份烩饼或抻面。因是常客，交一元钱要个小记账折子，吃一回记一笔账，就可以不停地记下去，超支几元都可以，随便什么时候再结一回账。这种以学生为主要顾客的小饭铺，像个快餐店，供应炒饼、烙饼、馒头、打卤面、炸酱面。也有炒菜、米饭和酒，学生很少去吃的。快餐虽简单，却也可口，我每天吃并不觉厌。

上高中住宿舍，学生自办伙食。食堂就在校内，也是饭铺包的，饭菜花样多，和现在的职工食堂一样。学生也是各交一元钱，在小折子上记账。一到放假，许多外地学生打起行李铺盖回家。食堂厨师早早守在校门口，有没结账的学生，就在那里结算，交欠下的钱。我看这很好笑，就诌了一首十七字诗：

光阴如箭飞，匆匆暑假放，校门厨子守，要账。

因为是“处女作”，至今我还记得。

我当过一任自办食堂的主管，“管衔”叫什么早已忘记。这一任的伙食比前任办得好，伙食有所改善。到任期满结算时，才发现出了毛病，原来是会计写错账了。记得他叫毛彭春，深度近视，人老实得像个学究，记账时少写一个圈——二百元写成二十元了。这可是大祸，亏空一百多元可怎么补得上呢！吓得我出一身汗。幸亏我的副手郭成有主意。他知道菜贩子会写花账，暗中把菜价提高。于是他把专为食堂送肉菜的几个商贩召来，查他们的账。连蒙带唬，也许查出一些，也许商贩为继续做生意，作出让步，就把这一百多元的亏空找补上了。这件事我印象很深。1961 年我路过合肥，安徽文艺界两个领导人来看

我，一位是陈登科，另一位我一眼认出，那就是老同学郭成，二十六年之久，他面貌没大改变。久别重逢，见了非常高兴。我改了名字，他不记得，忆及往事，他为食堂解围这件事也记不得了。

学校在城外。假日进城，有时在亲友家吃饭，有时在饭馆。我属于穷学生，常是吃最便宜的饭，例如包子，两毛钱十个，加上一碗免费的“高汤”就足矣。哥哥在大学当助教，他有时和朋友上饭馆——北京叫“下馆子”，有酒有菜，也带上我。我们吃的都是一般饭菜，不像现在可以用公费请客大吃大喝。最令人难忘的是几件事，一是饭馆伙计（堂倌）的招待，简直和演戏一样。他们都剃光头或平头，穿对襟小褂，系着围裙，肩上搭着一条擦桌布。顾客一进门，就忙着来招呼：“来啦，您哪，吃点什么?”这时碗筷就摆好了。倘是来过几次的，他记得住，招呼更加热情：“呶，王先生，这一阵儿您没来啦？今儿有个好菜。”一般饭铺饭馆没菜单，点菜时，伙计一口气报出一大串菜名，就如相声贯口《报菜名》那样，顾客听着点菜。饭铺伙计少，顾客来得多，他能穿梭似地到各桌上招呼。点完了菜，他就冲着厨房喊点出的菜名，厨房里也回声应着。客人多，菜难来得快，客人催问，他还得一位位去对付：“您稍等会儿，这就来!”厨房里锅勺碰得丁当响，那是菜炒得了的信号，也是厨师显手艺助兴的表演。客人吃完结账，这位伙计还是一笔笔报出来：“木须肉三毛五，炒腰花四毛三，熘鱼片四毛七……一共三块二毛五。”收拾残局，送来漱口水和牙签，有的还备有槟榔，顾客随手取一两粒放进嘴里。客人付款时，伙计还谦让一番：“您甭给啦!”或说：“您带着吧!”二是一种特有的招徕方法。饭馆多设“雅座”。“雅座”常是小单间，挂上布门帘。饭菜上到最后，伙计又送来一份客人没点过的菜，说：“这是我们掌柜敬的!”是一份赠品。客人一高兴，给小费手头也会宽些。客人出门，伙计还

高声欢送。那时喝酒划拳，扯着嗓子呼四喝六，热闹得很，想静下来谈话是很难的。一般墙上都贴着“衣帽自看”、“莫谈国事”的字条。谈话还是在“酒缸”合适。那是专卖酒不卖饭的小店铺。大酒缸上铺一块大方木板，酒菜也就是花生、毛豆、豆腐干或炒豆芽冷盘之类。铺子小，座位不多，没有成群客人去的。

上学时候我喜欢画画，因为印象很深，我凭记忆画了几张，保留到现在，那时不会画速写，闲来顺手画着玩，这是五十五年前的旧作了。北京一清早有卖馒头花卷的，走胡同叫卖，也是早点，我很少吃，而喜欢在西安市场（现在没有了）门口喝豆浆、杏仁茶，吃烧饼馃子。那时的烧饼做的比现在宿舍门外个体户卖的烧饼好吃多了。

（1993）

（1936 年作）

下 凡

第一场

布景：屏风一个

[铁拐李出场，背着葫芦，腿瘸，拄着铁拐上]

李：这群孩子，真胡闹！不知道跟谁学的追着我唱："铁拐李，把眼儿挤，你糊弄我，我糊弄你。"我糊弄谁啦！糊弄人能成神仙吗？唉！人都想当神仙。当神仙是有好处：不愁吃，不愁穿，不上班，不开会，不挤电车，不排队。可他们不知道，一当了神仙，可就没自由啦！一不许抽烟，二不许谈恋爱，不许结婚。计划生育倒是彻底，可是真闷得慌。咱几位铁哥儿们里，那个姐儿们何仙姑，到现在还没个姑夫哪！

[何仙姑出场]

何：啊，好你个老李，背后糟蹋人哪！跑这儿来发表反仙言论。好！我打小报告去！

李：得，得，好大姐——不，不，好小姐，我随便说着玩，没别的意思。

何：你这是碰见我，要是别人，非给你反映不可！

李：嗳，大人不计小人过，有不对地方，您多包涵。说真格的，你说，当神仙日子真那么好过吗？你瞧我这条腿，瘸到现在，没钱治啊！

何：有钱又怎样，人家赵公元帅当了财神，钱倒有的是，可没地方花！想买身衣裳换换，可天上哪儿比得上下边，你看，北京大街上到处都有卖服装的，什么新鲜样儿都有。瞧我这一身儿，不是早该换了吗？

李：说真格的，咱们下去转转，怎样？反正不用排队领护照搞签证。

何：这个——

李：没事！千里眼顺风耳在王母娘娘那儿喝得烂醉，几天没醒哪，没人知道！

何：那你先去，我再想想。

李：可别言声！

何：放心吧！

李：好，告辞了！

[边唱边走到屏风后面，有京剧乐声送行。何下场]

第二场

[现代乐声起，李从屏风后走出，腿还瘸着，已换了一身西服，穿皮鞋，肩背皮挎包，涨得鼓鼓的，露出钞票。全身口袋里也装满钞票]

李：(一边走，一边抹嘴唇) 下边吃的可真不赖。连真武大帝的龟和蛇都进了汤锅。贵州茅台比咱葫芦里的老酒够味儿。还有洋的汉堡包、肯德基、比萨、麦当劳。饮料又不是相声，也叫“可

乐”，还有卡拉OK，嘿，跟我这条腿一样——没治啦！

[坐在地上，掏出钞票在数，顺手从上衣口袋掏出烟，点一支抽，嘿，发财啦，发财，（从衣服里边掏出三摞股票）一万，六万，八万……]

[何上场，身穿新式服装，高跟鞋，挂项链，一身新]

何：嚯！一万，六万，八万，发财——你打麻将啦？

李：唉嘿，你也想开啦！可不是，漂亮多啦。

何：我到下边先换身衣裳。你这些钱，打哪儿糊弄来的？

李：（急）谁糊弄啦！这是合法收入，挣来的，还有比我多的哪！

何：你干的什么合法行当？

李：你猜。

何：反正不是你那老行当，要饭是要不来的。

李：你就别提我那老底儿啦。

何：打麻将赢的。

李：打麻将赌钱不合法，不——是。

何：卖假药、假酒，在商店、宾馆里合法经营，糊弄来的。

李：胡说，那都不合法！

何：挖祖坟，卖古董，拉关系，当倒爷搞皮包公司……

李：别猜啦，你是老杆，猜不着。我这是跑腿挣来的。

何：呦！就冲你这条腿，还能跑啊！

李：光跑不行，还得能写会算。

何（笑）：得啦，你出身不错，可惜没文化，还能写会算哪！

李：（扔掉烟蒂，又掏出一支点上）说我没文化？这几个字我都认得（指墙“禁止吸烟”的告示）。算，也得看你算的是什么。

何：就这么一点本事就能挣大钱啊！

李：一点本事，可不简单哪。干咱这一行的，还分几等呢！

何：还分几等？

李：是啊！我跟你说说，让你也长点学问；就说二等吧，二等拉广告，三等拿红包，四等捡洋捞，五等——

何：行啦，行啦，你还没忘了你那老行当，又数起来宝啦！你算几等的？

李：我呀，一等。

何：一等干什么的。

李：炒股票。

何：炒股票？没听说过。

李：你在天上，没听说过的事儿多着哪！这是现时最红火的行当啦。你瞧（拿出股票）这是一万，这是六万，这是八万。一，六，八，一路发。你瞧这烟，"万事发"！你瞧这领带，"八"字牌的，卖八百八十块，我买这身衣裳，他要七百五十块，我给八百块……

何：你疯啦！还有这样买东西的呀！

李：干咱这行的，就得取个好兆头，"八"就是发，发财的发，八越多越发得大！你懂得啥。要没这些"八"，我能发这些财吗！（指钱）

何：你管你爸爸也叫发发吗？这倒不错，你多叫几声八八（爸爸），就发财啦。

李：嘿！你刚下来就学会耍贫嘴，真是一大收获！跟我来吧，让你学学，开开眼。先借你八百，再给八百。

［说着张开右臂，示意要何伸臂过来，挎着走，何不解］

李：来呀，人家都兴挎着走哪。

何：呸！男女授受不亲，瞧你这德行！（走开）

李：唉，死脑筋，还那么落后，跟我来吧！

［现代乐声起，两人转到屏风后去］

第三场

［两人从屏风后走出来，十分狼狈。李葫芦不见了，身披麻包片，上身只穿背心，下身仍穿原来的中式裤，卷起。何掉了一只鞋，头发也乱了］

何：都是你！排大队挤死人！你倒好，把你的瘸腿给挤正啦。我这一千多块买了十几张股票认购条儿，什么也没捞着，可让他们全捞去啦！你瞧，我这样儿怎么见人哪，幸亏我那双旧鞋没舍得扔（穿上）。

李：你不就赔了我那一千多块吗！你看我！葫芦铁拐全当啦，花那么多钱炒的这些股票，赔老啦！我不想活啦！你别拉我，我要跳河！

何：别发疯啦，咱们还回天上去吧。

李：我怎么回去啊，葫芦没啦，人问起可怎么说啊！一，六，八，财没发，可什么都赔进去啦！

何：什么，一，六，八，一路发。你倒过来念：八六么，扒落腰，把你腰上那葫芦扒落下来啦。我给你一个。

［说着，拿个葫芦形的小气球吹大，挂在李背上］

李：啊！这是什么葫芦？是假的啊！

何：现在假东西多啦，别废话，走吧！没花钱腿就治好啦，也算有收获，没白来，走吧！

［拉李下场］

（1992）

过 堂

第一幕

布景：教条衙门大堂，墙上贴满各色标语。大堂中间一张长案，案上堆着厚的、薄的、新的、旧的、平装的、精装的书。

人物：老爷——尤其固

赵四——相声艺人

张大——漫画家

开幕时，老爷坐高堂，衙役站两旁，赵四跪左面，张大伏右厢。

衙役（喝堂）：哦——

尤（向赵）：说相声的赵四就是你吗？

赵：是，大人。

尤：《买猴儿》、《夜行记》可都是你说的？

赵：是，大人。

尤：你可知罪？

赵：小民一贯守法……

尤（把惊堂木一拍）：呔！胆大的赵四，在本官面前还敢狡赖！

赵：求大人恩典，小民实在没有罪。

尤：我来问你，人民可是敌人吗？

赵：不是，大人。

尤：如此说来，你也懂得这个道理。可是，你是怎样对待人民的？

赵：小民从未干过伤天害理之事。

尤（冷笑）：好个守法良民！我且问你：马大哈所行所为，你可亲见，桩桩是真，件件属实？

赵：不，大人，那是，那是夸张的描写。相声是一种讽刺的艺术，讽刺就要有一点儿夸张……

尤（怒）：住口！你欺本官不懂讽刺艺术吗？本官自幼熟读鲁迅杂文，精通果戈理、谢德林诸般巨作。他们讽刺乃对敌人，打击的是不民主旧社会。难道民主的新社会也有讽刺材料不成！新社会里的人民是你讽刺的吗？

赵：小民讽刺的就是那些从旧社会里留下的坏思想、坏作风，以及……

尤（大怒）：呸！你打击的是马大哈，马大哈同志！他乃是我们的干部。至今身负重伤，哭笑不得，意志消沉，躺卧家中。命在旦夕，你可知晓？

赵：这个——

尤（冷笑）：什么这个那个。哼哼，还有哪：那些上车不排队的，骑车闸不灵的，夜行不点灯的基本上是善良的同志们，都被你打得茶饭无心，工作无神。这给国家造成何等损失，你可计算过不曾？

赵：小民……

尤：下去！听候本官改日宣判！

尤（向张）：你就是画漫画的张大吗？

张：是，大人，小的就是画漫画的张大。

尤：将铅笔画成纳鞋底子的锥子，把个干部画成留声机的喇叭，说人不如乌鸦的，就是你吗？

张：小的不敢。小民是在尖锐地批评铅笔太硬，不合用；批评那些人云亦云，不动脑筋的干部和不孝父母之人……

尤（怒）：混账！讽刺等于批评吗？刻薄能代替尖锐吗？难道国产铅笔都像锥子那么硬吗？我们的干部就毫无可取之处吗？这纯是片面，挑剔，胆大，妄为，真真岂有此理！你为什么不画他们的优点呢？难道我们的社会就这么一团糟！你的立场是什么？（向外）来人哪，查查张大的历史！

张：回禀大人，小民……

尤：下去！听候本官改日宣判！

（幕徐落）

第二幕

布景：如前

人物：同上

开幕时：老爷尤其固宣读判决书。

尤：审得赵四张大　身为艺人画家

居然敌我不分　乱搞相声漫画

讽刺代替批评　故意歪曲夸大

人民内部矛盾　反而使之复杂

对待自己同志　岂可尖酸泼辣

批评当然可以　态度先要检查

谦逊和平中正　保险不出偏差

好比治病救人　须用无痛疗法

打针莫如吃药　清火不必拔牙

此理人人都懂　何待本官说话

破坏人民团结　审得真真不假

姑念初犯无知　处理酌情宽大

各打五十大板　着即改业还家

赵
张（同声）：大人哪……

尤：改行回家去吧！

（幕急落。犹闻打屁股之声）

（1957）

注：此文收入《中华杂文百年精华》和《中国当代杂文经典》。

漫画和杂文

漫画作为一种语言艺术，多用于报纸书刊，以其幅小精悍，很像杂文。前几年我在石家庄和韩羽两人合诌一首歪词：

杂文不是漫画，
说来本是亲家。
别看篇幅不大，
人们偏爱着他。

一个圈圈点点，
一个勾勾画画。
一样菜两样做法，
味道酸甜苦辣。

杂文这种文体属于小品，如此说来，漫画也属小品了。70年代出版的《现代汉语词典》又说：杂文是“现代散文的一种”，它又和散文联上亲。现在看到报刊上的漫画大都近乎小品。但也有大型的，例如内容繁杂、篇幅很大的那种和大型用于招贴，或画成传统

国画形式的，就很难说成小品。我国画家常画捉鬼的钟馗，就很像漫画，挂在墙上，没听谁说那是小品。这又和散文一样，没人说散文都属于小品的。

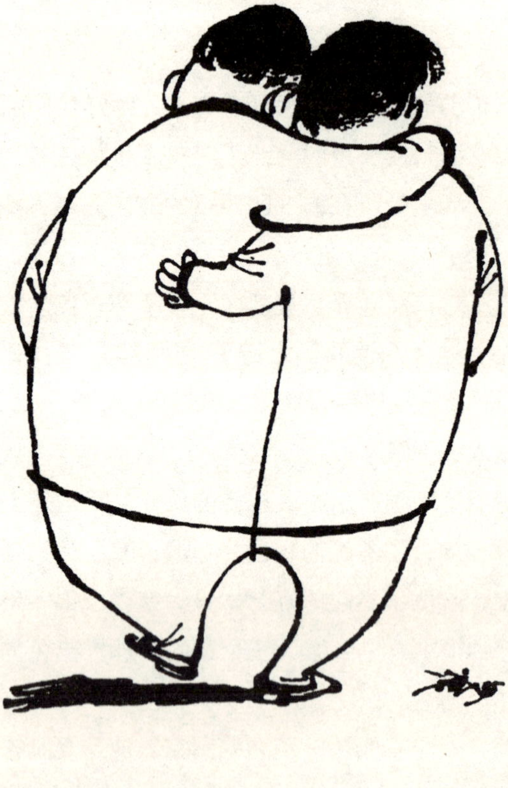

韩羽和阿达

记得是十年前的一天，阿达从上海来，约好我们俩一同到保定去访韩羽。韩羽那时在那里的河北工艺美术学校任教。两人下车从火车站出来，问清学校所在的五四西路的方向，走不多时，就见到“五四中路”的路牌。凭经验知道，由此往西就是五四西路了。走了一大段，就觉不对，前面显然是郊区，看不到一点学校的踪迹。经路人指点向东，这才知道我们走错了，只得回头到东边找西路去。找到韩羽家时，我们已经在盛夏阳光下走了两个多小时，汗流浃背，还是为这事三人笑了好半天。

阿达和韩羽是动画艺术中最相得的伙伴。阿达是上海美术电影制片厂的动画导演，了不起的一位好导演；韩羽是动画片的人物艺术造型设计家，一位了不起的好艺术设计家。但很不幸，阿达英年早逝，从此恐怕很难再见到像《三个和尚》那样出色的幽默艺术品了。我一直怀念阿达。

说到韩羽，人知道他是出了名的画家。他是漫画家，又不仅是漫画家。他画的舞台上的人物，看那神情，就是窦尔敦、鲁智深、关羽……都像极了，但和在舞台上看见的全不一样。虽然这些角色都是从舞台上看了才画出来，可他画他的。他的，自然就和别人的

不同。他用的是我国传统绘画写意传神之笔，营造别出一式之形。没见过他的人，会以为这样的画家是现代式的，长发披肩，西其服，革其履的摩登人物，可见了他，怎么看都像个乡下老农，刚进城里来的。

实际上他也真是一身乡土气，带着山东老农的朴质和认真。我看他锁自行车，锁上之后，还使劲掰几下，证明不用钥匙休想掰得开，这才放心；每回都一样，照此办理。常见他工作时，饿了就啃随身带的冷馒头，就着咸菜什么的，一口口吃着，当一顿饭，也不挑地方。他出差，也和乡下人一样，提个小包就走。我见过他的小包里连换洗衣服也没有，他没想到。现在当然好多了，有个能干的老伴管着呢。这位老伴，当年还只是他的对象时，一出差他就带着她到处走。一位朋友知道了，称之为“土法上马”啦。

他确实“土”得可笑，但又不能不佩服他。二十年前，我和他一道参加一个漫画家访问团回访日本漫画家，游览几个地方，住在各地的宾馆里。有几家宾馆脸盆上的水管开关样式不同，我没见过，他也没见过，用时须摸索一下怎样开才出水。可他全不会，洗脸时就要我来帮他把水放出来。从一个宾馆换到另一个宾馆，洗脸时，他一句话把我逗乐了：“刚学会，又变了！”一位日本漫画家为庆自己多年来的创作成绩，在一家豪华饭店举行盛大酒会，也邀请我们参加。酒会很考究，来宾看来不止一百人。服务小姐是特请来的，二十岁上下，都穿着透明纱，看着和“一点式”全裸一样，我们没见过。他附耳悄声向我说一句话，也把我逗乐了：“俺想看，又不敢看！”其实我和他一样，只是不肯说出，他说出了。走在街上，我们两人总在一起，走到哪里，他像孩子似的，老揪着我的衣服不放，他说：“你会说两句英文，能问路，俺走丢了可回不去啦！”回到北

京，报纸编辑约我写访日见闻，我费了好大劲，凭记忆写了两篇很一般的文章应命。没过多久，从报上看到他写了不少篇很生动的游记，将各地风情以及和日本漫画家的交往活动写得很详尽，使我惭愧之极！

他先是在文化馆工作。河北工艺美术学校聘他任教师时，他犹豫不决，怕的是教学会妨碍他画画，曾和我提过。我是老脑筋，认为教师社会地位比文化馆员高，就劝他就职去。他终于去了，担任水粉画教师。原以为他没学过什么美术，没学过水粉画法，工作会很吃力。没想到他干得很顺利，常带着一群学生到处写生，师法自然，居然把学生"镇"住了，连许多教师也服了他。后来河北美术出版社聘他任总编辑，他上任没多少天就决心辞职了，因为那种工作妨碍他画画。听说有一天，社里同志集体外出参加什么活动。一辆专供领导使用的小轿车在门口等他，却不见他来上车，原来他早已和大群同事挤进大车里去了。他没当过什么领导，不知道当领导是有特殊待遇的。他迷上了画画，不是当领导的材料。他在河北省书画界中声誉高，被选任河北美协分会的名誉主席。那时他才五六十岁，我知道他准不肯当主席的，当主席也是领导，难免会妨碍他画画。当名誉主席没事，他干。

他还不仅是位画家。他的杂文集曾获鲁迅文学奖，可没听谁说他是文学家，也没听说他是作家协会会员。他只是常写文章，写法别有风趣，和别人不同，他写他的。不知道他的人，会以为他受过多高等的学校教育，但他只有小学毕业文凭。除在小学之外，他没有老师。如果说有，那是在他家书架上——精装的、简装的、线装的都有，多着呢。看他的文章，又是文言，又是白话，有时从不知哪本简装或线装书里引出个故事，带出几句成语。有时把《水浒传》

里的潘金莲和《复活》里的叶卡捷琳娜·玛丝洛娃编排在火车车厢里叙家常；有时从报纸一则新闻，引出陆容《菽园杂记》中的一个笑话，作讽刺性的评点。书架上那么多的书，他随时能顺手拈来，从中搬出一段用上。他的“老师”们像是老跟着他，随学随问的。

他写的毛笔字也和别人的不同，他写他的。看他写的，横不像横，撇不像撇，没一点字帖上的规矩。在日本时，老漫画家横山隆一见了，立即拿出个平整的小木牌，专请他写寓所上的名字，钉在大门框上。我问过几位书法家，都说他书法好。我没正经临过帖，一向不敢写毛笔字。有人要我写，我总是推托，实不得已，推不掉，就写一首表明不会写字的打油诗应命。韩羽说：别怕，就照你的写法写吧，准行！我这才放胆用心写，居然大有改进。这也就是韩羽“你干你的，我干我的”原则了，果然有效。他的书法连书法家也称赞，可没听说他是什么书法家协会会员。他只想干他的活儿，别的事估计他想不到。

提到阿达，我早就想写篇怀念他的文章，但觉难写，因为和他虽也熟识，却很少见，缺深交。这样的朋友我不只有一位，属于“一见钟情”式的，有倾慕之心，而无深交条件。他原名叫徐景达，住在上海，我住在北京，都是因工作关系才会面的，这关系又属偶然。相见时互通心曲，又多谈艺术。我知道他是游泳健儿，体质好，性情开朗，思路宽，富于创造性思维，英文水平不低，还倾心音乐，是毕业于北京电影学院的专职人员。记得一次他是在南斯拉夫访问时，曾帮助几个青年创作出一部动画短片，只用不到一个月时间。他和我讲过他拟议中的一部用数码或字形编写的一部有趣的动画短片，这种设想奇巧动人，大出我意外。我看过《三个和尚》的剧本，我想，按照这剧本原文，除了他，如今谁也导演不出一部这么生动

的幽默动画片来。我曾想过，再几十年也出现不了像他这样杰出的动画艺术家。像他这种人才，和侯宝林一样，不是依靠人工就能随意培养出来的，他们有特殊的个人条件。可惜的是，这样难得的人才，因缺乏必要的保护条件意外丧失掉，不能不使人大为惋惜！我知道他工作很繁忙，也很累，和他所受的社会待遇是不大相称的。

发展社会主义事业，急需各种人才，人才真难得啊！

（1999）

心里话

在80年代，为出版我的一本书，写过一段不足百字的自我介绍，也算简历：

方成，不知何许人也。原籍广东省中山县（填表历来如此写法），但生在北京，说一口北京话。自谓姓方，但其父其子都是姓孙的。非学画者，而以画为业。乃中国美术家协会会员，但宣读论文是在中国化学学会。终生从事政治讽刺画，因不关心政治屡受批评。

像我这样，从旧中国来的知识分子，爱国观念是有的，算得政治性。我又画过那么多年政治讽刺画，但对于“政治”这个概念，头脑里总觉很模糊。记得有首长或师辈讲过：政治就是阶级斗争。我也认真学习过有关政治的理论书，笔记写了多本。在历次政治运动中，都跟随先进同志之后作出积极表现，以为这就是关心政治的行为了，但实际上，思想矛盾重重，不理解，不坚定。也许因为长期在报社工作，画的是对敌斗争的讽刺画，思想、观点都和报社言论保持一致。在1957年“反右”的政治运动中，侥幸没被划为右派分子，便和被错划的许多同志、朋友划清界限，把他们看成敌对的人，显示自己有政治意识，有进步思想。再好的朋友也远远躲开，不来往了。但实际上做不到。见面说话不能不理，总觉无法敌对，

想起来难以忘情。这种矛盾思想怎么也抹不掉。一听他们“摘（右派）帽”了，便喜笑颜开，来往一切如故。为此虽受过批评，但仍难改。在几次政治运动中，尤其是在“反右”斗争中，我认识的人和朋友很多。对他们我说过批判的、斥责的话，画过不少指名道姓讽刺他们的漫画，把他们的相貌加以丑化，在报刊上发表，公之于众。但在他们被改正、恢复名誉和职务以后，没有一个对我记恨，更无一人把我曾伤害过他们的任何凭证长期保存，而是一如既往和我热情友好交往，合作，在一起欢聚，互赠出版的书画，将运动中的一切，就如从未曾发生过一样。几十年来，我心里对历次政治运动中受过我伤害的人，永远抹不掉对他们的歉意和自责，又不便向他们再提起，向他们表示歉意。特别是已经去世的朋友，一想起来，便觉揪心自恨地难过。我常怀念他们，他们对我的理解、宽厚，和值得敬佩的品格，我是毕生难忘的。

（1997）

墨 宝

人见我这么大岁数还敢骑车，在大街上走个一二十公里不怕累，就问我有什么养生之道。我说："很简单，就一个字——忙。"

忙什么呢？除了应报纸书刊之所求，画画写写小幅、短篇的画稿文稿之外，也学着画些水墨人物画，画小说里和传说中的人物。所画的人很少，而每一位我几乎画过上百幅。因为人都和我一样那么爱画——爱别人画的画。所以远近亲友以至不甚亲之友常向我"求""墨宝"。人家来"求"，那就给吧；我向人求，人家不是也照给吗？来"求"的还不限于亲友与不亲之友，哪家报纸创刊十周年，甚至三周年或一周年，也多来信"求"一幅画表示祝贺，期刊也不落后。因为那里的编辑、记者和我熟识，他们编纪念册，就想起我来了。人一忙，忙的又是自已乐于做的事，头脑想的便相当单纯，生活中那些鸡毛蒜皮和什么难念的经，统统排除在外。无所劳神，对健康自有好处。

早先我曾向我所敬慕的画家朋友求过墨宝。但很不幸，在人类史无前例的"文革"中，都被"横扫"，付之一炬。其中有关山月送我的《梅花》和叶浅予送我的《长鼓舞》。这二位先生是我尊敬的画家前辈，其墨之宝可知。后来在田原兄鼓励之下，再向许多书

画家求墨宝。这些名家的作品我珍藏多年。现在我的宿舍多被书柜霸占了使用面积，连一张沙发也摆不下。这些名书名画都挤着放在画箱里，实在委屈。于是就和几位相知商量，决定捐给家乡广东中山市。由那里珍藏，既安全，又可不时取出向公众展览，让乡亲们欣赏。而且决计今后继续为家乡求名家墨宝。有人说：为什么不给自己孩子们留下？我想，一般人将名家书画留给后人，是当作财产为多。我一向鼓励子孙自食其力，也深信他们有出息，不靠祖产吃饭。何况友人惠赠的书画，都蕴含难忘的友情，不许当商品看待的！倘因特殊情况吃不上饭，那就卖我的画吧，我会给他们留一些的。

现在我越来越忙，忙得连吸烟都没工夫，已减吸五分之四，对向我“求墨宝”的亲友，很难有求必应。只有因事外出，在外还有抽空时间，有时能画两笔。在家里，我是没有休息日的。早有人劝我说：“这么大年纪，干活要悠着点儿呀！”我也想悠着点，刚闲下来，就来电话：“方老，有件事请您帮忙……”得，我只好再拿起笔来。

（1998）

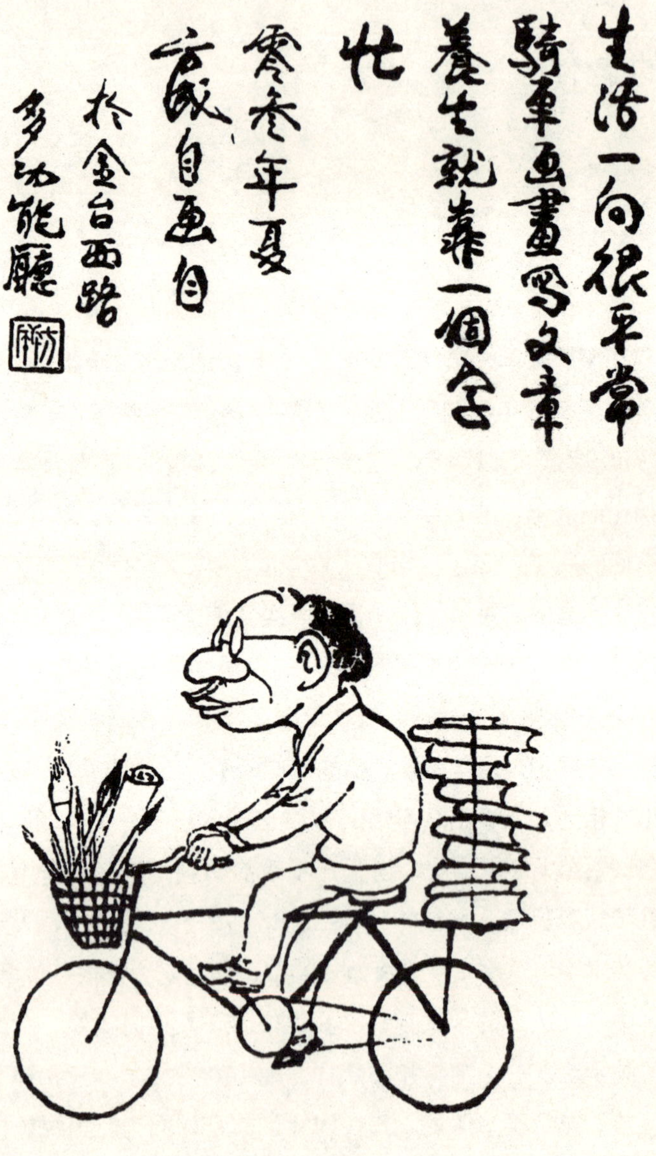
生活一向很平常
騎車畫畫寫文章
養生就靠一個字
忙
零叁年夏
方成自畫自
於金台西路
多功能廳

我的老伴

“在家靠父母，出外靠朋友”，这句俗话流传几千年了，我是深有体会的。1946 年我初到上海，不靠朋友，莫说找工作，晚上连睡觉地方也没有。可以租房，但都得先交“顶费”，那是按金条计算的，我连铜条都没有，手里仅有的是几个月的饭钱。新中国成立，这句俗话的后半句变了。当职工靠党的安排，吃住也一样。朋友都成同志，不是依靠对象。在“紧绷阶级斗争这根弦”，天天讲也处处讲的年代，同在一个办公室相处一二十年的同志，语言大体一律，1957 年之后就完全一律了。日久天长。只有不在同机关工作的人，才不那么守规矩，尤其是爱动脑的知识分子，还是依着老俗话：“有缘千里来相会，无缘见面不相识”，“酒逢知己千杯少，话不投机半句多”。我虽以漫画为业，画了几年政治讽刺画，来到新中国的北京，进了《新民报》当编辑，革命热情高，干活不挑拣，天天画刊头，写美术字。这都是从来没做过的事，动笔吃力得很。为学俄文，我进了中苏友协办的俄文夜校。物以类聚，人也以类聚，我就交上了两位同学至友——钟灵和邵燕祥。晚上九点放学，我和钟灵骑车回家，总是先到我的住处。我在报社住的是如同大船里统舱样的单身宿舍。他一来，就帮我画刊头，写美术字，这都是他拿手的技艺，

干得麻利又精美，很晚才回家。抗美援朝战争开始不久，我们谈到苏联和美国在联合国内就朝鲜战争问题辩论的事。当时美国和西方资本主义国家在安理会中是一方，而苏联一方相比之下显得孤立，显然西方代表多数，苏联居于少数地位。美国以此打着联合国旗号，率领西方许多国家的军队侵入朝鲜，和中朝两国的军队作战。钟灵说起，在朝鲜战争双方之中，全世界同情我方的人多，实际上占多数的应该是我们，不是美国代表的那一方，我们应该把这问题讲清楚。于是两人合作，画出《谁是多数?》这幅画，投寄到《人民日报》发表。记得这是我来北京画的第一幅政治讽刺画，也是我和钟灵合作的第一幅漫画。从此，我们就继续合作，以“方灵”署名，一直画下去。每到星期六，午后下了班，我骑车到他家去，他夫人马利殷勤安排我们吃饭，饭后到一间安静屋里休息。

在作画的桌子旁边，准备好一小桌酒和菜。两人说好，画完了才喝酒。画成，就一边喝，一边讨论另一幅画的题材，经常画到深夜。1951年我结婚后，合作日程不变，许多读者以为我和他是一对夫妇。一天，一位同志见到我妻子陈今言，就热情地和她握手，说：“钟灵同志，您好!”钟灵赶紧解释：“我才是钟灵。”但没几年，我们宿舍从东华门迁到天桥，他们的宿舍由中南海迁到后海。一南一北相距几十公里，合作难以继续。但我们两家连子女都友好往来，成通家之好。合作不成，而至今四十多年往来不断。后来还曾合作为《邓拓文集》画过封面，在一起时也偶尔合作画过。我们出版过三本合作的漫画集。他最近出版的文集里，插图是我画的，也算是合作了，今后还会合作下去的。可憾的是，钟灵因病，不许喝高度白酒，只能喝米酒，而且还得被马利管制着，不许多喝。马利不在旁，则由我来管制了——他是见酒就不要命的，不管不行。

——他想起当年和聂卫平下棋时。

城市美化师

越来越不爱当老头儿了，可又不得不当！上初中时，为准备英文考试，我一夜能背熟三百个单词，虽然从考场出来就忘了一半，这记性也是不凡的。就是三十多年后在“文革”的“牛棚”里，天天要背的《南京政府向何处去》、《敦促杜聿明等投降书》和“老三篇”，我总能背得滚瓜烂熟。可现在呢，见了熟朋友就是常叫不出名字；进屋想取什么东西，刚推门进去，就想不起要干什么了。每次外出买东西，买了回来，才发现缺一两样。现在只好先把要买的东西，写在小纸条上才出门，这张小纸条就会告诉我缺的是什么，是要买的。

走进商店，常见到处贴着许多标语，上面写着“文明经商”、“礼貌待客”、“百拿不厌”、“百问不烦”等等，看了使人高兴也放心的。但是也常见到的却是冰冷如霜的面孔，待理不理的态度。有的商店虽然没贴什么标语，售货员服务态度却比那贴标语的强得多。由此使我联想到我那张购物小纸条，也是缺什么写上什么的。

（1999）

美
化
环境美
语言美
您好
行为美
再见
禁止吐痰
讲卫生
五毛!

支 撑

中国是发展中国家，读书人不多，多读的更少，却形成一个特殊阶层。在民主革命阵营划成分，因为人数较少，称之为“知识分子”。正如思想先进的人少，称为“先进分子”、“积极分子”，落后的人也少，称“落后分子”。后来“先进分子”也称“先进人物”，但“落后分子”很少听说叫“落后人物”的。英雄更不多，叫“英雄人物”，不叫“英雄分子”。其他少数的，大都叫“分子”，如“右派分子”、“反革命分子”、“反党反社会主义分子”、“阶级异己分子”、“帮派分子”、“打砸抢分子”、“不良分子”、“特务分子”、“贪污分子”、“投机分子”、“坏分子”、“破坏分子”、“盗窃分子”、“犯罪分子”……有右派就有左派和中间派，却没听说“左派分子”的。经过几十年的考验，特别是在历次政治运动中的表现，被称为知识分子的人，其爱国心被证明是经得起严格考验的。有人就借相声《卖布头》里的话说，中国知识分子是“经洗又经晒，经铺又经盖，经拉又经拽，经蹬又经踹”的，以形容其良心之坚强。读《邓小平文选》，其中除转述提到“知识分子”之外，很少言及，而且越来越少见“知识分子”四个字，只提教师、科技人员、文艺工作者等等。看来，今后教育工作开展，读书人多了，“知识分子”这个词儿，也会更加少用的。

（1999）

向教师致敬！
敬礼，亲爱的教师！

上 纲

记不得是看哪出戏，舞台上地主婆嫌丫头送上的茶太热，生气地骂道："你想烫死我呀!"

把这种小事的性质无限扩大到性命交关的程度，在政治运动中称之为"上纲"。这种"上纲"的特点，是随意性，想当然的。"说你是，你就是，不是也是。"在"反右"运动中所上的"纲"是"反党"、"反社会主义"，在"文革"中也一样。

早年听人说过：在清朝雍正年间，科举考场中一位主考官出的考题是"维民所止"，这是经书上的词。不料被人向皇上举报说："维"和"止"这两个字，含有"雍正"去了头之象，是对"圣朝"的恶意诽谤。这一"上纲"，使这位主考官掉了脑袋。这种"上纲"显然是从望文生义而来，原非本意，上的这"纲"是从脑子里生出来的。

社会发展到法治而非人治的时代，抓人治罪才有经过立法机关制定的法律条文的依据，有争议可以在法庭辩论，还可以依法请律师辩护。望文生义或闻声生义然后以"不许乱说乱动"禁止人开口，任凭"上纲"的事才可避免。这叫法治。没有社会主义民主，也就不会有法治。

（1999）

文革大辩论

在美国讲幽默

2005年8月，收到美国国际漫画艺术节组委会主席查尔斯·哈特菲尔德（Charles Hatfield）教授的信，邀我参加2005年10月13日至15日在华盛顿举行的年会。这是费城天普大学兰特教授向他推荐邀我参加的。兰特教授是该漫画节咨询委员会成员。

按照兰特教授的安排，我10月4日先到费城，住在他们家里。兰特夫人许颖女士是我的朋友，所以请她为我作翻译。兰特教授知道我对幽默理论有多年研究，特为我安排在费城传媒大学和天普大学（Temple University）讲漫画的幽默和幽默原理。在国内大专院校我已经讲过多次，在北京电影学院和中国传媒大学（前期）我都曾讲过。在美国讲课时，我还以漫画为例讲其中幽默的特点和运用方法。漫画是录在光盘上，由电脑播出，投影到屏幕上，看得很清楚。在传媒大学，专门安排为美术系学生讲。在天普大学，则是为兰特教授的学生讲幽默原理。我早就听说，美国大学生上课进退很随便，

听教授讲课，如不想听，抽身就走。

我先讲语言的幽默，举出一些实例，说明幽默语言的特性，讲一般规律性。然后将一些漫画投在屏幕上，解释多种漫画的表现方法，如何运用幽默的规律，造成谐趣和语言效果。我举出10种漫画使用的幽默技法，来讲幽默语言的一般性。有这些漫画形象为例，使人看得清楚，也会感兴趣。然后讲幽默这种语言形式产生的来源和发展进化的情况。同学们听得用心，一个退场的也没有。最后留出一部分时间，请大家提问。提问的也颇为踊跃，没有冷场。所提的问题，和我在国内大专院校讲授时差不多，诸如“怎样培养人的幽默感”，“怎样学习幽默”之类。记得也有问到中国人的幽默的。

记得2001年冬，外国驻京记者们邀我去长城饭店为他们讲幽默原理。其中有新加坡、俄、葡、韩、美、德、瑞士等国报纸和刊物的编辑和记者近20人，由新加坡记者任翻译。他们就提到中国人的幽默特点。我从中国语言和文字与外国的区别，讲各国都有自己幽默的特色。

为了上台讲学，我是带了一身西装去的。在美国住了一个多月，一次也没穿过。我见美国人穿衣很随便，我也就入乡随俗。在大学讲时，还穿上中式外衣，免去打领带的麻烦。在华盛顿国际漫画艺术节讲学的时候，就是穿着牛仔服上台的，和我在家时穿的一样。其他人穿什么便装的都有。为表示庄重，我打上领带，仅此而已。主席也是打上领带的。

会议是在国会图书馆内举行，入门须经安检。开会第一天，查尔斯主席致欢迎辞后，先介绍美国国际漫画艺术节的历史和使命。那是1995年首创的，每年举行年会，目的在于提高对各种漫画的学术研究和鉴赏，鼓励学术间广泛的交流。接着介绍本届漫画艺术节

特邀嘉宾演讲人。

上午发言的是一位大学博士生，讲法国连环漫画的历史和作用。另一位加拿大硕士生介绍加拿大漫画的民族特色。接着由一位文学教授以一位苏联漫画家的作品，分析苏联晚期的讽刺画。因不便当场给我翻译，我听不懂。下午，我和为我翻译的许颖女士就不去参加会了。

10 月 14 日第二次开会。我作为特邀嘉宾首先发言。讲中国漫画流行情况和特点，以及艺术方法中的特色，也是借电脑将漫画作品投影到屏幕上。因时间有限，只能示出我自己的一部分作品。我带去的其他人的作品来不及示出，就告结束。因许颖女士有事返费城，我不识英语，留下无所作为，也跟她一道去费城，会议就不再参加了。次日兰特教授回家时告诉我说，与会众人对我讲的内容很感兴趣。我想主要是他们没听过有关中国漫画特点的详细介绍。估计兰特教授早已作过介绍，但不会讲得这么详细。因为在我讲时，会讲到我自己的创作过程，也回答一些提问。

这里必须讲兰特教授对这次漫画艺术交流活动作出的努力。他全名是约翰 A · 兰特（John A · Lent），不仅是在天普大学任教，还在许多国家的大学以及漫画集体中讲学或作其他学术活动，他常去外国访问，与漫画界交往。在我国就访问过华君武、丁聪、廖冰兄、王复羊、何韦、缪印堂和我，在中国传媒大学讲过课。有一本名叫《国际漫画艺术》杂志是他创办的。我在他家看到三层楼上排满了各国漫画画册，墙上挂满多国漫画家送给他的作品和为他作的画像。他办公的地方墙上，桌上排满了书，他是在书堆里日夜工作的。2004 年 9 月，我去新加坡和马来西亚参加漫画界的会议，也是由兰特教授所荐。许颖女士和我早就相识，她也知道我已离职休养，一

直在写有关漫画和幽默的文章，体质也还强健，能跑远路，说不定也是她对我的推荐。

由兰特教授介绍，和美国著名漫画家、漫画事业活动家杰瑞·罗宾森（Jerry Robinson）相识。他是长篇漫画《蝙蝠侠》的原创作者。他不仅是漫画家，也是画家、作家、历史学家和博物馆长，曾是美国漫画家学会和美国新闻漫画家协会的主席。他邀我去他家，他家在纽约。会后由朋友小徐陪我去拜访，为我翻译。他们父子在家，非常热情接待。他主持漫画作品发行工作，七十多国漫画家的作品由他向各国报刊发通稿。多年前曾邀过我的作品参加。他表示很愿意和中国漫画家保持联系。

我国作家是经常和外国作家互相往来的。漫画是社会高度发展中产生的一种艺术品，历史比文学和绘画短得多，但在社会上的作用和影响却十分广泛和深入。虽然我国漫画受外国漫画的启发以至借鉴，但我国漫画创作发展迅速，有其独特的性质和艺术风格，在国际上各有所长。而且漫画最贴近生活，又通俗谐趣，富有艺术感染力，是国家民族之间彼此相通最实用的媒介。然而近百年来，我国漫画家和外国同行之间极少来往。我只记得在20世纪和日本漫画界有两三次交往，人数不多。个别交往的也很有限。这次我在美国看到一部分漫画家的原稿，就很佩服其中精美的艺术手笔和严肃的创作态度。

漫画家之间的国际交往不仅有利于艺术上的交流，也有益于民间的互相了解，增进友谊。

传统艺术的危机

——相声与当代艺术家责任

我国有一种很特殊的表演艺术形式，名为“相声”。我长期生活在北京，从上初中时起，就迷上了相声，一到假期，就奔向市场去听相声，也就是看相声艺人的表演。那时看相声表演不叫“看相声”，叫“听相声”，正如看京戏表演不叫“看戏”，叫“听戏”一样。我想，这两种源于民间，广泛流行于民间的艺术，其中最感人、最迷人的部分，主要是凭听觉欣赏的。

1993年2月初，相声大师侯宝林去世时，人们对他的评价是“前无古人，后无来者”，为此痛感惋惜。那时我同意“前无古人”之说，因为从有关资料看来，在前辈相声艺人中，还没见到有像侯宝林这样，不仅在表演、创作和理论研究上面面全精，还在国内拥有最广泛的观众、听众，而且影响于海外的。我在侯家几次见到外国来访的客人，他去世后，我就接到《美国之音》记者从华盛顿打来的电话，约我谈侯宝林的艺术，接着广播出来。

现在，相声界的现状不妙，如果长此下去，侯宝林的“后无来者”便成必然。不仅如此，恐怕连相声艺术发展道路，也会从此中断。

这里需从头谈起。相声源出于民间瓦舍，是贫苦人以讲笑话谋

生的一种表演活动。到清朝同治、光绪年间（约1870年前后）形成特定的表演形式，由师传。因为贫苦人受文化上的限制，而且多不识字，艺术上难得进展，难免有格调低的说词。在1935年我看相声表演时，观众没有女性。表演的艺人见有女人来，立刻婉言劝她离开。流传下来的传统相声段子中有艺术感染力的少，但在段子中多少会有可取的精华。总的来说，传统相声于新中国建立之前，在艺术上还较粗俗。新中国建立后，在党和政府的督促和大力帮助之下，由一些富有经验的相声演员如张寿臣、马三立、侯宝林等人的整理和改造，才使相声变得焕然一新，成为幽默动人的精美艺术表演形式。

我写过文章，对侯宝林的艺术评价是：在当今世界上，幽默表演艺术家之中，除卓别林之外，还没发现有能与侯宝林比肩的。侯宝林表演的相声就是中国的幽默。

相声是语言的表演艺术，在技艺上主要以幽默动人。幽默是很难掌握的一种艺术，而相声的艺术结构，是由一连串的幽默与滑稽技法组成，创作和表演难度比漫画大得多。一个相声段子创作出来，常是经过多次表演和修正后，才能“立起来”，成为可用的表演脚本，亦即成品。至今所知的传统相声段子，都是多年来几经师传，又在表演中几经整理修正后传下来的。我听侯宝林说的同一个段子，其中就有改动之处。一个相声段子从祖师爷那里传下来，便成为相声后辈们众所继承的产业，继之再传于后代。相声艺人都是从前辈艺人那里接受传统艺术遗产，并在表演中不断吸取艺术营养而成才。过去历代相声艺人大都在市场中，甚至在街边一角摆的地摊上表演，俗称“撂地”演出。场地固定，艺术品成年累月在一个地摊上演出，艺人不会说几十、上百个段子是不能维持生活的。我知道侯宝林曾

为毛泽东主席说过一百多个段子，当然全都是艺人们所共知也共同使用的传统作品。马三立大师自然同样有这么多的表演经历。他们所以能整理和创作出那么多脍炙人口的相声艺术品，能离得开这一百多段传统相声的多年艺术实践吗？传统相声的整理和改造，只能由老相声艺人们去实现才有所成就，不就是靠从这百多个段子的艺术实践得来的艺术基本功吗？

有一天，我到东城区文化馆去观赏相声表演。我知道除此之外，还未见另有别的相声表演场地，而且每周只有一个晚上有相声表演，演出很少用传统段子。我又问这专场的主持人：现在表演的几位年轻相声演员，会说几个传统段子？回答说：四个、五个，有的多一些。

过去我看到的，是马季说马季的段子，姜昆说姜昆的段子，还没看过他们表演传统段子，也许因为我看得不多。现在我还没见别人说马季和姜昆表演过的段子，也没见别人演过侯宝林和马三立演过的段子。近来的相声演员里究竟有多少位会说一二十个传统段子呢？不知有人统计过没有。

历来相声艺人都有师承，所传的相声段子，已收集到的，就是那些记录在《中国传统相声大全》这部书里的。早年相声艺人都是从这些传统作品的表演实践中培养成才。由此造就出张寿臣、马三立、侯宝林、刘宝瑞等几位大师级的艺术家；还有天津的、外号小蘑菇的常宝堃，可惜他在20世纪50年代为国牺牲在朝鲜战场。

以古鉴今，相声艺术传统中断了，另起炉灶，能培养出像他们这样的表演艺术家吗？

事实很清楚，相声演员不会愿意失去传统的，他们是被迫失去了继承艺术传统的条件。因为失去了作为传统段子的场地。没有表

演场地，传统学了，也无用武之地。现在北京不是很难存在这种表演场地吗？当然不是绝对没有，场地都被转移到电视里去，几天里或能开放十几二十分钟，偶然给个长些时间的专场，但传统相声是很难上得去的。侯宝林曾为毛主席表演过一百多个传统相声段子，因为毛主席欣赏，他爱听，爱看。老百姓也是爱听，爱看的，即使段子中有的在艺术上不大成熟，会在不断表演中逐渐趋于成熟的。现在新起的相声演员，文化程度比过去的相声学徒高得多，看表演的观众也和往日不同，这就是发展相声艺术的优越条件。毛主席能欣赏的相声，为什么老百姓就不能？

近来听说，山东柳子戏看不到了，有个剧团偶然在一处演出，立时引来了大批知己的观众。

我国传统表演艺术失去表演场地，已成目前众所关注的问题。京戏还算比较幸运，天天有电视播出。但看现状推想将来，能否出现像过去四大须生、四大名旦那样高水平的演员，就很难抱多大希望了。

由此推想，我国那么多为群众喜闻乐见的传统表演艺术，包括京戏、地方戏、曲艺等等，其发展前途，甚至继续存在都是令人担忧的。如果听之任之，不能解决现时存在的问题，因而产生严重后果，我们怎样向后人交待？

（2004）

戏剧与水利
关系
方成

说幽默

幽默，这两个字现在很通行了。原来不是中国话，是20世纪30年代林语堂先生从英文音译来的。意思和我国的滑稽相当。英美各国原先把逗人乐的事物均称幽默，正和中国均称滑稽一样。如今借用这两个词，把不同性质的逗笑加以区分：出于人的智慧的逗笑名之为幽默，其他的则称滑稽。

说来也有趣，别看现在幽默二字那么通行，书店和大街上书摊里的书就有多种在书面上印有这两个字的。但幽默到底是什么，从我收集的有关论幽默的书和文章包括英美国家的大百科全书有关幽默的辞条看来，至今还没发现有谁讲得清楚。从书本上看到，两千年前古希腊、古罗马的哲学大师们就已经在研究它了。直到现在，英美各国和日本很著名的哲学家、文艺理论家以及心理学家等等都谈过写过对幽默的理论认识。例如英国的弗兰西斯·培根、托马斯·霍布斯、作家斯威夫特；德国的伊曼纽·康德；俄国的车尔尼雪夫斯基；奥地利心理学家、医学家弗洛伊德，等等。他们出版的著作也不少，足见学者们对幽默的重视。十年前，我买过美国赫伯·特鲁写的《论幽默》，有好几个译本，书的印数加起来估计上百万册。可见读者对它的高度重视。在《美学原理》这本书里录有列

幽默艺术
幽默论
幽默教程
1.
幽默大全

宁一句话："幽默是一种优美的、健康的品质。"

记得是在1979年前后，幽默大师侯宝林问我："幽默到底是什么？"我说不出来，于是就查书。先查《辞海》，一看那解释就有问题。幽默的辞条上说："美学名词。通过影射、讽喻、双关等修辞方法，在善意的微笑中，揭露生活中乖讹和不通情理之处。"

我是画漫画的，许多画，尤其是外国漫画，画上一个字也没有，无辞可修，但都幽默。我也写过相声。侯宝林在《夜行记》里说的自行车"除了铃不响，它哪儿都响"，人一听大笑，都说很幽默。按修辞学的修辞法，别人能修得出来吗？这话只是说自行车破旧得很，可不能算是"揭露生活中乖讹和不通情理之处"啊！

现在出版的《辞海》，幽默辞条改了，说了很长的一段话，但还是没说出幽默到底是什么。原文很长，这里不录。我已经写文章发表，谈过自己的意见。爱尔兰著名作家萧伯纳是很幽默的，他的文集里说过："幽默的定义是不能下的，这是使人发笑的一种元素。"也有几位学者同意他的看法，林语堂也是同意的。

我想幽默哪里有这么神秘啊？画漫画、写相声、写杂文和写喜剧小品都须用幽默笔法。我都写过，虽不多，但也有所体会。2003年，我写了对幽默的认识，标题是《幽默定义》，发表在《武汉大学学报》（人文科学版）2003年第六期。我这样写，是想引起学者们的批评，望从中得教益。但两年了，没见反应。也许我孤陋寡闻，看不到，但很希望能见到。

许多学者在谈论幽默时，常和人的人生观与世界观以及人的性格、品质、处理事务的态度与方法等等互相联系，涉及哲学，可能因此把幽默看得颇为深奥复杂，不易讲清楚。这确是值得研究的。对此我也有所体会。但幽默究竟是一种艺术，也是方法。研究幽默

的目的，就在于认识它、运用它，学以致用。我是从事文学艺术创作的，又以漫画为业，还写杂文和涉及幽默的其他文艺创作，首先想要掌握的是幽默的艺术特性和运用方法。所以，论及幽默理论问题，我想从自己的艺术实践出发，讲个人的体会，讲自己运用幽默艺术的方法。

美国政治家是重实用的。他们知道，有幽默感容易和群众接近。他们需要群众的选票，就须学学幽默的方法。一位美国朋友告诉我说：里根总统就有一套班子，为他准备幽默资料。

从书报上可见论及幽默的文章，总会想及幽默的社会作用，谈到幽默、教育和政治等等。我还写过文章，说书店经理缺乏幽默。从生活经验可知，一般人喜欢幽默的多。例如，大多喜欢和相声演员在一起，有说有笑，心里痛快。相声演员更重视幽默，因为相声的幽默最动人。人们喜爱欣赏侯宝林、马三立和刘宝瑞的表演，就因为在艺术上赞赏他们的幽默感。

幽默是语言文化高度发展而形成的一种艺术，一种文明的语言方式，很值得研究的。

（2005）

太子：爷爷、爸爸都是天的儿子，我当然也是，咱们都是哥儿们。

从相声谈到传统文化遗产

倘有人问我：新中国建立后，在文学艺术界取得最明显的成就是什么？我一定说："是促成相声艺术达到成熟阶段，使之成为拥有广大爱好者的一项艺术瑰宝；还出现几位公认的相声艺术大师。尤其是侯宝林，可说在国际间称得上是在幽默表演艺术家之中，除卓别林之外，很难找到能与他比肩的人了。"

我研究幽默艺术二十多年，深知幽默是很难掌握的艺术手段，这种艺术人才难得。相声作品在文学艺术中，创作难度最大，极难产生艺术动人的好作品。

相声源于民间瓦舍，是贫苦人以说笑话谋生的技艺。到1870年前后才形成像现在所见这种表演形式，一直传下来。相声艺人贫苦，无缘识字，文化偏低，靠师傅口传身授学会技艺。从传统相声作品看来，大多属滑稽表演，其中艺术动人作品较少，其观众听众限于男性体力劳动者和一些男性青年和学生。

新中国建立，相声面临艰苦的整理和改造问题。经过许多老相声艺人多年努力，使相声作品面貌一新，将格调不高的许多相声段子，从仅止于滑稽，提高成为幽默艺术品，成为全国各阶层群众喜闻乐见的艺术表演。这一巨大变化，是把相声从杂技场搬上舞台，

从一般杂技提升为艺术表演，艺人如实地被称为表演艺术家和大师。高水准的作品虽然还不甚多，但艺术形式达到成熟阶段是明显的。

相声艺术走向繁荣的过程，说来很清楚，也很有趣。首先是共产党对文艺工作的重视。解放后，相声自然也面临为人民服务，为社会主义服务的方向问题，有编写新作品表演的急切。这不仅涉及相声的继续流传，还涉及相声艺人的生存问题。相声界能不急吗？只提一件事：我老伴陈今言喜欢相声，曾为侯宝林编写一段讽刺西方体育竞赛问题的相声脚本，居然能被侯公采纳。这个段子不可能作第二次演出，明明是应急的，有胜于无的作品。我常为侯宝林想主意，正因此和他相识交往而成挚友，也因此使过去从不听相声的今言去写相声。

国家领导人每到假日都举行娱乐晚会，常邀请表演艺术家参加活动。有一次，把侯宝林请去，他的表演引起毛泽东主席的兴趣。此后，侯宝林先后给毛主席说过一百多段相声。现在我们还能从电视广播欣赏到已故的侯宝林的精彩表演，正是靠毛泽东为他的表演录了像。是毛泽东把这项重要的文化遗产保存下来，传之千古。侯宝林说过："没有毛主席，就没有我（现在的）侯宝林！"

毛泽东点名推荐侯宝林担任了全国政协委员和人大代表。社会地位的改变，所交往人士也随之有变动。侯宝林作为人大代表和政协委员，相识、交往的都是社会上有多方面知识和教养的人，常在一起活动、交谈，在互相影响中得益匪浅。侯宝林得作家学者们的帮助不少。特别是老舍、罗常培和吴晓铃先生，他就常提到。他还和北大教授汪景寿、薛定琨等合作出版过几部有学术价值的书。我在侯家就见到他收藏的一些书画、木器、钱币和瓷器等，他津津乐道地品评这些收藏品时，我知道都是他向别人请教，

“现炒现卖”的。

侯宝林只上过三个月小学，解放后才扫的盲。但他非常用功，有不明白的事见人就问。文化大革命前，他收藏的笑话书比北京图书馆多。他向我说过《优语录》中的故事。我为此买了一本，才知道这本书是用古文写的。正因为他问：“什么是幽默?”才促使我研究二十多年，至今已写了九本相关著作出版。相声界术语把钱称为“杵”。我提到这个字，他说，应该写成“楮”，是一种树，是造纸原料，钱庄的钱票就是印在纸上的。不消说，正是他在这种优厚学习条件下的勤学苦练，使他学识大进，能在相声创作和整理工作中取得突出的成绩。

由于老相声艺术家们对相声的整理和改造，创造出很大成绩，使全国男女老幼都成为相声艺术爱好者。相声演员也因此得到人们的尊敬和爱护。年轻演员姜昆走到哪里，都有人热情招呼。侯宝林那就更甭提了。在南京我和他同乘一车，因司机违规被警察拦截。侯宝林下车正想解释几句，哪知警察一见，没等他说话，就立即放行。

还有件事不能不提。侯宝林当初进中南海，听说是我的好友钟灵老兄的主意。

1952年，中南海的一次晚会上，安排周信芳表演《四进士》。在这出戏之前，要安排个小节目。当时钟灵是俱乐部主任，亲自把侯宝林和郭启儒接去。毛主席被相声逗得哈哈大笑。以后就不断请侯宝林参加活动，包括舞会。

不仅相声，中国的曲艺品种很多，都是中国文化特产，都有必要继承和创新。当今市场可见大大小小的歌星光盘出售，但我还没见到高元钧的山东快书光盘。以前我们已经错过了许多宝贵的记录

良机，很难再看到许多国宝级的艺术家的表演。京剧中四大名旦的艺术保留多少？几大京剧著名演员的艺术，谁还能见到多少？关肃霜很出名，我没看过她的戏，很想看看，还能看得到吗？那时录像机早已出现，用电影拍下也是值得的呀！

我国值得保存的传统文化遗产很多，现代人不知保存，我们的子孙后代是不会原谅的。

（2004）

知识和文化

我们国家里，有很多没读书不识字的人，尤其是在乡下。人常说他们是没文化的，或叫文化低的。读过几年书，就叫有文化的了。读书多的做了官，当领导，当教授或作家的，自然是有文化，以至文化高的了。

近来在报刊上看到，也常听说，我们不断有成批的人到外国，更多的是到欧美一带的第一第二世界国家出差或旅游，常有被人另眼看待的。比如办事老想抢先，不按规矩排队等候；说话大声吵嚷，干扰别人；出入把门一推，只管自己，不顾别人等等，和当地人一比，就显得缺文化教养。这些人很少会有不识字“没文化”的，有的还当过官，读书多的也不少。过去看报，常见许多地方官把文教资金抽走当别用，使学校教师得不到应得的工资，只发了“白条”。这种情况在别的国家恐怕罕见，我想有点文化知识的人是做不出来的。

由此我就有所感，觉得有某种知识的人未必可说是有文化的。所谓有文化，这文化应是综合性的知识。比如我的一位亲戚，是高级工程师，后来让他当了个副市长，他就很为难，许多事情他不明白，干不好。他就会有可能去发“白条”。

有一年，我参加个漫画代表团访日本。一到日本，就受到日本首相隆重接见。我们这个六人的代表团，成员都是老百姓，只会画画的。当时就深感日本人是看重文艺和文艺作家的，显出他们的文化教养。后来看到小学生排队放学，一个个整整齐齐。在箱根的一个文物展览会上，见有的小件文物就陈列在参观路边地上，小孩子走过没有动手摸的。又问过日本朋友，知道小学教师是很受人尊重的。他们告诉我，大学教授的工资，和小学教师的工资差别不很大。这也使我觉得是文化高的表现。

1992年，我应邀赴美国开会。一位朋友建议顺便在那里开个画展。我只带21幅画去。到了纽约，朋友借一家公司的大厅把画展出。这家公司在“唐人街”内。消息传出，报纸记者、编辑，华人总商会会长，纽约华人联谊会主席，华美协进社副社长，国际文化艺术中心主任，美国中文电台记者，还有我国驻美领事都来参加开幕式。展览只举行两天，就告结束，我即赴费城参加会议去了。后来见到几家中文报纸和一家美国报纸上发表了不短的评论文章。

从这件小事我也感到在美国对文化的重视。

就在前几天，《人民日报》前总编辑胡绩伟同志给我一封信。他见《瞭望东方周刊》特约记者的一篇报道，很是气愤，把这篇报道转给我看。报道标题是《广州大学城背后的隐痛》，写的是一群国画名家在一个名为小谷围岛上建立的一片别墅被迫拆迁的故事。下面抄几段报道原文：

十年前，广州美术学院的老师在小谷围岛写生，陶醉于岛上美丽的风光，在统一规划下自行设计建筑了风格各异的别墅，并在此从事艺术创作。此后，一批国内外知名的画家、雕塑家、摄影师以及各专业的设计师也在这里买下了商品地，在杂草丛生的滩途上设

计建设自己的别墅式工作室。他们把各自的生活理念及梦想融入到建筑设计中，先后建造了165栋风格迥异，具有很高艺术价值的别墅，“小谷围艺术村”由此诞生。

广东省十大国画名家中的尚涛、林丰俗、陈振国、方楚雄、李劲以及香港美术家联合会主席、著名油画家田沧海，美籍著名画家朱嘉权等都是小谷围艺术村的村民。

小谷围岛也因此成为岭南画派的重要创作基地，蜚声海内外，被称为中国的“巴比松”（巴比松是法国巴黎南郊的一个村落，曾经诞生巴比松画派，而今是一个闻名世界的艺术小镇），成为众多艺术家的精神家园。

艺术家们并非都是富有之家，他们一边积蓄和筹备资金，一边逐步建造，一砖一瓦，一草一木都亲历亲为，倾注了大量精力和心血，有些别墅甚至断断续续建造了七八年时间。

正当小谷围艺术村业已建设成熟，声望日显的时候，广州市政府将广州大学城定址在小谷围岛，大规模的拆迁行动开始了。艺术村被指为与大学城规划难以融合，最终在劫难逃，从2004年8月至10月，在业主的一片抗争声中别墅群被拆迁，其中二十多户被强行拆迁（艺术村的所有业主均取得了广东省人民政府核发的《房地产权证》）。

“拆迁之前没有任何人来与我们协商，我只接到一个广州市国土资源和房产管理局发出的《拆迁公告》，告之要收回这个地段的国土使用权，并限期拆迁完毕。”（广州美术学院教授燕陵女士语）

“2004年10月28日，没有法庭的判决书，没有任何一个单位和个人给我书面的拆迁命令和理由，我的家就被拆了。”（美籍华人亚历山大·彭在一篇文章中写道）

这篇报道很长，我只抄录下以上几段，情况大体如此。从这件报道和我前面写的经历相比较，我想，在欧美一带发展国家中，估计不会发生这种事情。

近几年来，有著名大学把美术学院合并，例如，北京的中央工艺美术学院合并到清华大学。

今年 8 月见报纸文章，写到著名科学家、我国学术泰斗钱学森。钱老讲起他夫人的音乐对他的影响时说：这些艺术里所包含的诗情画意和对于人生的深刻理解，使得我丰富了对世界的认识，学会了艺术的广阔思维方法。或者说，正因为我受到这些艺术方面的熏陶，所以我才能避免死心眼和机械唯物论，想问题能够更宽一点、活一点（大意如此）。

钱老这番话说明艺术在人的文化思想中所占的重要地位。

一个人在文化上的有所不足，主要是对他个人不利。但手握大权的人在文化上有所不足，受损失的就难以估计了。文化大革命的历史教训是深刻的，令人难忘。

（2005）

少爷脾气

时代在前进，科技、工业发达，外国人发明的高科技日用品，从电话，电视，电脑，相机（包括数码相机），到代步的汽车，都成了城市居民的家常用具。再细查问，大半是日本货。连欧美发达国家不也常买日本相机、日本电视、日本汽车吗。我们还出力引进日本投资呢。可见日本真阔起来了。

就是当前的9月初，我看到同一天的两家报纸的报道，忍不住拿起笔来写这篇文章，其实都是照抄的。

先看离我近的这一份报。一条醒目的标题引人注意："日本人为何这么节约。"文前的编者按提到：日本人节约很有一套。最新的研究报告表明，日本的能源利用效率基本上是发达国家平均数的两倍。

因日本人喜节约，各媒体常举办一些以节约为主题的节目。记者正收看朝日电视台每周播放的看明星如何用10000日元（约合人民币750元）过一个月的节目。当时餐馆一碗面条约需700日元（合人民币约52元多）。最新一期节目请来的是日本著名笑星滨口。这位先生为节省，甚至将海带上的盐提炼出来再使用，终于度过一个月。

记者采访过11名日本朋友，他们几乎都认为，日本人节约是因为他们从小就清楚，日本的资源极度缺乏。多数日本人认为自己的

节约习惯来自教育，包括家庭教育和学校教育。穿二手衣、用二手货在日本非常普遍。由于日本人不忌讳穿用二手货，因此跳蚤市场十分发达。记者参观一家小学。据老师介绍，当一批孩子毕业时，学校还会呼吁学生和学生的家长将还能够继续穿用的校服捐赠给学校，供新生使用。

长期以来，推动人们的节约意识，成了日本媒体不可推卸的责任……《读卖新闻》、《日本经济新闻》等用七八个版面宣传节能对减少室温气体排放的重要性，并对太阳能发电、风力发电、地热发电等都作详尽介绍。

要想老百姓树立节约意识，政府官员的表率作用最有说服力。日本环境大臣小池百合子决定把政府机关空调温度定在28摄氏度。8月底，环境省又提出冬季节电计划，把暖气温度定为20摄氏度。仓吉市市长长谷川稔自7月1日起，率市政府职员共370人承担起市政府的清洁工作，此举每年将为该市节省350万日元。

日本的企业更是将节约作为整个企业的核心竞争力。松下等大公司都成立了废弃电器回收利用技术中心。

报道最后一句话说：节约体现人类对自然规律的尊重：个人的健康需要节食，整个人类的“健康”也需要节约。

接着我看同日另一份报的报道，又是一条醒目的标题引人注意：“千亿政府采购一半打水漂!”

记者在某单位采访时发现，该单位花高价买了A3彩色激光打印机，实际使用时只用到A4的黑白文档。同样的打印机，A3幅面的要比A4幅面的贵3－4倍，而且硒鼓的使用率也不到一半，还增加了更换和维修的成本。

目前，不少政府机关采购办公用品时往往求大求新，甚至互相

攀比。记者了解，有些单位给所有的办公人员都配备了 P4、80G、512M 的计算机，而这些近万元的电脑大部分只用来打字。这种用高射炮打蚊子的情况在机关里普遍存在。据了解，2004 年政府采购的整体规模已经超过千亿元，但因大材小用造成的浪费就占了近一半，加重了财政负担。

记者又在某国家机关办公楼楼道里看到一些蒙着厚厚灰尘的办公桌椅，细看发现这些东西并没坏，款式也还比较新颖，不外乎是掉了个螺丝、弹簧松了等小毛病，因此用了不到一年，就扔掉换新的了。从美国回来的人说，被大多数中国人淘汰的 386、486 计算机，在美国的家庭、企业乃至政府还在大量使用。我国有些单位的电脑，使用一两年，就提前几年报废。

不久前，北京市对全市 48 家市、区政府机构 2004 年的能源消费进行一项调查显示，被调查政府机关的人均耗能量、人均年用水量和人均年用电量分别是北京居民的 4 倍、3 倍和 7 倍。其中，人均年用电量最高值达到 9402 千瓦时，相当于北京居民的 19 倍。

权威部门测算，我国政府机构（包括教育等公共部门），单位建筑面积能耗超过美国政府机关 1999 年平均水平的 33%。

这两篇报道谁看了都会有个印象：我们中国是比日本阔多了。日本那么小家子气，我们出乎大方得多，和阔家大少爷一般。我们这种大少爷脾气是从何而来的呢？特别是表现在我们政府各级官员身上，在报刊上已见过报道。单是批评公款吃喝和公费出国这问题就不少见。我还几次听说村里的书记也有出国的，人都明白，多半是自己不掏钱去的。我有两次公费出国，一次是作为漫画家代表团回访日本，因为日本漫画家代表团先访问我国，邀我们去的。另一次是报社派我和画家一起访韩国。住的都是高级宾馆，吃的是酒席

大菜。美国人邀我去开会，除在会期间之外，其他一切都是自费的。单是往返机票，按现在说，就需万元人民币。住宾馆一宿就得准备100美元，这是便宜的。自己掏钱就心疼。现在那么多市县里当领导出国的估计不会很少，省里部里领导出国自然更方便。连身怀上千万甚至上亿的赃款逃到国外的人据说不止一千人，有人说是几千。他们出国照样方便。我受过地方政府的款待，吃饭都是成桌酒席，陪吃的就好几位。官家送往迎来不会不吃，自然也是酒席。从报刊上看到的统计数字，在吃喝上所花公费每年约两千亿元。这级领导出手宽，下级领导出手也会一样。我从现实经验和报刊新闻知道，当政府领导都有一定权力花公款，级别越高，这权也越大些。

用公款不是花自己的钱，用起不心疼。广东老百姓说是："吃阿爷的。"在北方常听说是："不花白不花。花了也白花。"

多年前在报刊上对这种种问题的评论指出，这都因许多工作制度不完备，不严密，尤其重要的是缺乏有效的监督机制，无法控制，贪污也是因此造成。

这批评意见已经提出了许多年，没见人反对。现在再看，同样意见还在不断地提呢。

（2005）

谈现在的相声

我在北京生活时间最长，从小逛市场，最爱看曲艺表演，尤其是爱听相声。也爱看漫画，终于以漫画为业，也还爱相声。在20世纪50年代我曾写过几段相声发表在杂志上，没继续再写，因为业务很忙，难以兼顾，更因相声创作比漫画创作难得多，我缺乏这种创作条件。但对相声的爱好与关注，一直不减。尤其是新中国建立后，经过党和政府的推动和协助，传统相声作品由老相声艺术家们的整理改进与创新之后，使相声艺术发展达到很成熟的阶段，成为拥有全国男女老少各阶层人士众所珍爱的一种幽默表演艺术形式。不仅如此，它还受到外国人士的景仰。我在侯宝林先生家里就多次见过不少外国的相声仰慕者，有日本人，印度人，加拿大人。现在不是有好多相声演员带出的外国徒弟在我国登台表演相声吗？这都是在相声未改进之前所未见的。在旧时代，我年轻时常看相声表演，见过几次有妇女走近，艺人立即停止演出，忙劝她离开，也亲耳听艺人说过，他的表演是"玩意儿"。有的还说是"说胡话的"，对女观众不相宜。相声观众基本上是男性体力劳动者和一些男学生。我没见过女观众。因为相声原本是处于社会底层的贫苦人以说笑谋生的表演。贫苦人缺乏受文化教育条件，所说的内容也就是他们所处环

境中的生活情况，人物与思想感受。其表演偏于粗俗，也难免会说粗口话，所吸引的观众也容易是前面提到的那些人。

说笑表演源远流长，到清朝年间的1870年前后，由著名艺人朱绍文等的表演形成一套完整的艺术结构，教出弟子流传下来。许多相声段子代代相传，成为众所通用的表演。各代师傅在表演中，会从观众的反应感知表演效果的优劣与强弱，对段子作适当的改动，传之后代。所以可说相声传统作品是曾经历上百年众多相声艺人心血和智慧传下来的。相声大师就是继承前人的智慧，在长期表演实践中，逐渐领悟相声艺术的奥秘而产生。这也是各种艺术家成长的通例。

传统相声作品中，有许多显然是有一定文化素养的人所作，或经过他们指导修改过如《君臣斗》、《卖春联》等，还有一些较好的艺术品如《珍珠翡翠白玉汤》、《连升三级》，但为数很少。总的看来，传统相声作品大体偏于粗俗，内容多陈旧。为适应新时代的要求，为相声艺术的发展，很有改革的必要。

从目前情况看来，相声改革之后，又出现新的问题。相声流行于城市，城市居民家家有电视机，足不出户就能广见多闻，使各种游艺场所大为冷落。从电视很难看到传统相声段子表演。新编的段子越来越失去相声的特色，难见相声艺术感人的魅力。为此我在去年写一篇文章题为《传统艺术的危机》，其中提出现在相声演员不会说传统段子，因离开传统使相声艺术难以为继，造成严重后果。文章请姜昆同志看过，他送到《文艺报》于2005年2月24日发表，然后准备在《曲艺》杂志转载。

今年（2006）2月21日，为贺好友诞辰，傅可心律师开车接我去。在车上她告诉我，有一位相声演员在表演传统相声段子，说得

很好，观众欢迎，他名叫郭德刚，劝我去听听。当时我正忙，听说电脑网上有他的表演录音，我立即请人录一些给我。听了他的表演，我非常高兴，感到相声艺术有了合意的传人，大有希望。

我听到他说的几个段子：《窦公训女》、《豆腐堂会》、《赌论》、《看话剧》、《买面茶》、《八大改行》、《白事会》、《大福寿全》和《买月票》，单口的有《范家店》、《马寿出世》（两集）。还有几段没录好，听不清。其中我最欣赏的是他的单口表演。

这些相声段子我的听后感觉，就和在旧社会听的大体一样，没有什么变动。一切如旧，连现场观众反应情况也差不多。但我还是爱听。然而我更想听马三立、侯宝林整理过和新创作的段子。不仅因为内容说的主要是现代的人和事，更主要的是在艺术上有突飞的猛进——有动人的幽默感。

相声和漫画艺术相近，都是语言的艺术，这是两者最突出的艺术特性。现今常在电视上看到的相声表演之所以不大像相声，就在于渐渐失去这种特性。相声和漫画都以笑作为艺术手段。逗笑因为滑稽。幽默也滑稽，但不是一般偶然产生的滑稽，而是由智慧创造出的滑稽，那是一种语言方法，语言都有它的内涵，而偶然产生，随处可能见到听到的一般滑稽只是因出奇而逗人笑，仅此而已。幽默则因有内涵而逗笑之后又引人思索，使人领悟，有回味之美，趣味盎然。正如在《夜行记》表演中，听到说起买的自行车“除了铃不响，它剩下哪儿都响”能不乐吗？乐了之后一想就明白是什么意思，又觉得这样说法很奇妙有趣，是创造性的语法，一般人说不出，那多有趣！这就是幽默。

笑的艺术最讲究幽默。幽默是一种艺术，也是方法（技法），予人以美感享受。

传统相声段子听来滑稽可笑，多少总会有些幽默的，各有其精华与糟粕。在说的时候也有文野之分。须能说得雅俗共赏，听来有美感，才更动人。那是艺术上的要求。同时听相声表演有时会觉得近乎粗野。

只有继承传统，从传统表演中锻炼才会出人才，会将相声艺术不断改进，向前发展。相声名家、相声大师都是从上百个相声段子的表演中学习和领悟艺术中的奥秘。实践得真知。也只有领悟这种奥秘又勤于思考，才可能会将偏于粗俗的相声段子整理成为幽默、感人的艺术品，能创作新的相声。对别人我所知不多，侯宝林先生我是知道的，因为相交往三十多年，他比我年长一岁（实是半年），我们都热衷于理论研究。他只上过三个月小学，文化程度低。他向我说过他是“解放后才扫的盲”。可他那求知的学习热情非常高，又好问，有不大明白的事就问，我曾写过文章讲他的好学情况，这里不再写。他勤于思考，平常说话就很讲究语法修辞。有一天我说相声和漫画很相近。他略一思索说：“相声是有声的漫画，立体的漫画；漫画是无声的相声，是平面的相声。”说得多么恰当，多么简练。实际上漫画和相声都是语言的艺术。漫画是画出来的幽默话，相声是说出的幽默话。相声的说、学、逗、唱，就是主要以说来逗，靠的是语言技巧。他之所以能被北京大学聘任为语言兼职教授，又和两位教授合作写出几部有学术价值的论著出版，都是和他的不断努力学习求知分不开的。姜昆比我年轻，同样是勤于学习的。他最初是初中毕业生，但看他写的文章，我就自愧不如。我可是个大学毕业生，有写过大量文章经验的人啊。可见他求知的努力。这才有可能创作出很幽默的相声段子《如此照相》。即使可能是与李文华合作，没有他的文化功底也写不出来。他的另一段《诗歌与爱情》很

高雅有趣，我也欣赏。但再从事创作同样水平的作品，就不容易，因为从传统相声中继承不足，现在又忙于行政事务，更难说了。

记得是在1979年前后，有一天侯宝林找我，说："有的青年相声演员不大懂幽默，有'包袱'不会使，你说，幽默到底是什么，怎个讲法?"这一问把我问住了，说不清。他说："咱们是干幽默艺术的，应该知道什么是幽默。"由此促使我去查书，从那天起年年忙着去查，直到现在二十多年了，连欧美日本各国出版的大百科全书都查到（有译文），没发现有众所共识的幽默意义。由此促使我写出十本论幽默的书出版，也可见侯宝林对幽默艺术的追求。我出版的第一本幽默论著就是先请他看过，接受他的意见修定后才送出版社的。

最后提一句：传统相声不整理，就一直说下去，不改动了，行不行?

我说：当然要继续说，继续表演，而且必须说下去，还必须每人都会说，会越多越好。

但须注意，现实会逼着相声演员去改动，创作新作品的。现代是什么样的生活情境，和传统相声所说到的年代有多么巨大的区别。如今人出门都能坐飞机，家里有各种电器用具，你还老说那一套赶大车，找媒婆，饭馆跑堂，卖布头的陈年旧事，不想说新题材，能行吗？逗笑还用讨便宜，说"我是你爹"，"你是我儿子"之类，能行吗?

现实会逼着人去不断改动革新，不断向前进。事事都有运动发展规律，不以人的意志而转移，我想，郭德刚表演的出现，也是合乎一定规律的。

（2006）

从眼镜说到相声

知识分子是念书的。书看多了容易患近视，就得戴眼镜。于是在戏剧、电影、电视以至漫画中，这眼镜便成了知识分子身份的标志。我哥哥上学很用功，后来成为汽车工业的一名总工程师，属于知识分子。我在文化大革命中被指称“反动文人”，文人也属知识分子；又被称为“漏网右派”，“右派”主要是知识分子。我所以不得不戴眼镜，并非因上学用功，但也是看书入迷得来，我看的都是小说。从13到15岁上初中这三年里，从学校放了学，一到家就抱着小说不放。直到天黑也不觉得，终于成了近视。我家离小书铺近，书铺里讲打仗的和有趣的小说多极了。我从《西游记》、《三国演义》、《水浒传》、《东周列国志》、《雍正剑侠图》等等，和有趣的《聊斋志异》、《济公传》之类，都看个遍。不像现在的学生，随便找一个问问，他们曾否看过被称为我国几大才子书的《三国》、《水浒》、《西游》和《聊斋》等这几本小说，恐怕大都没看过。他们功课太多，闲时很少，可戴眼镜的却不少，毛病大概还多是因为看电视闹的。我常想，幸亏我上学那时候还没有电视，如有的话，我会被电视剧吸住，一本小说也不看了。我的许多文学知识和历史知识就是从看那些传统小说得来的。

电视把人的视野大大地开阔了，已成为生活中离不开的东西，但也决不是百利无弊的宝贝。自从有了它，京戏、电影、曲艺等等都失去往日的辉煌。早年的观众都被电视“困”在自己家里，坐在沙发或椅子上天天追着看几十集以至上百集的电视连续剧。京剧还多少能看一部分，相声可就受影响太大了。我在上高小和初中的几年里，一到假期，就常上市场去听相声（也就是看相声表演），听唱书的，看皮影戏。那时相声表演大多是撂地演出，在摆出的地摊上表演的。演出的段子都是百来年传下的相声段子，哪位师傅的段子谁都可以说。长年在固定地摊上表演，总不能不断重复，所以，相声艺人不会说几十个段子，那是没法活下去的。我知道侯宝林会一百多个段子，其他老演员也差不多。相声本是贫苦人谋生的技艺，他们没有受教育的好条件，识字少，甚至一字不识，只会说笑，逗人乐。所以一般传统相声段子里，有动人艺术性的不多，格调偏低的不少。但即使格调不高的段子里，也会有些可取的幽默艺术因素。相声大师马三立、侯宝林能把格调不高的一些相声改变成为幽默艺术品，所靠的本事不就是他们不断表演的那些传统相声段子吗？他们从那些格调并不高的段子里吸收其中的精华，在表演和不断改动时悟出其中的艺术精华——主要是幽默艺术。这里所谓格调不高，是从艺术评价说的，广大观众需要看这种表演。侯宝林就说过，毛泽东主席曾看过他一百多个相声段子的表演。这些段子绝不是格调都高，因为根本没有那么多高格调的，而且更多是不高的。

可是现在，相声表演场地在哪里呢？如果有的话，还有多少人能离开电视，跑到相声场地去看表演呢？

电视广播中也有相声表演，可是能被选用播出的传统段子有吗？有多少？

从大量传统段子中吸取精华的条件，看来已微乎其微，相声艺术的传播，失去这个天然条件，对相声艺术家的培养，可是个不小的损失。没有表演场地，谁还去学传统，说传统段子呢？于是我见到的，是马季说他自己的段子，姜昆也说他自己的段子。我还没见过哪几位相声演员说同样的段子。那么，新出现的年轻相声演员，说什么段子呢？

相声是语言的表演艺术，以笑为艺术手段，最讲究幽默技法的。而幽默是一种很难掌握的艺术手法，使编写相声剧本成为难度非常大的一种文学创作。能写相声的作家少极了——据说只有演员数的千分之一，能写好的更少。逼得一些演员不得不兼任相声作家，自编自演，那是多么苦的差事啊！我很理解相声艺术家的烦恼。

今后怎么办呢？有什么发展相声艺术的良策？相声可是中国特有的一种幽默语言表演艺术，除卓别林之外，世界还有哪一位能和侯宝林比肩的幽默表演艺术家呢？

（2005）

相声一功

相声是语言的表演艺术。语言来自生活。原来相声艺人贫苦，在城市中处于一般下层的经济条件较差的市民之中，了解这一阶层人士的生活和思想情况。相声艺术手段是四个字：说、学、逗、唱。在学和唱之中，就少不了那些为群众普遍熟悉的戏曲。原先有学猫犬禽虫鸣叫声的，如汤金澄（患近视，外号汤瞎子）就善于学这类声音。后来学的人不多，有学的也不作为相声表演了。相声流行于北方各省，京戏最普遍，所以在相声段子里常提及，有唱的表演，甚至以说京戏为主的段子就不少，如《捉放曹》、《文昭关》、《空城计》等。北方流行的戏曲多，如评剧、大鼓，各种梆子戏，河南坠子等，相声也学。后来南方戏曲流行到北方，也有学的。

在相声学唱表演中，侯宝林得天独厚。他天生的好嗓子，又是学京戏表演出身，还好学，又是重艺术理论，在表演中最讲究以美感动人。他很重视表演的形体动作美，更讲究说和唱的美。所以他所学的唱，都十分认真，唱得很好听。在艺术研究上他很下大功夫。我听老友钟灵说过他的故事。钟灵原先在政务院（后改国务院）工作，在中南海任俱乐部主任。在组织晚会活动中，由他邀请演员，主要是京戏著名演员和相声演员侯宝林、郭启儒。他们都相熟识。

有一次，作为俱乐部主任宴请梅兰芳、程砚秋、马连良、周信芳以及侯宝林等，在饭店包厢吃饭。席上闲谈，侯宝林谈起各位京戏演员的流派和演唱的不同特点，还仿着各位的唱腔，低声唱出，使这几位京戏名角大为赞服。饭店主和伙计在包厢外倾听，都以为是这几位大名角在席上演唱，高兴之极，说是听到一场难得的好戏。其实都是侯宝林一个人唱的。

侯宝林在南方表演时，和越剧、评弹演员相识，也学他们的唱，学得很用心。我和侯先生常交往，很了解他做什么事都十分用心，认真得很，连像打桥牌之类的游戏，他都玩得用心，精明得想赢他就不容易。他研究什么都肯下功夫。以他的出身和早年的生活条件，那是和字画、古董是挨不上的。但我在他家就见他收藏字画、木器、古钱币、瓷器等等，虽然不多，可都能说出一些这方面的知识，自然都是向人问知的。他的好问，许多人知道。由此可知，他在相声艺术的学习和研究中，成绩必然有突出的表现。看他在《学大鼓》和《串调》的表演中，就会感到别人的表演，想跟得上他，那是相当不易的。《串调》原是传统节目，在他整理之后，添上他所独得的部分，使这个段子更加丰富多彩。例如他分析几个京戏演员演唱时，讲到的鼻腔共鸣、脑腔共鸣等，想来只有他说得出，讲得入理。那是他个人的理解，是他的发现，他的评语。他熟悉京戏，又认真研究，不会是无根据随便说的——他是当作理论说的呀。

我常看他的表演，虽然对京戏不大熟悉，对大鼓、越剧更生疏，但听他唱出，感觉真美，好听得很。

我国各种戏剧和曲艺，是我国的独有艺术品种，都是经历数十年、上百年流传下来，为广大群众欣赏的艺术，否则不能存在。艺人们也都是经过师传，有多年学习和表演经验才学会了的，自然各

有其艺术美，各有其艺术特色。因为品类多，不是人人都接触过，看过、听过。看过、听过的人也未必认识到其中的特点和艺术美感。经过相声中对各种戏曲的学唱以及品评，会使不少观众、听众引起兴趣，欣赏其中的艺术。我虽然从小就生活在北京，但很少去听京戏，没听过大鼓——北京习惯上不说看戏、看大鼓表演，都说去听。在看相声表演时，从他们学唱中很欣赏京戏和刘宝全说的大鼓，就想找机会去观赏一番。可见相声表演，有对各种戏曲的介绍和广为推动的作用，是相声的一大功。

我国是有几千年文明史的，多年来流传下来的戏曲，都来自民间，是我国传统文化中很宝贵的财富。这种种曲艺戏剧各有其艺术价值，演员都经师传，学习多年，演出多年，才学得好，演得出色的。不像如今那些学几个月就能上台，上几次台就称“星”，他们的表演怎能和我国传统民间艺术相比呢？就说相声吧，经过多年的研究、整理、改造、创新之后，已成为十分精美的幽默表演艺术。我说过，侯宝林表演的精美相声段子，在国际舞台上就是顶尖的幽默艺术表演的一种。除卓别林之外，我没发现在幽默艺术表演中，有能和侯宝林比肩的演员。他是相声艺术的表演者，凭相声表现出他的幽默才华。相声就是出自中国民间的艺术，和大鼓、各种其他曲艺、戏剧一样，是我国独有的文化成果，可说是我们的国宝。

文化艺术都是由小到大，由浅入深，由粗至精不断改进的。过去各有自己的表演场地。现在不同了。在城市里，家家都有电视，足不出门，就能在家里欣赏种种艺术表演。于是不外出，不到剧场看京戏，看相声和其他曲艺表演。剧场观众越来越少，演员演出机会相应地少起来，日渐衰落。如今唱歌成了舞台独占性的一种演出。有一次，我看到京戏演员全副戏装为唱歌的扮舞，我伤心几乎落泪。

没想到我们的国宝艺术竟落得如此下场！再看电视广播中的相声表演，虽然也引起观众的欢迎，但和相声原来所称为的“语言表演艺术”拉开了距离。我知道这是无可奈何的缘故——相声创作太难了！相声在艺术上最感动人的是幽默，也就是语言艺术中的精华，那是最不容易掌握的，而在幽默文艺作品中，相声创作难度最大——当然指的是很动人的相声。最懂相声艺术的是富于经验的相声演员，他们是在不断实践，长期表演经验中成长起来的。如果缺少表演场地，就不可能有培养经验丰富演员的好条件，想再出现马三立、侯宝林和刘宝瑞这样高艺术修养的专家，就很难抱多大希望了。

（2005）

从上学说起

人活着实在不容易。就说我吧，经过多年战乱、跑警报、逃亡，再加上几十年来回的折腾，孩子们的妈没顶住，先走了！我居然活到八十多近九十岁，应该说是很了不起的幸运。所以我总觉幸福，就乐乐呵呵地接着活下去。

朋友早就劝我写回忆，一直不想写。因为自觉一生平凡，没什么值得写的。后来因为究竟从事文艺工作，总有些创作经验，写出来对青年学徒多少有点参考价值，于是写了出版。但读者想买，进书店看看，恐怕一本也难见到。我进多少书店就没见过。

如今子孙辈都已成长，看他们的日常生活，就有和我过去的情况有所不同，因而有感而发，又想写了。还得从童年时候写起。

我父亲生活在北京，那时候已改称北平。他是平绥铁路局文牍课的课员，也就是现在所称的科员。绥指绥远，今属内蒙。

听妈说，我出生在北平，从小她带我和弟弟回到广东香山县左步头村，和祖母伯母住在一起。祖父和伯父在美国打工，我都没见过。

我从小就不大记事。7 岁以前的事，我什么也没记住。记住的那些在山边捉蛐蛐（蟋蟀），在河边抓小鱼，在草堆里用苍蝇钓青蛙，

用竹竿捅蜜蜂和马蜂窝等等的事，都是长到7岁之后才会干的。到八九岁时，晚上，自己偷着和小朋友去听夜校老师讲课，学了几个字，之后又随母亲返回北平去上学。那年我9岁。

我家住在西四牌楼北一条，记得那时名叫礼路胡同。我上的小学是英国教会“伦敦会”办的铭贤小学。在二条里的平民中学旁边，那胡同名可能是帅府胡同。

10岁我插班上高小，北京话还说得不正。同学们见来了个小广东，很感兴趣地教我，帮助我，护着我，使我很早就感到亲和的北京人那么善良，他们许多名字我一直记住不忘。

那时一般小孩没什么好玩具，一下课我们就爱趴在地上弹球儿，那是到处有卖的玻璃球儿，和汽水瓶里当塞子用的玻璃球儿一样。

密教士教我们英文、图画和手工，这是我最爱上的课。我在乡间就常在墙上画，画山，画树和房子，上学就可以在纸本上画。她教书很耐心。教科书是从英国来的，有很多画得精美的插图，我常仿着画。她不但教我们画茶壶苹果之类，还常讲个童话故事，要同学们画故事里的情节。有些同学不大会画，我能帮助他们画，老师也不怪。她很和善，但同学犯规，太淘气惹了祸，她很生气，很严厉地教训。但她只是教训，说理，但不疾言厉色，令人心服，愿和她亲近。别的女教师都很和气，男教师厉害，教体育的，罚过我，罚站，罚挨敲脑壳。

那时课外作业，只需每天做一个多小时就行了，都是在吃过晚饭后。平时下午一放学，常在附近的西安市场里逛，从上到高三，我们家就搬到西四牌楼东的大拐棒胡同一号，市场就在家旁不远。还是喜欢玩蛐蛐。斗蛐蛐是男同学们的共同爱好。我12岁时，父亲买一本新《西游记》给我。自从看了《西游记》，又迷上小说。父

亲怕我耽误功课，不再买小说给我。幸亏市场里有个小书铺，卖书也买卖旧书。我用这部线装的《西游记》和书铺掌柜的换一部薄些的小说看。看过之后，再添些钱换另一部。从上高小最后一年到上完初中的三年里，把书铺里所有的武打小说看个遍。更喜欢看滑稽有趣的《济公传》、《西游记》、《聊斋》、《徐文长故事》。其他如《三国志演义》、《水浒传》、《东周列国志》、《杨家将》直到《粉妆楼》、《雍正剑侠图》等等，几十部都看过。这些小说是男同学喜爱的。小说里的人物像小侠艾虎，白眉毛徐良，济公，南侠北侠，程咬金，武松等等，都是同学常说到的。我患近视就是看小说入迷的恶果。在假期，还和弟弟一起到市场听说鼓书，一坐下来就舍不得离开。还常看相声、变戏法、摔跤（称撂跤）等各种表演。我的一些零花钱就是在市场里消费的。我在市立三中初中毕业。因父亲失业，携全家都返回广东。我转学到有宿舍的弘达中学二院，直到毕业。1935年的"一二·九"爱国学生运动期间，我负责画宣传画，从此开始画漫画，那年我17岁，刚读完高中二年级的课程。

在上高中三年里，我集中精力准备考大学，小说全不看，连电影也不看，闲时只唱唱京戏，练体操，双杠，打球。因受信佛的叔父影响，决心学医，投考燕京大学医预系，两门课考试失败没录取——英文和智力测验不及格。智力不及格，不能当医生，后来只好去画漫画。

我画漫画有许多原因，其中一个重要原因是受西安市场、西单商场里看相声表演和看滑稽小说引起的兴趣。虽然还考上两所大学，毕业后从事化工研究多年，终于转业从事艺术了。

从20世纪80年代之初，开始和相声大师合作研究幽默理论，但他去世早，只好我自己干下去，二十多年从未间断，出版论著十部

以上。并在一些大专院校讲幽默原理。去年（2005年）秋应邀赴美国开会，顺便在费城传媒学院讲漫画的幽默，在天普大学讲幽默原理。这已成为我终生研究的事业。我从自然科学转到艺术方面的工作，我的文学知识和历史知识很得益于看小说。我画的漫画《武大郎开店》，被河北梆子剧作家编成河北梆子《武大郎开店》演出。天津电台播出剧场录音，我都转录下来，留作纪念。

这是我从10岁上小学以至于今的一段回忆。写到这里，觉得还需补充说明我改业从事漫画还有个更重要的原动力。在上大学二年级时，几位同学商定出壁报，几个人各负责编和写。他们知道我曾画过漫画，就决定由我负责编漫画栏。全校只我一人会画，不得不为每周一期的壁报画一张。如此画了三年，渐渐学会了漫画的基本艺术技法。正是靠这三年的创作经验使我敢于以此为业的。

我父亲是铁路局的小科员。我兄弟姐妹共七个，长大了都要上学。从我上学的情况，就知道：上小学要进离家最近的学校。上初中要进离家不远的中学。因为第三中学离我二哥上的大学近，就不必上更近的平民中学。因为父亲失业，北平无家，就进有宿舍的中学。我进的弘达中学是私立学校，考进容易，交上学费就行。私立学校希望能多招学生，自然需要有点名气，所以聘请老师也是尽可能有点名气的。我的英文老师是早已出名的和林舒（琴南）合译英文小说的陈嘉林先生，国文老师是名作家蹇先艾先生，体育老师是全国运动会的三铁冠军刘仁秀，篮球名将刘冠军……我投考三个著名大学能考上两个，不是偶然的。除了三年高中我肯用功之外，上初中迷上小说，功课成绩是不高的。我哥哥和一个弟弟都是大学生。解放后我哥哥是第一汽车公司副总工程师。当时上小学不用多少学杂费。上中学食宿费不多，吃三餐每月5元。

现在，我三个孩子两个读到高中毕业，一个大学毕业，都没使我们当父母的很操心，也都成家立业。但到了第三代，就麻烦了。孙女上小学花了20000元的什么费，上中学花了50000元什么费，因为要自选学校，必须要上缴这种叫不上名目的费用的。再看她的书包，又大又重。不仅是她，我用手量过多少邻居孩子的书包，都是比我上学时的书包重十倍。她很少有自己活动空间，每天要做很多课外作业。寒暑假也一样。她没看小说，就已经戴眼镜了。我问过我弟弟的高中一年级的外孙，老师要他看什么课外书，他拿给我看，一本是《世界通史》，一本是英国著名经济学家或哲学家的著作，书名我忘了。

以前我上学时，没听说同学里有谁和我上学时的情况有什么较大差异的。我有两个同学在美国大学深造，后来在那里定居，一直通信不断。一个是一家大企业的高级工程师，专为各国设计工厂，因为他是固体运输专家，跑遍世界许多国家的。另一位和我同届毕业，也同住一间宿舍的。美国初次登上月球的火箭，用的是他主持设计的发动机。

我想过。这二位仁兄在上小学和中学时所学得的学识，肯定比不上我的孙女和我弟弟的外孙。但是在当今的教育制度下，这两个孙女和外孙，希望将来能培养成什么样的公民，对社会作出何等贡献，要看今后的学习成就了。他们从小除了上学之外，极少和外界接触，也因课堂内外留的作业太多，体质很受影响，很多人都戴上眼镜。将来从学校出来，只凭书本知识才开始走进社会大门，多大适应力，能否和怎样发挥自己的才能，要看他如何掌握时机了。

娱亲图

传说中有二十四孝，其中之一是年已高龄的老莱子，父母仍健

在。为孝敬双亲，这位满脸花白胡子的孝子，装成小娃娃，挑着担子玩，假装摔倒，撒娇哭着，把父母哄得笑起来。

如今看来，孩子孝敬父母将会变成父母孝敬子女。

对子女的教育是一门学问，很不易学得。尤其是一些文化程度不高的父母，很容易把子女培养成为“一家之主”，俗称“小祖宗”。

（2006）

娱　亲　图

动漫的兴起和问题

大约是从20世纪80年代开始，我国的动漫广为流行。后来不断出现专画动漫的“工作室”，出版大量动漫画册，受到青少年以至更小的孩子们的喜爱。

其实，“动漫”这个词儿，以前谁也没听过，但这不是什么新东西，而是从日本传来，也名之为“漫画”或“卡通”的那种有点像连环漫画的连环故事画。这种画在西方国内早就有了的，如著名的《花生米》和《大力水手》。这种画虽然颇似漫画，但在艺术特性上却有所不同。要将这几种形式的画加以区分，就须从头讲起。

漫画开始来自语言。这种画的形式，很古时就有。中国就有，但那时还没有“漫画”这名字，在中国还是以传统绘画出现，属于戏笔之类。在欧洲的德国，16世纪宗教改革时，就有用漫画讽刺对方的。但漫画首次公认为一个特殊画种，却是在17世纪末18世纪初的英国。当时英国资产阶级革命后，摆脱封建专制枷锁，民间开始可以公开议论时事，对社会问题进行评议。有画家用画来表现。做评议为取得动人效果，引人注目，自然会采用夸张画法，把所议的问题作强化的表现，使人一望而知。画一经夸张，便出奇象，看来有趣，效果强烈。这正是这种画的艺术特性，和其他绘画在艺术上显然不同。报纸很需

要这种动人的评议形式，就将这种画制版发表在报纸上，广为传播，引起读者的重视。因此为这种画取名为 cartoon，日本人用中文译成“漫画”，或按音译为“卡通”，我们也就沿用这名字了。

由此显然看出，漫画的艺术特点很明显有二：一是用作评议。评议总是说出来的，这种画自然是有语言功能；二是有谐趣感，看来滑稽可笑。因此可说漫画是以逗笑的方式作评议，是幽默的。所以画家就用漫画作评议，也用漫画表现画家的幽默感，画逗人笑的画。这种画通称为“幽默画”，是用来表现幽默的。

漫画的表现形式，有单幅，也有多幅的。在西方国家里，多幅的漫画多是幽默画。觉得有什么可笑的事，用多幅形式画出，常是像小笑话一样，有头有尾，分几个画幅，把连续活动过程连续画出来，使人看到最后一幅时，引起大笑。笑话总是很短的，说几句就把人逗笑了。所以这种画的画幅很少，常见的用 4 幅，也有用 6 幅至 8 幅的，很少再长的。也有用一幅画面，把画中人物的连续动作顺序画出的。我们把这种画称为“连环漫画”。在欧美称为 comic strip.

专画漫画的画家，名为 cartoonist，译为“漫画家”。

也有用漫画形式画成连环故事画的，相当于我国的连环画。故事比笑话长，这种画须用很长的连续画面表现，有的看来也有趣。但故事总和笑话不同，正如有趣的插图和漫画不同，是有所区别的。连环漫画实际上也是一种评议，把生活中滑稽现象表现出来，逗人发笑。正如说：“瞧啊，这种事情真滑稽!”而连环故事画却可以编造种种故事情节，也可画种种虚构的怪物的活动，也讲究画得有趣。如果漫画家来画，会带漫画风格，但还是以故事动人，不像连环漫画那样明显是为逗笑。

在创作上也不同。漫画是以幽默方式作评议。评议都是说出或

画出自己的意见，创作时自然是从思想到动手画，都是画家自己干，不是一人想好，由另一人或两三人画出的，所以漫画创作都是一个人自己动手画的。世界上几人合作的漫画家，我只知苏联有三人合作的库克雷尼克塞，我也与钟灵合作过，没听说过还有。漫画通用作评议，自然是因为它有语言功能。

连环故事画常是两人或更多人合作，也会是由一两人编故事，由另一两人或更多人合作画出。漫画家创作连环故事画则容易独自画出，也容易带有漫画风味，主要还是以故事动人。成立创作室或画室的，是为创作连环故事画。这种画不是作为评议用的，因为它不具有语言功能。

有人学作连环漫画，画出的常会像连环故事画。形式也像连环漫画，但难逗笑。

不善于幽默和不善于运用幽默技法，是不容易作出幽默画的，但能画出连环故事画，也可能画得相当好。

漫画是语言的艺术，创作时须用幽默语言方法，才会造成寓庄于谐的效果。漫画又是评议的艺术，也自然须有一定的学识对所见闻的事物中发现问题，做出合理的评议。所以漫画创作者多是年龄较大的人。连环故事画的作者中就有许多20岁上下的年轻人。这样年轻的人很不容易画好漫画。漫画创作须用幽默技法，而幽默是一种很不容易掌握的艺术技法，很年轻的人生活知识有限更难掌握。

为什么在日本也将连环故事画称为“漫画”或“卡通”呢？是有来源的。漫画开始是因为用于评议，和其他绘画不同，才会成为不同的画种，名之为卡通，漫画作家称为漫画家。在欧美，把连环漫画拍成影片，使漫画人物活动起来，成为动画，名为卡通影片，也简称卡通。可连环故事画也同样可以拍成动画，同样称卡通影片，

简称卡通。于是连环故事画也属于卡通了。所以日本人把连环故事画也称为“漫画”或“卡通”了。这种画传来我国，为有别于漫画，就不再称它“漫画”，改称“动漫”了。

我有两种英美出版的《世界卡通百科全书》，我查看发现，凡漫画作者都称之为漫画家，而很著名的连环故事画的作者，如画《加菲猫》（*garfield and friends*）的作者金·大卫（Jim Davis），画《大力水手》（*popeye the sailor*）的作者赛加（E C Segar），画《花生米》（*peanuts*）的作者舒尔茨（Charles Schulz），他们名字前都没有“漫画家”（cartoonist）的称号，也无专题介绍。由此可知，在西方国家里，对漫画的作者和作连环故事画的作者，是多少有点区别的。连环故事画制成动画片，其作者称为 animator（动画制作家或动画家），他们的作品连环故事画和动画，和漫画一样，都称为卡通。

如前所述，在艺术特性上，漫画有两种特性，一是谐趣；二是有语言功能，可用作评议。

连环故事画则以故事情节动人，不必需有逗人笑的谐趣，但还是讲求看来有趣，没见过用连环故事画作评议的。这是两者之间很明显的不同。

有的连环故事画是漫画家所作，会带有漫画特色，但作品以故事动人，不是为评议。

从美学角度来看漫画和连环故事画，也有分别。只要是用幽默技法作出的漫画，都有它的美感，因为幽默就是一种艺术，艺术都是以美感动人的。即使画得粗劣，也有一定美感，因为它幽默。画面粗劣削弱画的艺术效果。

连环故事画以故事动人，画面人物形象须表现生动。倘画得粗劣，引不起人的兴趣，很难给人美感，尤其是故事编得平淡，更难动人。

再讲我国漫画和连环故事画（今称“动漫”）的创作情况。

漫画在欧洲流行，已有三百多年。我们只有在封建皇帝被摧垮后才开始流行，并出现我国的漫画家，至今只百年而且流行地区有限，漫画家人数不多，在艺术上还有所不足，很明显表现在画面绘制技巧上。此外，就是表现形式不多。这都是创作经验尚有不足所致。这是普遍情况。创作经验多的漫画家自然不同，但这种画家人数是不多的。

我国连环故事画的兴起仅有二十多年，创作人数虽多，但经验不足，最突出表现在画面绘制上。此外就是故事动人者少。有的作品画面很美，多是仿效日本作品，画俊男靓女的故事，这种画很受青少年的欢迎，也会仿着去画。常见有不少画奇形怪状人物的“动漫”，绘制粗劣，在报刊上发表。很难说这种东西是什么艺术。卡通原来就是作为艺术品出现和广为流行的，如法国的杜米埃、英国的大卫·罗，以及我国的丰子恺和张乐平的漫画，美国迪斯尼的动画，都是令人欣赏的艺术品啊！

目前所见我国动漫的发展情况，使人感到已趋于商品化的忧虑。为了赚钱，能印出抛售，画什么都行，怎样画都可以了。这种东西大量发表在原是美术刊物上，占领美术品的地位，应是引起广大读者重视的问题。

自然，这也是动漫艺术开始流行时很难免的现象。读者需要，但画的人很多，其中有的艺术水平还很低，一时跟不上。可动漫在我国流行已经二十多年，如果开始画的是20岁的青年，现在已达而立之龄，还不见明显改进，立不起来，就值得注意了。关心动画艺术的人们，总该积极想办法促使不断改进了。如果任其自流，那可不是好事啊！

（2006）

艺术摄影

①有个傻媳妇，从没见过镜子，丈夫出外做生意，回来时给她买了面镜子。
②她拿过镜子一看，大吃一惊，哭哭啼啼地跑回娘家去了。
③傻媳妇拿着镜子对妈妈说："看我男人变心了，他从外边又带回个媳妇来。"
④傻媳妇的妈妈一听，很生气地说："那还了得！"说着夺过镜子来就往里看。
⑤老妈妈对着镜子一看，也大哭起来，骂道："这个没良心的坏蛋，带回个媳妇不算，还把丈母娘也领来了！"

张树勤　改编

傻媳妇照镜子

说本事

从我说起。我很幸运，出生在爸爸当科员的家庭，能供我上学。那时上小学就和玩一样。上初中玩的时间也不少。那时电视还没发明，每天一下课回家，我就抱着小说看。看了三年，把我国旧时流行的几十部讲打仗的小说都看个遍。《三国》、《水浒》、《东周列国志》、《精忠说岳》、《杨家将》、《说唐征西》、《七侠五义》、《粉妆楼》……等等，更爱看滑稽幽默的《西游记》、《济公传》、《儒林外史》，《聊斋》也是那时候看的。我许多历史知识和文学知识都得益于这些书。15 岁上高中，什么闲书我都不看，集中精力用功上学，准备考大学。到那个年纪我已经意识到，吃饭不能再靠家里了，只能靠自己干活挣饭吃。干活就得靠本事，本事越大吃的越香，上大学是学本事的一条大道。我是俗人，那时的思想就是这么简单。

我叔叔信佛，受他的教诲我决心做医生，投考燕京大学医预系和另外两个大学。不料只是燕京没考上，因为两门课不及格，其中一门是智力测验。智力不及格，当然不适于给人治病，那会害人的！我只好去学化学了。毕业后我从事化工研究，曾在一次全国化学会上宣读我的研究论文。不料神差鬼使，愣把我推上艺术大道。只因

为我从小生活在农村，爱在墙上乱画。上了学，可以在纸本上画，后来在北京又遇上“一二·九”爱国学生运动，分配我画宣传画，就画起漫画来。在学校办壁报时候，还要我主持漫画版，我再也离不开漫画了。漫画没人教，只好自己跟别人的漫画做样子学着画。可能因为上学时候很用心，养成认真的习惯，所以学画也很认真，一丝不苟。作画起草稿都十分用心，容易学得快。这本事练得不错，用它干了几十年。有一次，日本漫画家代表团来访。欢聚时，其中一位一时高兴，画一张速写画送我。我是同行的，自然要回奉一张。我没画过当礼品的画，费了很大劲才画成。为此我想，必须学会一点这种画的画法，来应付这种场合。知道《水浒》在日本也流行，就想起画这部书中的两个有特色的人物——李逵和鲁智深。我没学过这种画，就天天练着画，专画一个这种人的样子，不断地专心画。画过几十次，看来像国画了，再继续画多几个样子的。接着画鲁智深。如此不断画了几年，每个人都画了上百遍，渐渐画熟了。看来真有用，在许多笔会中应付得很顺手。有一年在广东汕头和画家们聚会，在笔会中互相赠画。我只会画这两个水浒人物和别人交换。不料有一位画家要我画现代人。我不便辞谢，只得现想。恰好昨天晚上，一位商店老板在店门外沏功夫茶，见我在旁，请我品尝。想到这里，就画两个老汉对饮功夫茶图。为看了像国画，题了几句打油词：

此间喝茶讲功夫，
大把茶叶塞满壶，
初尝味道有点苦，
苦尽甘来好舒服。

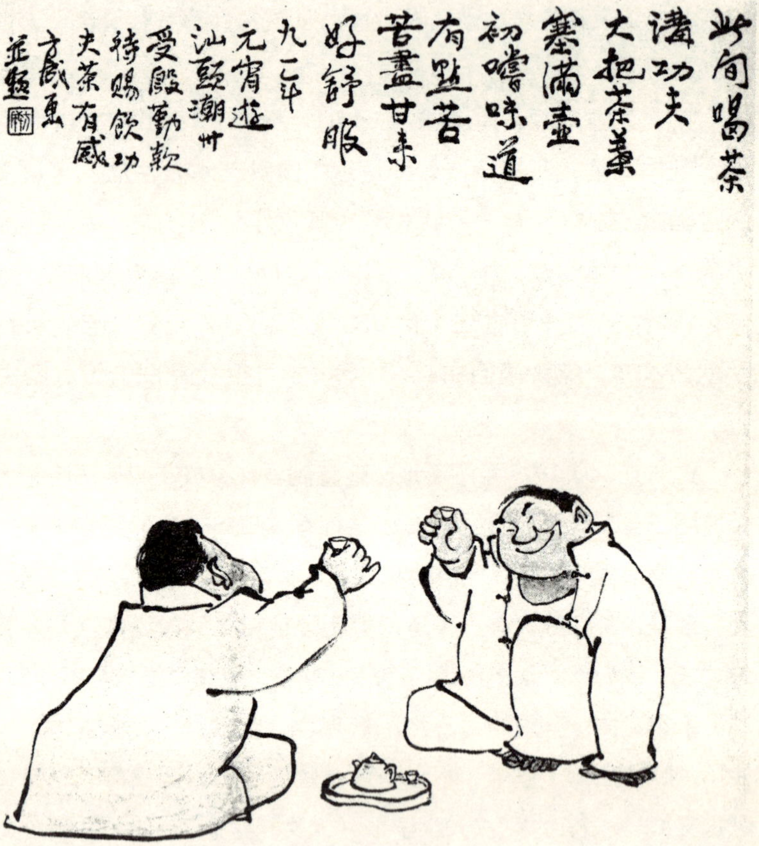
此間喝茶
講功夫
大把茶葉
塞滿壺
初嚐味道
有點苦
苦盡甘來
好舒服
九二年
元宵遊
汕頭潮州
受殷勤款
待賜飲功
夫茶有感
方成畫
並題

另一位看了，也要我画现代人物。只得再想画一幅。那时我已达古稀之年，想到老年人容易出笑话，就画一个老人放风筝。老人跑不动，在风筝头上绑个氢气球，把风筝带上天了。好在笔会已近尾声，才结束我这次被硬逼着现画。从这几件事我体会到，人的本事就是硬逼出来的。

我一直画漫画，写杂文。因性之所好，写过相声和喜剧小品，制作动画，写打油诗，都是运用幽默艺术技法的，可从来没想过幽默的道理。有一天，相声大师侯宝林忽然向我说：有的相声演员不大懂幽默，不会使“包袱”，问我：“幽默到底是什么？怎么解释？”我没想过这个问题，说不出。他说：“咱们都是搞幽默艺术的，应该搞明白呀。”我说：“报社有图书馆，我去查查书。”

这一查，从1979年不断地一直查到现在，成了我放不下来的追查课题了。凡是我能看到的书和各种有关资料，连那些先进国家的大百科全书里有关幽默的辞条和文章，我都查了（有译文），这才发现，都是各说各的，有不少还说得明显很错，例如说幽默是人天生的才能，或说幽默是一种英国产品，等等。还有说幽默是不能解释，不能下定义的。我国的《辞海》解释说，幽默是一种修辞方法。我使用幽默技法六十多年，不会同意这些说法。为此我写了一篇《幽默定义》，发表在《武汉大学学报（人文科学版）》上。并将英文稿送到美国的一家卡通期刊发表。这项研究工作也是被逼着干起来的。从此我又干起讲学工作来了。

记得在什么书或杂志上见过有人说：“社会的进步、创造、发明都是出于人的饥饿。”不知是否记得准确，看来有一定道理，但不会是绝对的。前面我说的就是一例，那时我的肚子都是吃饱了的；而

是有心要干，就认真干了。

当然，如果不大想干，或不想认真去干，就不容易干出好成绩，也难坚持干到底，获得令人满意的效果。您说是吧？

（2006）

门外探幽

记得古人的一句话：人之患，在好为人师。原以为是说别人的。后来渐渐发觉，那也是说我呢。

新中国建立后，我一向在报社工作，从事漫画方面的编辑业务。收到来稿不少，一部分稿件我看了认为有不妥之处，或宜建议加工改动的，就复信提出意见，这本是为了尽职。复信之后，还把画上的问题记下来，抄在本子上。从这里就看出好为人师的初患来。日久天长，患情渐加，写出书来出版。好在书店老板看不入眼，发行量很少。我曾用其中一本的发行量算过，如果有人想买的话，平均一百万人中，书店可供应一本，过时不候。

建国之初，我们和美国打了几年仗。漫画作为战斗武器，自然要用来对敌斗争，以长我方志气，灭敌方威风。从许多外报资料看到有些对我方有利的消息报道，可利用来打击对方。有的看来用漫画表现不如用杂文更利于发挥，于是开始写杂文，还配上自己画的插图（如例：《保护》）。

1957 年，见报上发表一些文章谈论小品文有无危机的问题。我一时兴起，写了一篇短剧式的杂文《过堂》，这是我写的第一篇国内题材的杂文。不料正赶上“反右”的政治运动，这下惹了大祸，批

得我失魂落魄。幸亏领导手下留情，只要我写个检讨发表，放行过关。“右派”帽子“拿在群众手里，以观后效”。这类杂文再也不敢写了，要写只能针对外国，怎样写都可以。50 年代末期，因和相声大师侯宝林交往，写起相声来。没写几篇，又赶上个文化大革命，又成罪状，被左家大将揭发，加上五七年原罪，挨批判，抄家，押进“牛棚”，又全家赶出北京，监督劳动达十年之久。“四人帮”倒台后，我转换工作部门，得到放手挥笔条件。我那好为人师的积习难改，在作画作文之余，斗胆探视“幽默”的殿堂，因为这是从事漫画、相声、杂文、喜剧等工作的人都想进入的所在。因不好读书而求甚解，无引经据典之力，只好凭自己多年创作实践中所得，不揣谫陋，写了几本探讨“幽默”理论的书。还是亏得书店老板看不上，发行量极少。只有一本发行较多些，几年前我在美国哈佛大学和斯坦福大学图书馆里查到，他们买到了。其余几本，如果他们想买，估计是买不着的。在我国，知道的人极少，所以书虽出版却如石沉大海。这些年来，我没间断过这方面的追求，不断在写，同时更希冀为人徒，到处拜师找资料。理论总要作抽象推理，凭这种逻辑思维写出的文字，怕读起来乏味，人不爱看——老实说，我也没有这种论理之能。于是想用闲谈方式，多用实例来说出我的体会，求教于方家。

为便于阅览，将分段写出，大抵均千字文，有利于人百家姓之目。后文如何，且听下回分解。

（2001）

“保护”

西贡连续发生爆炸事件，死伤了不少美国佬。于是在美国的主持下，成立了一个“联合安全委员会”来“保护美国人的生命”。

美国不是一向以保护者自居，要“保护”这个，“保护”那个；给这个国家以什么“保护伞”，把什么地方划为“保护地区”吗？曾几何时，忽然又发现美国佬自身的安全也靠不住，需要有个委员会来加以保护了。

于是就出现了连环保的局面。有了这重重保护，总会增加一些安全感的，然而却不宜推敲，否则，引起“联合安全委员会”又得要谁来保护这个问题，身子又得凉半截了。

孝英和我

因为意见不合，我和陈孝英先生成了好朋友。他研究喜剧，我研究幽默。喜剧和幽默是离不开的，所以我们两人也离不开。

我原先靠漫画吃饭，后来研究幽默理论，那是靠孝英吃饭的——世界各国学者的幽默理论，都是孝英提供给我的。没有这些资料，我讲理能靠谁呀？然而我们两人之间，依然他谈他的，我谈我的，都印在书本上。他请我吃顿饭，我请他吸支烟，我占了点便宜。

实在想不起我们两人是什么时候、在哪里初次相识的，只记得他在西安召开的那次喜剧美学学术研讨会，邀我参加，可惜我因事去不成，侯宝林是去了的。再一次研讨会在广州召开，我应邀去了，想是在那时我们两人初次会面。后来才发现，早在 1981 年，我们两人就相会了。那是在《文艺研究》杂志上——我们两人拿出的第一篇论幽默的文章，同是在那里发表的，虽然未必在同一期里，而且两人互不知对方长得什么模样，体重多少。他是上海人（上海读“宁”），我是广东佬；他住西安，我住北京，相隔千里之外。千里来相会，可见有缘。

从那初会之后，各干各的。至今我写了四本幽默的书出版；他写了并出版了十四本论幽默和论喜剧的书，比我多两倍半。我编过

一本这类的书出版；他编了出版了十八本，比我多十七倍。我翻译过一本书，因是漫画书，文字很少，加起来顶多占两页；他翻译了八本书，加起来一百八十多万字，比我多一千多倍。这可是个大学问的人。看他的简历，从大学教授到大学副校长，从院长到艺术总监和顾问，从研究员到研究所所长和研究会会长，等等等等，要两页纸才印得完装得下。我呢，在名片上印两行足够了。

一种新的学科——“喜剧美学”是陈孝英创立的。全国第一个喜剧美学研究所，也是他陈孝英创办的。“中华喜剧美学研究会”，还是他陈孝英一手创立的。不仅写书，创立新学科和研究会、所，他还亲自动手真干起来，写剧本，与电视台合作出剧目、办栏目，当艺术指导……最近，他被特请到天津市，筹办“世界幽默城”和“中国首届喜剧节”，正东奔西驰，忙得茶饭无心呢。

我准备集中一段时间，仔细地再读他的著作，想主意和他打一场笔仗，挑逗他出马，好从他的战法中学几手硬功夫。

（2001）

像 赞

我一向只画漫画，后来也学着写点文章。内容大多和漫画一样，是评议性的，像杂文。也许因为写成习惯，看到别人的文章，也会引出我的一篇来。头一次是在 1984 年，《羊城晚报》1 月 12 日转载的《语言美》，讲的是鲁迅曾创造两个字。我一看就赶着写一篇《我也造字》来，因为我知道鲁迅创造的不止这两个字。由此还谈出我对造字的看法。第二次就是现在写的这篇了。最近看到《文汇读书周报》5 月 27 日上范用写的《像赞 · 墓志铭》，就引起我写的欲望，因为丁聪老兄将出版他的肖像画集，写像赞也有我一份。我是为侯宝林、廖冰兄、钟灵、谢添和戴敦邦这几位老朋友写的。

侯宝林像赞：从几件事可知，侯宝林被公认为“大师”，是名副其实的：他创作和整理的许多相声段子，可以说很难改动他一字一句；虽然他连小学一年级的学历也无，却出版过几部有学术价值的著作；他有个闲章号称“一户侯”，只有幽默大家才想得出。

谢添像赞：

卓别林信徒，

影坛多面手。

倒行逆施书法家，

八十多岁小朋友。

这里须加注解：他倒着写字，书法奇绝。

廖冰兄像赞：为他我填过一阕“秋波媚”：

难怪冰兄好忙哉，家里客常来。

宾朋文友，东西老外，港澳新台。

改革开放新时代，廖府本民宅，

既如文委，又充侨办，义务公差。

钟灵像赞：我曾为钟灵写过一首打油诗：

曾和主席下过棋，

城墙书法挨过批。

白石门下称弟子，

《黄土地》里充司仪。

这里也须加注解：下棋是在延安时；在城墙上写的是一个“[illegible]”字，一个“互”字；（见《毛泽东选集》中《反对党八股》一文）；他曾拜师齐白石；电影《黄土地》里，头戴瓜皮帽在婚礼中司仪者就是他。

戴敦邦像赞：

敦邦，名字像外交部长，
人可像戴家庄的老乡。
自号“民间艺人”，
却是艺术门里苦行和尚。

刘开渠像赞：

人生七十古来稀，
刘老今年八十七。
向渠哪得寿如许，
不与俗汉争高低。

这群肖像之中，也有方成的。只好自己写：

因为忙，自然活得痛快，也活得长——当然，所忙的都是对人无害，尤其是对人有益的更有效。

幼时两位相士都看出我是个“败家子”，到“文革”时才验。

我写这篇短文，是有个阴谋的——为丁聪的这本即将出版的肖像集作个广告。

（1995）

我们刚开始

“为人民服务”已成为最响亮的口号，走到哪里都见到的。

可从日常生活中，使人感触最深的，却是为顾客服务的商品，虽然没见“为顾客服务”的标语挂满墙头，但商品其服务之周到，已达无微不至的程度。人身上最忙的，是鼻子下面的嘴。光是吃的，除一日三餐，少不得要去商店买各种包装的食品。也少不得生点小病需买药，药品包装尤其严实。过去所见软包装，打开须用刀剪，硬包装则需用各种金属工具。如今改革开放，西风东渐，不仅顾客有了“上帝”的尊号，商品包装也带来新的面貌，软包装的用手一撕就开，硬包装哪怕是什么硬金属，也多不需工具，号称“易拉”、易拧，打开容易得很，给顾客很多方便。日用工具即便小到剪指甲刀，过去多少年来只见一种，如今也百花齐放，有大的，小的，正切口的，斜切口的，剪下指甲不落地的……还准有我没见过的。单看楼房“洗手间”、浴室里的设备，都够简单吧？可只是牙刷这么小的东西，到商店看去吧，品种花色之多就数不过来，其中还有电动的呢，让顾客随意挑拣。就是买一个能用几十年的耐用品如手表，也照样不断出新。这种种新品种，新设计，新改进，是从哪里来的呢？说来惭愧，大都是从市场经济发达的外国进口的。我们现在还

在使用的许多东西，在张择端的《清明上河图》里就有，一模一样。张择端是宋代画家，离现今上千年了。其中虽也有改进的，却不多。改动也迟迟难进。现在我国市场逐渐开扩，各家都有外国发明的家用电器，我国也会制造，生产各种商品出口，会引进外国先进产品制造生产线，可是看来，很少见我们自己动手改进的。我出差常乘飞机，乘火车，里面一切设备都是外国人给外国人自己设计的，其中也有为卖给中国，为中国乘客设计的部分。只有一样，外国设计家以为中国旅客家里都有坐式的马桶，就按外国的那样设计出来，结果有这种马桶的地方，都被弄得污秽不堪，不能像在自己家里那样使用。还得等外国设计家替我们改进一回。其实外国设计家已经在飞机的马桶上有一点改进了。

我们自己的设计家为什么不会自己来改动一下呢？改革开放已经二十多年了啊！由此可知，市场经济的发展，并非几十年可速成的，我们才刚刚开始呢。

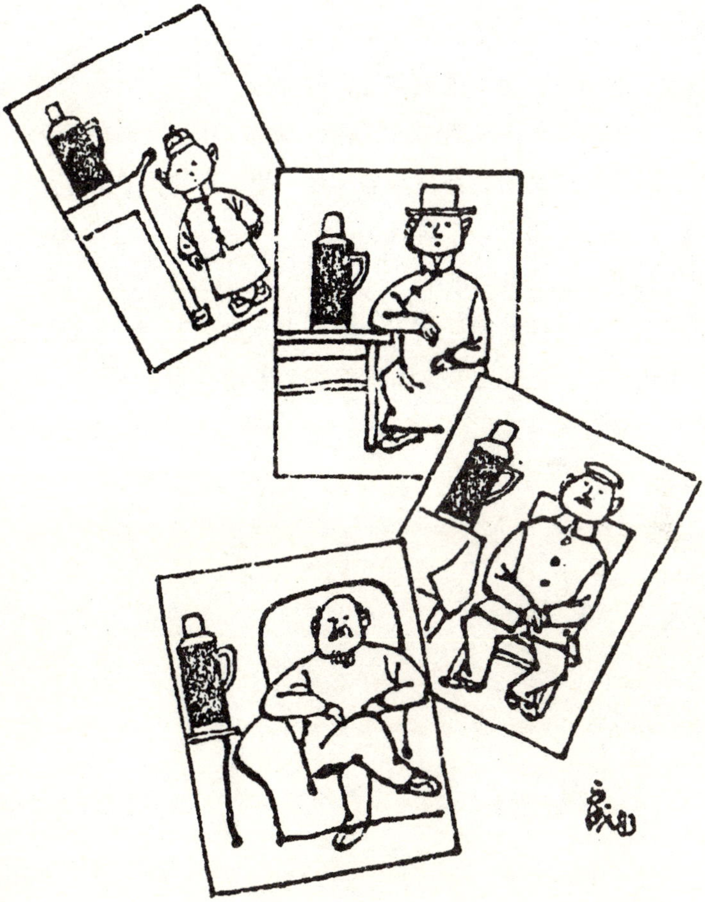

几十年的变迁

认识侯宝林

这些年来，我好像成了侯宝林的秘书。北京的几个电视台，以至外省的电视台，遇到关于这位相声大师的节目，就会找我来说几句。虽然我也写过相声，只是个爱好者，但和侯宝林倒是有三十多年交往。在一次，也许是首次的全国相声创作会议中，我应邀参加，在多次的全国相声竞赛中，我担任过评委，早年连姜昆在表演竞赛

中，也是我在台下给他打分数，但这都少不得侯宝林的推荐。

我从上初中时就爱听相声，有空就跑去市场观赏相声艺人的表演。那时常看著名艺人张杰尧（外号张傻子）、高德明、绪得贵、汤金澄（外号汤瞎子，近视）和朱阔泉（很胖，外号大面包）的演出，朱先生是侯宝林的师傅。那时侯宝林未出师，没见过。

新中国建立后，相声的新生面临整旧创新的严重问题。相声艺人们都在做这种十分艰苦的工作。在一次海战中，我方击沉国民党军舰“太平号”，我想到一个有趣的“点子”，写信告诉侯宝林，供他为新相声创作参考，由此我们相识。此后不断来往，常在一起的还有电影导演谢添和与我合画漫画的老友钟灵。在50年代60年代之交的三年经济困难期间，食品匮乏，伙食欠佳。他是政协委员，政协有的聚会备有佳肴，他把我和老伴陈今言也带去“打牙祭”。我们都爱以酒助兴，有时在我家，有时在侯家，有时在中央乐团老团长李凌家。因均属同道，在一起也各谈些艺术之见。侯宝林对理论问题尤为热衷，他虽然只上过三个月小学，自己补习却十分用功。他向我说过，他是在“解放后才扫的盲”。有一次向我讲过《优语录》中的故事，后来我看这部早年出版的书，是用古文写的。他曾向我提出个问题，说有些青年相声演员不大懂幽默，不会使“包袱”——即相声术语“笑料”，问幽默到底是什么？我也不清楚，于是约好在我家谈了一个上午，不得要领。他说：我们是“搞幽默艺术的”，应该懂得什么是幽默。这才使我下决心去研究这个问题。看了许多资料，在1982年或1983年，联系自己的创作实践，我写了一篇几万字的论文。向杂志投稿时出了点麻烦。1999年，邵燕祥出版一本《旧信重温》收录我写给他的几封信，其中一封提到这件事。信略长，节录一段于下：

……文章写了六稿，共写了十几万字，最后才修改完毕。写完给钟灵、谢添、侯宝林、王若水看过，接受了他们的修改意见。《文艺研究》说太长，要我大删。侯宝林听了很生气，说："一个字也不能删！"还说，这类文章谁敢写！他们懂得幽默吗？我也坚持不删……

侯宝林对从艺术实践中研究理解的道理是深信的，也很慎重。他会同两位教授合写过几部有学术价值的书，如《曲艺概论》，其中不少重要观点是他的，他几次向我提及。对语言他有深入的研究，我看过他的有关论述，否则北京大学不可能聘他担任语言学兼职教授。有一次我问他漫画和相声的关系如何？他略一思索，说："漫画是无声的相声，是平面的相声；相声是有声的漫画，是立体的漫画。"这话说得精炼，也在理。《人民日报》派我采访，问他的艺术经历。事后我按照当时录音写出，编辑略事删节，就是一篇很通顺的文章。我仔细研究过他写的相声和表演本子，给我的印象是很难改动他一个字。但在表演时，他会自己改一改。我想研究侯宝林的艺术方法，了解他是如何把一些格调不高的传统相声段子整理加工成为焕然一新的高级艺术品。约好每天上午去他家谈。从 1990 年 11 月 29 日开始，我带了他的相声表演录音带和两个录音机，请他讲。录了八天后，我因事去了深圳。1991 年春回到北京，才知道侯宝林患胃癌住进医院，直到 1992 年 2 月 4 日不幸去世，这工作被中断。原想与他合作，也得他同意，在一起研究幽默理论问题，现在只好自己单干了。他去世没几天，于 2 月 10 日，"美国之音"记者从华盛顿打电话来，要我谈侯宝林的艺术。我谈了，他也录音。侯宝林的艺术在国外影响是很深的。我家离侯家不近，两人也都很忙，我去他家的次数不算很多，但去时常遇到来访他的外国客人，我见过

的有日本人、加拿大人和印度人，每次所见人数都不止一两位。因和他来往多次，两家子女也都熟识，我家孩子喊他“侯伯伯”，侯耀文、石富宽从艺三十周年（记得如此）庆祝会，我是特邀宾客。他女儿侯珍和我常来往，喊“方伯伯”。报社曾约侯宝林以大庆油田故事为题，写一段相声。他建议与我合写，写成《没有开完的会》。因为常参加相声界的活动，熟识不少人。老艺术家马三立生病住院，侯宝林和我一道上天津去看望马老。姜昆出书，总要我画插图的。那年侯宝林携相声艺术团赴香港表演，排演时我被邀去观看。侯宝林去世后，我参加他们的活动少多了。

他曾深有所感地向我说：“没有新中国，就没有我（现在的）侯宝林。”他尤其感激毛泽东主席对他的恩厚，点名推荐他任全国人大代表。在旧社会，相声艺人处于社会低层地位，如今翻了身，使他得到学习和工作的优厚条件，他得到许多大学者如罗常培、老舍和吴晓铃等先生的不少帮助。在相声整改和创新工作中，能得心应手。还有令人感激的是，毛泽东为侯宝林的相声表演录像，使这位大师前无古人的表演技法保留下来，否则这部十分珍贵的我国传统文化遗产，再也见不到了！

我认识侯宝林，因此说过，也在文章里提过：在现代世界上杰出的幽默表演艺术家之中，在卓别林之后，首屈一指的就是中国的幽默艺术家侯宝林了。

（2002）

水墨漫画

从1979年开始，我采用我国传统绘画形式作漫画，如《神仙也有缺残》、《苦读未悟图》、《娱亲图》、《武大郎开店》等，这些画于1980年在北京展出，接着在十几个大城市巡回展览。

其实，这种画法我国早就有了。例如明朝李士达的《三驼图》就很明显，清朝黄慎的《有钱能使鬼推磨》和罗聘的《鬼趣图》也是，看毕克官和黄远林的《中国漫画史》就很清楚。但那时还没出现称为“漫画”的这一特殊画种，因为在封建制度的文字狱威胁之下，这个以评议为艺术特色的画，不可能在中国流行。只有在封建王朝没落以至被推翻之后的20世纪初年，中国才开始有漫画流行，并出现我国漫画家，比英国流行迟二百年，比日本也迟一百年。

在退休之后，创作时间充裕，我继续作这种漫画，多是以打油诗配合创作的。从画面看来是传统绘画样子，配上诗，就带漫画特性。

我在画上题的，我自称为打油诗，因为和传说的打油诗挺像。这种诗有两个特点：一是用俚语，也就是大白话，是白话诗；二是有幽默感。用这种诗正好配漫画，看来很协调——不仅与内容协调，和画的形式也协调。有的画不需配诗，有个标题即可，如《神仙也有缺残》和《苦读未悟图》。

这种形式的漫画，因有传统国画特色，便有国画的观赏性，可作为欣赏品挂在墙上，以饰厅堂，又因民族风格鲜明，会受读者喜爱。

这种画的形式，既有漫画特色，又很像传统国画。从漫画而言，在表现形式上有所继承；从国画表现题材上说，也有所开拓。这对于漫画和国画的艺术发展都是有利的。

在20世纪初年，我们才见到西方国家和日本传来的漫画，我国漫画家都是从外国漫画学来，画法大都学外国漫画。有人用毛笔画，更多人用钢笔和西方传来的各种画笔，而画法多似外国，连人物造型也似，甚至连生活情景也仿外国，例如画乞丐也像外国那样行乞——把帽子仰放身旁，求行人往里面投放钱币。我活了八十多年，走过几十个城市，从未见过一个中国乞丐用这种方式求乞的。旨在表现滑稽和幽默感的漫画，俗称"幽默画"，那是多见于西方漫画家的作品，我们过去更罕见。我国漫画家也作这种幽默画，是从外国作品学来，表现方法多相似。我在报社工作，创作任务在于作新闻漫画，除在香港时外，很少画这种幽默画的。以水墨画法画过几幅，或是为唐诗作的插图如《三日入厨下》，有一幅是拿自己耳聋开玩笑，作《老两口》。有的画是在笔会中被人逼着画出来，如《功夫茶》，就有点像幽默画了——我开始作国画人物，只会画两个水浒好汉，以此和画家们交换，其中一位要我画现代人物，这幅是临时想起画的。

现在已有多位漫画同行也采用这种形式作画，去年曾在深圳举行这种形式的画展，名之为"水墨漫画展"。看来，这种形式的漫画，会引起更多漫画作者的兴趣的。

（2005）

梁山
猛丈夫
一個
大老粗
生来
性子野
大事
不糊塗
甲戌秋
寫李逵於北京

鍾馗想喝酒
無須巧安排
後門開條縫
自有鬼送來
九八戊寅立春
方成畫並題於北京

说幽默

什么叫幽默?

说起来好像谁都明白，可就是讲不请。英美国家习惯上把可笑的事都称“幽默”，就和我国早年统称为“滑稽”一样。看各国百科全书幽默词条，真叫公说公理婆说婆理，不全一致。1973 年出版的《现代汉语词典》讲得简要，十一个字：“有趣或可笑而意味深长的。”《辞海》讲得多，166 个字。我写一本书讲幽默，二百多页，一家之言，是信不信由你的。

要我来说，我是从幽默的来源出发，探索它的意义、性质和规律性，因为我们最常从语言中感觉出幽默来。笑话里面幽默最多也最明显。

人世生活常是紧张奔忙，难得安宁的，谁都想轻松地乐一乐，所以都爱听笑话。相声就是说笑的表演艺术，人爱听爱看，更爱看爱听马三立和侯宝林的表演，觉得他们的表演幽默动人。有的人表演达不到他们的水平，听了看了也逗人笑，笑完就完，印象不深。可幽默的相声听完笑完却记得住，觉得奇巧有回味。听了《夜行记》说的那辆二十八块钱买的那辆自行车，“除了铃不响，剩下哪儿都响”。说法新奇，一听就乐，乐了之后不就会令人想到这辆车的模

样，还会从自己的经验，想到这辆车骑上去的种种感觉吗。有的演员裹上头巾，学女人扭一下，也逗人笑，笑过之后，无可回味，演得不好甚至会引起一些人的反感。这是一种滑稽动作。

幽默和一般的滑稽是有区别的。幽默是艺术，有美感，一般滑稽则未必有。滑稽多模仿，常重复；幽默出于创造，没有现成的。

做什么事，做得多，熟能生巧，语言也不例外。人一出生就离不开语言。人也都好奇，也想出奇。吃完饭到街上散步，偏说去“压马路”。吃饭喂饱肚子，偏说是“喂脑袋”。这不是说错了吗，很矛盾吧？可一想，饭却是从脑袋上面的嘴喂进去的，说得过去，言之成理，人一听就明白那是出奇的说法，是拐个弯说的，让你领会。“除了铃不响，剩下哪儿都响”这句话传达出来是说的人和听的人凭生活经验在默契中接受，达到效果的，正如侯宝林在《关公战秦琼》里说到旧时戏院里服务人员扔手巾，扔的来个“苏秦背剑”，接的来个“张飞骗马”，都参加表演，自然都觉有趣可喜。幽默之所以能予人以美的愉悦，就在这双方默契之中。话说出来听着矛盾出奇，而又言之成理，使人理解，便觉奇巧有趣，感到幽默之美。漫画和相声艺术技法一样，常是看来矛盾反常，却有理可通，含义可领悟，显出别有情致的幽默来。“我一人吃饱，全家不饿。”小孩没生活经验，听不明白说的是单身生活的意思，便不觉其幽默。文化程度低的人也会听不明白“无齿之徒”是戏言，是以“无耻之徒”谐音取笑。比喻用得出奇又别有含义也属幽默，如“肉包子打狗——一去不回”，“狗掀帘子——一尽仗着嘴”。滑稽有它造成的原因，一般多因不协调，不相称。小孩子吃泡泡糖，吞吞吐吐，看来平常；白胡子老大爷也这么吞吞吐吐，便觉可笑。巧合，出巧也常有滑稽感。帽子从楼上掉下来，正巧扣在人头上，谁见了都会笑的；

扣在女人头上就更可笑了，因为更奇。能运用滑稽的规则来说话，来表演，就出幽默。相声、漫画常用这种技法。相声《空城计》中，侯宝林说他想混进后台听“蹭儿戏”，被人撵了出来，他却像被朋友送出门似的说：“好，回见，回见——别送。”听了能不笑吗？

如果用一句话说明幽默和滑稽的区别，可说：“幽默是一种语言方式，滑稽不是。”

幽默和滑稽都逗笑，区别就在于幽默是语言，语言都有一定含义的。幽默语言用画来表现就是漫画，用表演则出喜剧，出丑角。

幽默还有个明显特点，就是理论和实践很不易相结合，通理论会讲理论者未必都会使用幽默技法，会使用幽默技法未必通理论。再一个特点是幽默技法新奇多变，除了生活经验之外，更需有相当多的学识和艺术修养才易于掌握。幽默技法是熟能生巧的，所以实践才出技巧。当然，人的天赋才能也有关系。人都有各自不同的才能，有敏于感受和理解幽默这种才能的人，学幽默自然比一般人容易。幽默是一种艺术，是学而能的。幽默的文学艺术作品（尤其是相声）和幽默喜剧及喜剧演员难于产生，都是与文化艺术修养和生活经历紧密相关的。其中自然也涉及性格与爱好，不可一概而论的。

（1997）

学画历程

算起来，我以漫画为业，从1946年至今，正好有60年了。说来也怪，从我上学以至从大学毕业，就一直没想过我会走上文艺方面的道路。在大学里学的是化学，毕业后干的是化工研究，还曾在一次全国性的化学会议上将我在4年里所取得的成绩，写成论文在会上宣读。只是之后因一场病，把我从科研道路推到文艺道路上来，度过了几十年的生活。这偶然性是突如其来的。

偶然性之中，总会有一定必然。那是因为我童年生活在农村，农村里没什么引孩子们感兴趣的游戏。晚上更无聊。我曾背着母亲，跟着别的孩子走进夜校听讲课，那时我八九岁。白天没事，就拾块砖石，在墙上画山，画房子画树。没多久，母亲带我回到我出生的北京，父亲是在那里工作的。插班上了小学高年级，有纸本，教科书上还有不少插图，我就习惯地照着画了。画得多，有人称赞，就更喜欢画。那时我已经有了父亲买给我的《西游记》，就照着上面的插图画猪八戒和孙猴儿。上到初中，我最初只会把一些现象画出来，引人注意，不会作漫画艺术加工。

(2006)

我看的小说多了，就画三国里的三战吕布。看了几十部武打的小说，可画的人更多了。上到高中，因为准备考大学，什么闲书都一概不看，但有时也会在本子上习惯地画着玩。1935 年，北京爆发“一二·九”爱国学生运动，我们学校学生会按学联分配工作，负责作宣传，写宣传品。同学们知道我会画，要我担负画宣传画的工作。那次运动是抗日和反对当时政府投降敌军的，政治性很强，作宣传画最适合是漫画。我平时就爱看杂志上的漫画，就学着画起来。上到大学，正遇上日本大举入侵。我们几个同学合办壁报，他们知道我曾画过漫画，让我负责这方面约稿。但全校再也没见有会画画的，我只好自己画，壁报每周出一期，我不得不把下课时间大部用在想画漫画上，到处找题材。也不得不常作写生画，练习绘画基本技法。如此画了三年，从不大会画到会一点，逐渐明白漫画的艺术特性，能画出一些像漫画的作品。这就是我掌握的一种艺术初步技法。1946 年我生病，不得不换个生活环境养病。此时日本已经投降，我想换换工作，到上海找出路，主要想在漫画这条路上试试。那时国民党腐败，社会动乱，物价不断上涨，为和共产党作战到处拉壮丁，民怨强烈，很能激起漫画创作动机，正是推动我走上漫画道路的一种推力。我原来不会画政治讽刺画，但能画连环漫画，这种画用简单夸张技法就能就物价飞涨和强拉壮丁这种问题画出讽刺画来。那时米谷、张文元、丁聪和沈同衡的漫画在报刊上发表不少，以此为鉴，我学会画这种政治讽刺画，向当时最著名的《观察》周刊和《大公报》、《评论报》等报刊投稿，均能采用发表。只用几个月时间，便在上海以漫画立足。1947 年底，我从上海避居香港。因那时国民党政府已临败局，对左翼文艺作家进行镇压，漫画家都跑到英国统治下的香港避难。在香港只能仍靠漫画维持生活。我每天作一

幅连环漫画《康伯》在《大公报》上连载，同时作讽刺画。1949年北京解放，我便回到北京，进《新民报》任美术编辑，仍是作漫画。不久，调到《人民日报》任漫画编辑。此时发生朝鲜战争和越南战争，我在报社作新闻漫画，就抗美战争新闻画讽刺敌方的漫画。几年中作品不少。这时候在艺术上已趋于成熟。

从我的创作经验可看出，我并没想到要以画为业，而是时势推动之下，自然地画起自学而能的漫画来。漫画是一种表意性的画，是作评议的一种艺术手段，和其他绘画不同，有它特殊的艺术特性。至今还写不出可作教科书的教学用品，一般画家是教不了的，所以美术院校中没有漫画专业课程。要学，只能从可见到的漫画作品为例，学会运用它的特殊表现技法。

漫画最明显的两个艺术特性：一是有语言功能，可用作评议；二是谐趣逗笑，有滑稽性和幽默讽刺的功能。

年轻人学漫画，一般比较容易利用漫画的谐趣功能，画逗人笑的画，俗称“幽默画”。对时事作评议需有一定判断问题是非之能力，须有一定学识才画得好。而且漫画讲究用幽默技法，而幽默是很难掌握的一种艺术手段。一般逗笑的画比较易于上手。从我在学校画的那些漫画就明显看出，开始就是画引人兴趣逗笑的画。逗笑的漫画都是从日常生活中取得题材，见得多，想得多，找题材是不难的。从画这种引人兴趣逗笑的画，在不断创作中，领会漫画的表现手法，会逐渐学会画讽刺画，以至时事漫画的。我最初画的那些讽刺画，题材都不复杂，全属群众一般关心的事，问题也十分清楚，作评议很容易，画起来就方便了，仅用简单夸张画法就出效果。把这些画和50年代之后我的画比较起来，就有艺术上明显的区别。就是以抗美援朝时期我所作的画，和在援越抗美时期我的画比较，也

可看出后来有明显进步。再看 1980 年时我的作品，也有不同的进步表现。

学漫画还有一个很重要，也很明显的一点，就是一开始就先动手画。必须在画的过程中才能如实领悟漫画的艺术方法。一开始不动手，是学不来的。曾有许多年轻人问我漫画的学习方法，我回答就是一句话："先动手画，画过再说。"我在郑州大学办的漫画专修班上课，第一堂讲漫画的特性，讲一个上午。下午就要看学生的作品，不会画也须画了出来。在课堂上把每一个学生的画挂起来，一张张我作评议，说出画中的问题，优点和缺点。以后一上课，都是看每一位同学自己动手画的漫画。就是这样使学生一开始就动手画，然后一张张点出其中需改进的地方。如果不动手画，你讲多少道理都很难用得上的，因为离开实际不容易理解。艺术理论和数学理论与一般物理或工程理论不同，不是一听懂就能用得上的。

我以当年我学画时期的作品为例，很明显看出我的学习和运用的历程。

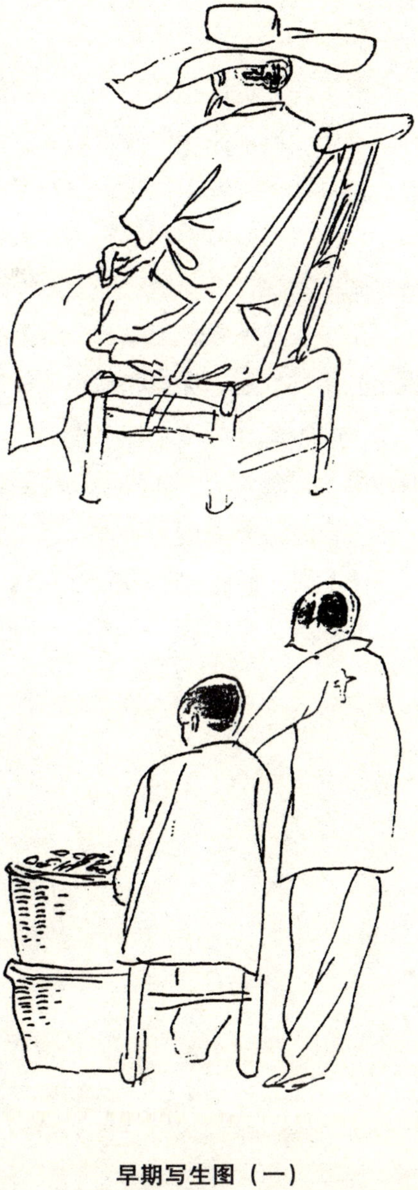

早期写生图（一）

（二）

（三）

早期速写

一覺醒来

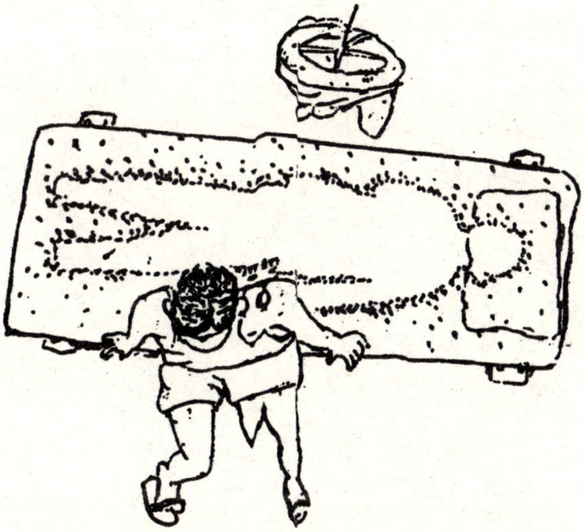

1949 年我第一次到学校宿舍。头一天晚上就在床上捉了 60 个臭虫，这是真事。后来我画成这幅漫画。

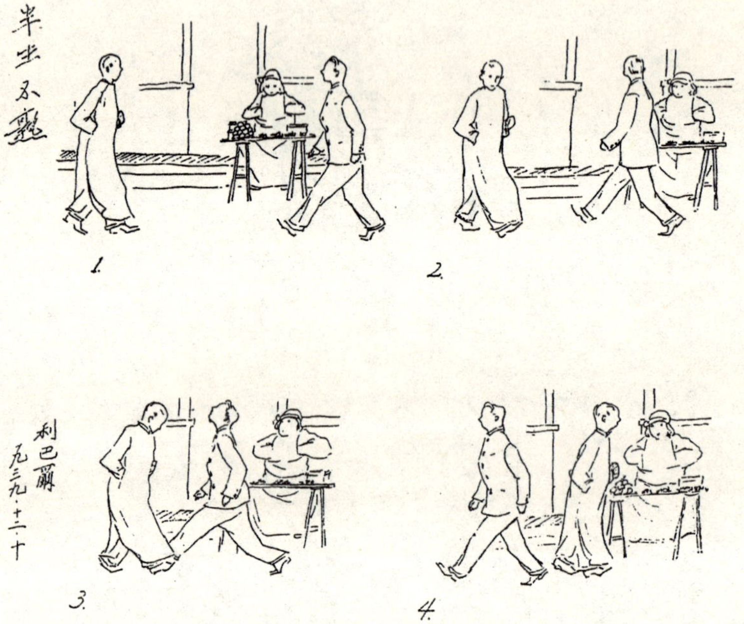

学校所在的城市很小，同学多，路上常相遇。相熟识的会互相打招呼，只有相识而不很熟悉的，路上遇见很怕打招呼而对方不大理会，很尴尬。所以常是借故不看对方，这种情况很普遍，所以画出来同学们爱看。这是我初期所作的连环漫画。

宿舍里，伙食是学生自办的，米商常来讨账。这是用漫画法画的，头画得很大，一则为了便于画出人的面部特点，也为了看来和真人不一样，因不相称而显得滑稽。

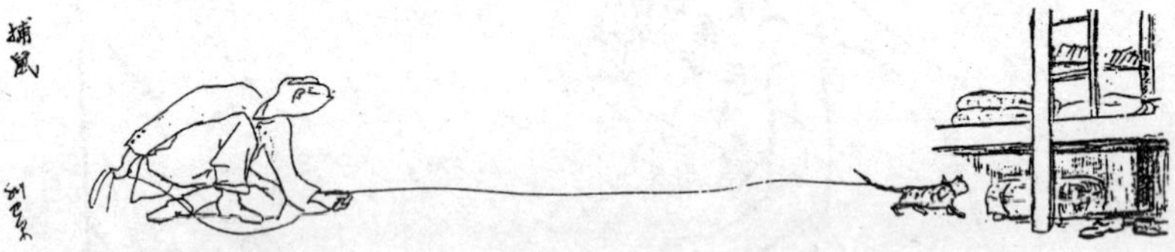

这幅画也是经过漫画艺术加工的。因为老鼠多，买猫的价钱贵，很怕它跑掉失去。实际上顶多只会用绳绑它，不会用绳牵着它去捕鼠的，是编的故事情节，为使看来有趣。

在抗日战争中，大片地区失陷，学生无经济来源，买不起鞋，雨天就只好光脚走，把鞋保护起来。这情况也普遍，所以如实画出，也引人爱看。

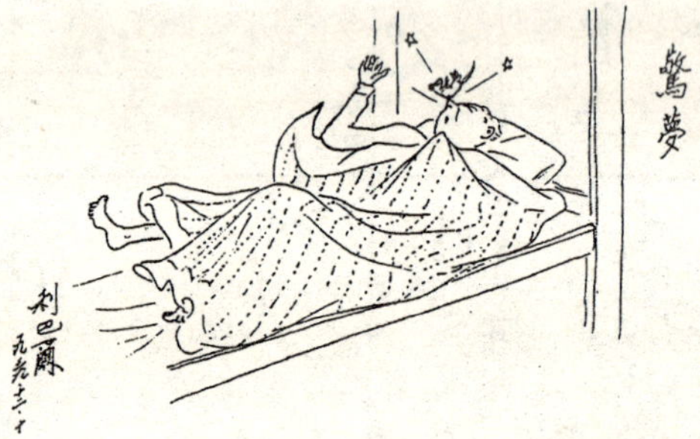

这两幅画里面，前一幅表现方法简单。后一幅有漫画的艺术加工，看来就有趣些。那时正是抗日战争时期，学校在四川一个小县里。那里气候潮湿，生活条件也较差，老鼠多，必须防它咬坏衣物。老鼠到处跑，不会从床的上面掉下来的。这画里我编个小故事，为的是看来滑稽，引人笑起来。

用夸张法讽刺当时的通货膨胀现象，米贵得很。这种连环漫画创作构思不难。

为练习绘画，就须经常画写生画，画得熟练后，就能很快画出，这就是速写。这是学习漫画必须做的事，否则很难进步，画不好。

后 记

在这本书的“序”里，讲出版此书的用意。其实开始是为报纸写的——为讲讽刺与幽默的报纸写。因为我从这报纸发表的作品中，见有一部分作者还不大善于运用漫画的艺术技法，为此写出我的意见。我画漫画实际上不止60年，所经历的创作环境不同，创作方法也有所不同，自然有较多的创作经验，可以对创作经验还不甚多的画家提供些参考资料。

漫画是语言的艺术，又是公开发表的语言形式。我国是曾经历两千来年专制政体的国家。在这种环境下，公开发表言论是十分危险的，所以很难见到流传下来的发表公开言论的画。直到17世纪末18世纪初，在欧洲的英国革命排除了专制制度，民众开始有公开言论的自由。有人用画来发表他的言论，形成了这种特性的漫画。到20世纪之初，我国皇帝地位不稳以至被推倒之后，才见到从外国传来的漫画，也才开始出现中国的漫画家。当时我国还处在半封建专制下，漫画被禁，只许在上海的杂志上发表。因为上海有很多外国租借地，外国人很多，当时政府为表示进步，也打着“民主”的旗号给外国人看。见外国那些先进国家里有漫画公开发表，所以也只好让一些杂志发表漫画。其他城市就很难见到了。1949年新中国建

立后，漫画才开始在许多城市报刊上流行。1957年，一次“反右”的政治运动，把画时事讽刺画的漫画家都划成“右派分子”，剥夺了他们的公民权，再也没人敢画这种时事讽刺画了。直到1979年，漫画开禁后，才出现很多新起的漫画家。人数虽多些，但富有漫画创作经验的人并不多。为此我才写谈漫画创作方法和一些创作经验的文章发表，也出版谈创作的书。

漫画是社会高度发展才产生的一种画的形式，同时也是促进社会不断发展前进的艺术品。是人民之所需，也是民主社会之所需，自然会随着社会文明进化不断发展进化的。我国需要更多的漫画家为社会服务。

方成

2006年8月于北京

图书在版编目（CIP）数据

方成自选集/方成著. —北京：文化艺术出版社，
2006.9
ISBN 7-5039-3035-7

Ⅰ. 方… Ⅱ. 方… Ⅲ. ①方成（1918~）-文集
②漫画-绘画理论-文集 Ⅳ. J218.2-53

中国版本图书馆 CIP 数据核字（2006）第 103429 号

方成自选集

著　　者　方　成
责任编辑　李春阳
装帧设计　蔡立国
责任校对　方玉菊
出版发行　文化艺术出版社
地　　址　北京市朝阳区惠新北里甲1号　100029
网　　址　www.whyscbs.com
电子邮箱　whysbooks@263.net
电　　话　(010) 64813345　64813346（总编室）
　　　　　(010) 64813384　64813385（发行部）
经　　销　新华书店
印　　刷　国英印务有限公司
版　　次　2007年1月第1版
　　　　　2007年1月第1次印刷
开　　本　720×960毫米　1/16
印　　张　38.875
字　　数　300千字
印　　数　1-8000册
绘　　画　187幅
书　　号　ISBN 7-5039-3035-7/J·808
定　　价　59.00元（上、下册）
